CW00420727

EXPERTITION®.

Über die Autorin

Anna Katharina Steiger ist Autorin, Trainerin und Hypno-Coach und unterstützt als ***Potential-STEIGERin*** Menschen, die eine erfüllende (berufliche) Herausforderung suchen oder in der Sandwichposition feststecken, endlich ihr volles Potenzial auszuleben, ohne Angst zu versagen.

Nach vier Studiensemestern Elektrotechnik an der RWTH Aachen und der Erkenntnis, dass dies die falsche Berufswahl war, begann sie in Aachen eine Ausbildung als Bürokauffrau, die sie erfolgreich beendete. Sie blieb über 30 Jahre in der gleichen Branche in unterschiedlichen Firmen und Positionen, zuletzt geschäftsführend mit der eigenen GmbH.

2010 machte sie ihre ersten Erfahrungen mit Persönlichkeitsentwicklung. Und in ihr brach sich der Wunsch Bahn: „Das ist es, Du willst Menschen bewegen und nach vorne bringen. Sie sich entwickeln sehen!" Es brauchte schließlich eine Zeit der echten Tiefschläge, bis hin zum Verlust einer sechsstelligen Summe, bis sie in ihr (Berufs-)Leben 2.0 durchstartete: Heute ist sie Trainerin, Hypnose-Coach und **Potential-STEIGERin** aus Leidenschaft.

Ihr AK-STEIGER-Prinzip vereint alle Strategien, die sie selbst angewendet und weiterentwickelt hat.

Zusammen mit ihrem Mann lebt sie im Dreiländereck D-NL-B in der Nähe von Aachen.

kopfarbeit•**jetzt**

Kontakt: kontakt@kopfarbeit.jetzt
https://kopfarbeit.jetzt
Mobil: 0171 6223603

Anna Katharina Steiger

Das AK-Steiger-Prinzip

Mit gestärktem Bewusstsein in Dein selbstbestimmtes (Berufs-)Leben

Verlag: Expertition., Wipperfürth
Druck: tredition GmbH, Hamburg

ISBN
Hardcover: 978-3-9822312-8-0
e-Book: 978-3-9822312-9-7

Lektorat, Buchbegleitung: Mirjam M. Saeger

Covergestaltung: Mirjam M. Saeger

Widmung

Dieses Buch widme ich voller Liebe meinem Ehemann Gerhard. Er hat mich stets begleitet, alle Tiefen mit mir durchlebt, durchlitten und durchgestanden, alle Höhen mit mir erlebt und begeistert gefeiert. Er hat mich ermutigt, dieses Buch zu schreiben und hat mir stets meine Selbstbestimmung und Selbstverantwortung gelassen. Ihm verdanke ich, dass ich ein selbstbestimmter Mensch geworden bin, der sein Leben in persönlicher Freiheit leben kann und dennoch eine respekt- und liebevolle Beziehung lebt.

Liebe Lesende,

aus Gründen der besseren Lesbarkeit wird bei Personenbezeichnungen und personenbezogenen Hauptwörtern in diesem Buch die männliche Form verwendet. Entsprechende Begriffe gelten im Sinne der Gleichbehandlung für alle Geschlechter und stellen ausdrücklich keine Wertung dar.

Tipp: Sicher findest Du im Buch Anregungen und Übungen, die Du schon einmal gehört oder gelesen hast.

Dann stelle Dir unbedingt die Frage: „MACHST DU ES AUCH?"

Vorwort

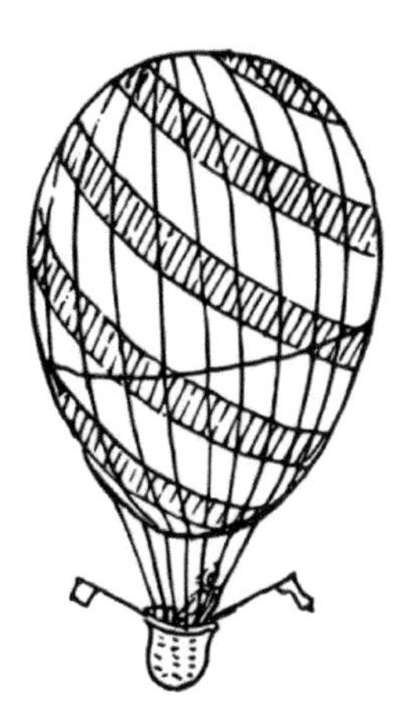

„Erkenne Dich selbst"

ist eine vielzitierte Inschrift am Apollotempel von Delphi.

Die Forderung wird im antiken griechischen Denken dem Gott Apollon zugeschrieben. Als *nosce te ipsum* wurde die Anweisung ins Lateinische (Cicero) übernommen.[1]

Über uns selbst nachzudenken, unser Handeln bewusst zu betrachten, obwohl alt, ist eine in der frühen Nachkriegszeit schleichende, heute rasant zunehmende Bewegung.

Das ICH in den Vordergrund zu stellen und voll ICH zu sein, ist jedoch auch heute noch Mangelware. Unsere Eltern waren noch vollumfänglich eingebettet in ein allgemein gültiges Gesellschaftsgefüge. Die Lebensabläufe waren mehr oder weniger geregelt. Sie bewegten sich in einer altehrwürdigen Tradition, hörten auf die Kirche, gingen sonntags zum Gottesdienst und aßen freitags kein Fleisch.
Weitgehend existieren heute diese Lebenspfeiler nicht mehr.

Viele sind verunsichert und in vielen Fällen ist unsere Erziehung nicht dazu angetan unser ICH, unser Selbstbewusstsein zu stärken, um uns einen eigenen Codex zu schaffen nach dem wir leben wollen. Wir nehmen in unser Erwachsenwerden mit,

---

[1] https://de.wikipedia.org/wiki/Gnothi_seauton

was unsere Erziehung hergibt. Vieles hinterfragt wird immer noch nicht. Wir bleiben unauffällig, erlernen einen Beruf, meist den, der von den Eltern favorisiert wird, verhalten uns still und angepasst.

Doch die Zeiten, in denen unsere Vorfahren lebenslänglich ihrem Arbeitgeber die Treue hielten und umgekehrt, sind vorbei. Ich sehe bei vielen die „Midlife Krise" aufkommen unabhängig von unserem Gender, und fragen: „Soll`s das gewesen sein? Ist dies meine Endstation?"

Wir fühlen uns eingeengt, im Käfig, anfangs noch erträglich, doch die Enge nimmt zu, die Unzufriedenheit wächst. Wir sehnen uns nach einem anderen, freieren, erfüllteren Leben, ein Leben 2.0 und wissen nicht wie!

Mit dem AK-STEIGER-Prinzip haben Sie eine nachvollziehbare Anleitung gefunden, der Sie folgen können zu neuen Zielen, zu neuen Erfahrungen über sich selbst, zu einer freieren und zufriedeneren Zukunft.

Das Prinzip wirkt, ich habe es erlebt! Auf eine Zukunft 2.0!

Dr. med. Dr. rer. nat.
Gerhard Josef Steiger

P.S.:

Ich gratuliere der Autorin zu ihrem Erstlingswerk. Ich bin beeindruckt und fühle mich geehrt für das AK-STEIGER-Prinzip das Vorwort schreiben zu dürfen. Das Buch handelt im Wesentlichen davon, sich das eigene ICH bewusst zu machen.
Dies geschieht mit einer mehr als bemerkenswerten Offenlegung der persönlichen und authentischen Entwicklungsgeschichte der Autorin. Ihr eingängiger Schreibstil verführt zum immer Weiterlesen und generiert einen „das will ich auch Effekt“.

Einleitung

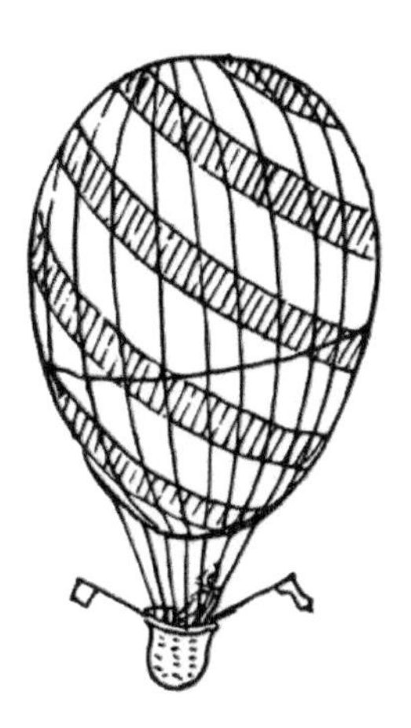

Mai 2020: Da war ich nun Mit-Autorin in einem Buch, das aus einer fixen Idee in einem Zoom-Call entstanden war. Binnen zehn Wochen wurde es geplant, geschrieben, lektoriert, korrigiert und veröffentlicht ("Chancenerkenner statt Krisentaucher" ISBN 978-3-347-05983-2). Und nun hatte ich es zum ersten Mal in meinen Händen. Ein eigenes Buch, auch wenn noch 17 weitere Autoren und Autorinnen daran beteiligt waren.

Und da kam er wieder, der Gedanke, ein völlig eigenes Buch zu haben. Diesen Gedanken hatte ich vor einigen Jahren schon einmal. Damals stand ich völlig alleine und wusste nicht, wie „Buch schreiben" geht. Mangelnde Zeit und fehlende Informationen haben mich damals scheitern lassen.

Da ich der festen Überzeugung bin, dass alles im Leben zur rechten Zeit geschieht, passierte dann auch genau das. Die Herausgeberin des Buches bot einen Workshop zum Thema "eigenes Buch schreiben" an. Gesagt, getan!

Den Workshop habe ich absolviert und dabei festgestellt: Ich habe ein Herzensthema, das in die Welt will. Die Sehnsucht nach diesem Buch wurde immer größer. Als ich meinem Mann davon erzählen wollte, hatte ich die Befürchtung, hier einen Dämpfer zu erhalten. „Du hast schon genug Projekte, muss das auch noch sein" ... waren meine Ideen im Kopf, was ich wohl zu hören bekäme.

Doch weit gefehlt. Seine Antwort war: "Mach doch!"
Und das Ergebnis hältst Du gerade in Deinen Händen.

Ich möchte Dich mitnehmen auf eine Reise, wie Veränderung funktioniert, wie auch Du das Leben finden kannst, dass Dir Spaß macht. Wie Du neue Möglichkeiten und Perspektiven entdecken kannst, damit auch Du ein selbstbestimmtes Leben in persönlicher Freiheit findest.

Ich wünsche Dir viel Freude und wunderbare Erkenntnisse beim Lesen und viel Spaß bei der Umsetzung des AK-STEIGER-Prinzips. Wenn Du in einem Themenblock Fragen an mich hast, dann fühle Dich bitte eingeladen, mich gerne zu kontaktieren. Wenn Du Unterstützung und Hilfe benötigst, scheue Dich nicht mich anzurufen. Meine Kontaktdaten findest Du unten auf der Seite.

Weitere Informationen zu meiner Arbeit findest Du auch auf meiner Website.

Herzliche Grüße

Deine

Anna Katharina Steiger

Potential-STEIGERin

Kontaktdaten:

Anna Katharina Steiger

Mobil-Telefon: 01716223603

E-Mail: Buch@Kopfarbeit.jetzt

Website: www.kopfarbeit.jetzt

Warum schreibe ich dieses Buch und was das mit Dir zu tun hat

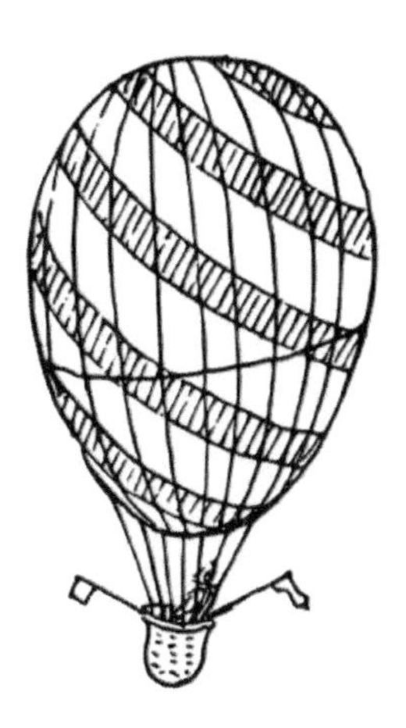

Seit vielen Jahren begegnen mir in meiner Tätigkeit als Trainerin und Hypno-Coach Menschen, die auf der Suche sind. Auf der Suche nach mehr Erfüllung, mehr Zufriedenheit, mehr persönlicher Freiheit, mehr Selbstbestimmung. Ich nenne es gerne auf der Suche nach dem Leben 2.0.

Es sind Menschen, die mit ihrer beruflichen oder persönlichen Situation unzufrieden sind. Die auf einmal bemerken, da muss noch mehr sein. Mehr als zehn bis zwölf Stunden Arbeit am Tag, dafür kaum Freizeit, keinen Urlaub, kaum Familienleben, kein oder nur ein geringes soziales Umfeld. Menschen, die sich in ihrem jetzigen Beruf nicht mehr zu 100 % wohlfühlen.

Vielleicht bist auch Du ein solcher Mensch. Du hast das Gefühl, irgendetwas stimmt nicht, irgendetwas fühlt sich nicht mehr stimmig an, irgendetwas ist nicht mehr so ganz richtig in Deinem Leben, Du fühlst Dich nicht wirklich wohl in Deinem Job.

- Vielleicht ist es ein Beruf, den Du Dir gar nicht selbst ausgesucht hast, sondern einer, den Deine Eltern Dir vorgegeben haben. Möglicherweise, weil sie wollten, dass es Dir einmal besser geht als ihnen selbst, oder weil eine Familientradition aufrechterhalten werden sollte, getreu dem Motto "Du wirst IngenieurIn, weil Dein Vater auch Ingenieur ist" oder umgekehrt "Du wirst IngenieurIn, weil Dein Vater das nicht werden durfte". Damals konntest Du das gut nachvollziehen. Du warst jung und hast Dich dem Wunsch Deiner Eltern gefügt. Jedoch, in den letzten Jahren kommt immer häufiger die Frage bei Dir auf: "Ist das überhaupt noch das Richtige für mich?"

- Vielleicht siehst Du für Dich auch gerade die Zeit gekommen, Deine jetzige Position zu verlassen, weil der nächste Karriereschritt noch in weiter Ferne ist und Dein Chef Dich nicht gehen lassen will. Vielleicht stellst Du auch fest, dass Du Deine erste Karriere erfolgreich gelebt hast und jetzt Zeit für etwas völlig Neues gekommen ist. Du bist bereit für eine neue Herausforderung!

- Du hast einen Karriereschritt nach dem nächsten gemacht und bist vermeintlich auch auf der Karriereleiter hinaufgeklettert, doch bei näherem Hinsehen stellst Du fest, dass das, was sie Karriereleiter nennen, von außen betrachtet auch nur ein Hamsterrad ist.

- Vielleicht steht eine große Veränderung in der Firmenstruktur bevor, die zum Beispiel nicht Deinen Werten entspricht, und das möchtest Du nicht mehr miterleben.

- Oder die Veränderung in der Firmenstruktur hat dazu geführt, dass Deine Position anderweitig besetzt wurde und Du hast betriebsbedingt die Kündigung erhalten.

- Vielleicht hast Du einen neuen Chef vor die Nase gesetzt bekommen und jetzt stimmt die Chemie einfach nicht mehr.

- Möglicherweise hat sich die Ausrichtung der Firma verändert und es werden Dinge von Dir verlangt, die nicht zu Dir passen, sodass Du morgens das Gefühl hast, Dich selbst im Spiegel nicht mehr anschauen zu können.

- Vielleicht stellst Du fest, dass ein Großteil Deines Lebens fremdbestimmt ist. Deine Eltern haben bestimmt, auf welche Schule Du gehst, was und wo Du studierst, vielleicht haben sie auch bei der Partnerwahl mitbestimmt, halten bis heute nicht damit hinter dem Berg, wie Du Deine Ehe und Deinen Haushalt führen und Deine Kinder erziehen sollst. Dein Partner bestimmt, wie Du Deine Freizeit verbringst, wohin ihr in Urlaub fahrt, welche Freunde Du hast und wen ihr besucht, Dein Chef bestimmt, wann Du zu kommen und zu gehen hast und wie Deine Pause und Deine Arbeit aussieht. Er beraubt Dich jeglicher Entscheidungsgewalt, weil er bei allem und jedem mitreden und vor allem mitentscheiden will.

- Du hast vielleicht eine längere Erkrankung hinter Dir, die Deinen beruflichen Weg nochmal komplett auf den Prüfstand stellt.

- Du hast vielleicht auch selber lange genug zurückgesteckt, weil die äußeren Bedingungen bisher gut gepasst haben. Jetzt bemerkst Du, dass Du diese nicht mehr länger akzeptieren kannst, da Du Dich weiterentwickelt und verändert hast.

- Vielleicht gab es einen Schicksalsschlag in der Familie oder die Trennung von Deinem Partner oder Deine Kinder sind ausgezogen und Du befindest Dich auf einmal in einer völlig anderen Familiensituation.

- et cetera

Wenn Dir die eine oder auch mehrere der oben genannten Situationen irgendwie bekannt vorkommen, dann bekommst Du aus Deinem Umfeld, in dem Du Deinen Veränderungswunsch angesprochen hast, möglicherweise auch Sätze zu hören wie zum Beispiel:

- Das kannst Du doch nicht machen
- Du kannst doch nicht alles hinschmeißen
- Was sollen denn die Nachbarn, Freunde, Verwandten etc. denken
- Du hast doch einen guten Job, verdienst genug Geld
- Dir geht es doch gut
- Du bist egoistisch
- Du bist blauäugig ...
- ... in der heutigen Zeit, wie soll das denn gehen
- „Hochmut kommt vor dem Fall"
- Das wirst Du eh nicht schaffen

Stimmts?

Und hier bist Du nun gefangen. Du träumst von einer zweiten Karriere, vielleicht sogar von einer Selbständigkeit. Du möchtest über Dein Leben selbst bestimmen, Du möchtest Deine persönliche Freiheit endlich ausleben, Du möchtest niemanden mehr, der Dir die Entscheidungen abnimmt, sondern endlich Dein eigenes Leben in die Hand nehmen.

Du siehst Dein eigenes neues Leben schon vor Dir, ahnst vielleicht, dass da so etwas wie eine Berufung auf Dich wartet, eine Tätigkeit, die Du wirklich gerne ausüben möchtest.
Du willst endlich einen Job, eine Aufgabe, bei der Du jeden Morgen mit Freude aufstehst und tun kannst, woran Du Spaß hast.
Wenn mich Menschen fragen, was ich beruflich mache, erhalten sie von mir die Antwort:
"Ich gehe nicht arbeiten, ich gehe Spaß haben!"

Doch, statt Spaß an der Arbeit zu haben, bist Du gefangen in den Konventionen und Maßstäben aus Deinem Elternhaus, Deiner Verwandtschaft oder Deiner Partnerschaft, Deiner Kollegen und Deiner Freunde. Verhaftet in Strukturen, die Dich einengen und die Du nicht sprengen kannst. Du gehst einem Job nach zum Geld verdienen.

Und hier stelle ich Dir die Frage: "Was wäre denn, wenn Du neben Geld verdienen auch noch Spaß hättest?"

Damit Du, genau wie ich, wieder Spaß an Deiner Arbeit findest, vielleicht den Job wechselst oder Dich sogar selbständig machst, bitte ich Dich:
Lies dieses Buch und arbeite es durch!

Es ist nicht nur ein Lesebuch, sondern gibt Dir wertvolle Übungen an die Hand, die Dich unterstützen sollen Dein (Berufs-)Leben 2.0 zu starten. Also, nutze dieses Buch und die Inspirationen aktiv! Wenn Du nur liest, wird sich nichts verändern!

Löse Dich endlich von Deinen alten Glaubenssätzen, von toxischen Beziehungen und von der Fremdbestimmung, die Dich Dein ganzes Leben schon begleiten.

Erlebe stattdessen Dein Leben nach Deinen Maßstäben, das Dich mit Spaß und Freude erfüllt. Ein Leben, zu dem Du jeden Tag "JA" sagst. Ein Leben, so wie Du es Dir vorstellst. Dieses Buch und ich begleiten Dich gerne auf dem Weg in dieses Leben. Ich bin Dein Dynamit, das mit Dir Deine Ketten sprengt.
Wann lässt Du es endlich krachen?

Für wen ist dieses Buch?

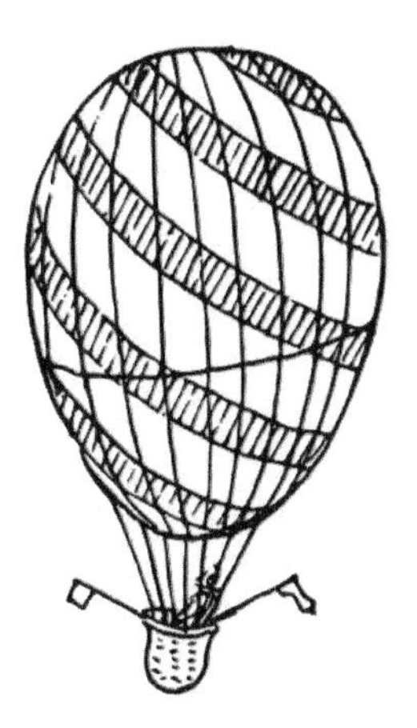

Dieses Buch ist für Dich, wenn Du folgendes erreichen möchtest:

- Wenn Du aus dem Hamsterrad ausbrechen möchtest
- Wenn Du Dich von einschränkenden Glaubenssätzen befreien möchtest
- Wenn Du alte Konventionen und Werte endlich ablegen möchtest
- Wenn Du Dein Leben selbst in die Hand nehmen möchtest
- Wenn Du endlich selbstbestimmt leben möchtest

Du fragst Dich sicher, wie ich es geschafft habe, Spaß an dem zu haben, was ich tue. Ich habe mich von persönlichen und familiären Fesseln gelöst. Ich war lange Zeit fremdbestimmt, vorrangig durch meine Eltern und ihre Werte und Konventionen, die sie mir mit auf meinen Lebensweg gegeben haben. Ich habe diese Fesseln nach und nach gelöst, durchtrennt, viele auch durchschlagen.

Du kannst Dir das vorstellen, wie bei einem Heißluftballon, der endlich starten will, doch am Boden festgehalten wird. Die dicken Pflöcke, die in den Boden geschlagen sind, waren meine Eltern und das familiäre Umfeld, die festen Taue, die den Ballon an den Pflöcken festbinden, waren die alten Werte, Glaubenssätze und Konventionen, verwoben in ein Lebenskonzept, das meine Eltern für mich entworfen hatten. Und das hielt mich am Boden fest und ließ den Korb nicht in die Lüfte aufsteigen, obwohl die große bunte Ballon-Hülle prall gefüllt war mit meinen Wünschen und meinen Träumen, mit meinen Ideen von einem erfüllten Leben. Der Brenner meiner Lebensenergie war aktiv und am liebsten sollte es gleich losgehen, hinauf in die Lüfte, unbegrenzt und frei. Doch der Heißluftballon wurde festgehalten von diesen Tauen und Fesseln, die an Pflöcken festgemacht sind und nicht loslassen wollten.

Das war ein langer Prozess, bis ich alle Taue, eins nach dem anderen, gelöst hatte und abwerfen konnte. Bis ich sukzessive auch den Ballast in Form von Schmerz, Trauer und Tränen abwerfen und vor allem die Ängste über Bord werfen konnte. Die Ängste waren wie der Sand beim Fesselballon, die durch ihr Gewicht den Ballon am Boden halten. Sobald sie abgeworfen werden, ist der Weg in die Lüfte, der Aufstieg, frei.

Das bedeutet, ich weiß genau, was Dich am Boden hält.

Du bist der Heißluftballon, der durchstarten kann. Ich kenne die Zwänge, die an Dir ziehen, Deine Eltern, Deine Verwandtschaft, Dein Chef, Dein Partner, Deine Freunde, weil ich sie selbst erlebt habe.

Na ja, und von außen betrachtet, sieht ja auch alles wundervoll aus: Du hast einen tollen Job, um den Dich viele Menschen beneiden, den Du auch ein Stück weit gerne macht und liebst. Gleichwohl ist Dir durchaus bewusst, dass Du zu viel und zu lange arbeitest. Du verbringst zu viel Zeit in der Firma oder mit Deinem Job. Dir fehlt es an Anerkennung, die Du anfänglich noch erhalten hast. Du bekommst zunehmend Druck von oben, Dein Team konfrontiert Dich mit schlechter Laune und immer neuen Ausreden, warum etwas nicht geht. Du sollst dann Deinem Chef Rede und Antwort dazu stehen. Deine eigene Meinung ist möglicherweise auch schon lange nicht mehr gefragt. Und Du spürst Dich in dieser Position gefangen, möglicherweise wie in einem Käfig.

Doch ein Käfig bleibt ein Käfig, auch wenn er golden ist.
Vielleicht hast Du bereits eine Vorahnung und wenn Du in Dich hineinhorchst, hörst Du förmlich die Stimme, die Dir sagt, eine Veränderung ist notwendig und Du musst Dich auf den Weg machen.
Dass Du die Fesseln, die Dich, wie einen Heißluftballon die Taue, am Boden halten, endlich lösen musst.
Dass Du die Tür Deines Käfigs, und sei es nur ein kleines bisschen, aufstoßen darfst und Dich überraschen lässt, was noch alles möglich ist.

Im Augenblick ist alles gewohnt, Deine Komfortzone wird nicht überschritten. Du weißt, wie jeder Tag aussieht. Du weißt genau was passiert, es ist alles vorgegeben, vorbestimmt und eben fremdbestimmt.
Aber so richtig Spaß macht es auch nicht mehr, auch wenn Du Dich im Grunde gut mit den Kollegen verstehst.
So wie früher brennst Du schon lange nicht mehr für Deinen Job. Heute bist Du eher "ausgebrannt". Dem Heißluftballon ist ein Stück weit die Luft ausgegangen, und Du befindest Dich förmlich im Sinkflug. Doch Dein Brenner ist noch nicht völlig

erloschen, es gibt noch eine Menge Lebensenergie in Dir, sonst würdest Du dieses Buch nicht lesen. Ich verspreche Dir, ich gebe Dir in diesem Buch Anregungen und konkrete Hilfestellungen, um aufzusteigen, den Ballon neu zu füllen mit Deinen Wünschen und Träumen, den Brenner wieder voll aufzudrehen und an Höhe zu gewinnen.

Möglicherweise hast Du jetzt ein wenig Sorge oder gar Angst, Deine Fesseln und Taue zu lösen und frei zu sein. Angst davor, von Deinem Umfeld nicht mehr geliebt zu sein. Zu wissen, dass Du möglicherweise mit Sanktionen rechnen musst, wenn Du nicht tust, was von Anderen anerkannt oder verlangt wird. Ein ungutes Gefühl, dass Du schon als Kind kennenlernen durftest. Vielleicht erkennst Du Dich in der einen oder anderen der folgenden Situationen wieder:

- Du unterlagst schon in der Schule dem Leistungsdruck. Sowohl von Deinen Eltern, als auch dem der Lehrer

- Es gab Belohnungen für Dich, wenn Du funktioniert hast, wie gewünscht

- Du wurdest mit Liebesentzug von der Mutter oder sogar körperlicher Züchtigung vom Vater bestraft, wenn Du nicht wie gewünscht funktioniert hast

- Du hast als junge Erwachsene häufig Streitgespräche mit Deinen Eltern geführt, weil Du nicht tun wolltest, was sie von Dir verlangen

- Während Deines Studiums oder Deiner Ausbildung in einer anderen Stadt wurdest Du regelmäßig mit Vorwürfen wie diesen konfrontiert: "Warum meldest Du Dich nicht?", "Nie rufst Du an!" oder "Nie erreicht man Dich!", "Du könntest Dich auch mal wieder melden!"

- In Bezug auf Deinen Partner hast Du vielleicht von Deinen Eltern gehört "Du hast den falschen Mann/Frau geheiratet"

- Deine Partnerschaft läuft auch nicht mehr auf Augenhöhe und neben Deiner vielen Arbeit, soll auch noch der Haushalt perfekt und hinreichend Zeit für gemeinsame Freizeit sein

- Du kennst so Sprüche wie "Wenn Du den Haushalt nicht auf die Reihe kriegst, dann hol Dir doch eine Reinigungskraft", "Du arbeitest zu viel"

- Vielleicht ist die Partnerschaft auch schon ein abgeschlossenes Kapitel, weil die viele Arbeit dafür gesorgt hat, dass Deine Partnerschaft nicht funktioniert

- Zu Deinen Kindern, sofern Du welche hast, hast Du längst den Kontakt verloren und weißt gar nicht mehr, was sie tun oder mit wem sie unterwegs sind

- Oder Du hast Deinen Kinderwunsch der Karriere geopfert und irgendwann war es zu spät

- Von Deinem Chef bekommst Du statt Anerkennung eher noch eine weitere Aufgabe auf den Schreibtisch gelegt. In seinen Augen arbeitest Du nicht schnell genug

- Deine Kolleg*Innen sind neidisch auf Deine Position und tuscheln hinter Deinem Rücken. Sie spekulieren, was Du wohl angestellt hast, um in die Position aufzurücken, die Du hast. Möglicherweise sagen sie Dir sogar nach, Du hättest ein Techtelmechtel mit Deinem Chef oder Dir wird unterstellt, dass Du den Job nur deshalb bekommen hast, weil Du Dich angebiedert hast

- Deine Kollegen nehmen Dich nicht ernst, weil Du aus dem Team heraus in die Führungsposition gelangt bist

- Du bist schon lange der seelische Mülleimer in der Abteilung und hast selbst niemand, mit dem Du reden kannst

- Du willst es vor allem auch immer allen recht machen

- Du glaubst, Du musst funktionieren

- Du steckst wie in einem Sandwich zwischen den Positionen - Dein Chef von oben, Deine ehemaligen Kollegen von unten und bist hin- und hergerissen, weil Du weder da- noch dorthin gehörst

Wenn Du innerlich bei dem ein oder anderen Punkt genickt hast, dann musst Du dieses Buch unbedingt lesen, um Dich endlich aus einem Lebensentwurf zu lösen, der nicht Deiner ist!

Werde stattdessen ein selbstbestimmter Mensch, der in persönlicher Freiheit sein Leben gestaltet.
Wenn Du mehrere Fragen mit „JA" beantwortet hast, dann ist dieses Buch genau richtig für Dich!
Wenn Du vielleicht noch nicht aus vollem Herzen "JA" sagen kannst, und irgendwie das Gefühl hast, dass Du den ein oder anderen Punkt verändern möchtest, ist dieses Buch auch das richtige Instrument für Dich, um endlich Deine Fesseln und Taue zu lösen, die Dich am Boden halten, die Dich behindern, begrenzen und nicht zu Deiner vollen Größe aufsteigen lassen.

Dieses Buch begleitet Dich auf einer Reise aus den Fesseln und Zwängen, die Dir von Anderen auferlegt wurden. Von der Bestandsaufnahme über das Festlegen eines Zieles unterstütze ich Dich mit diesem Buch dabei, eine Entscheidung zu treffen und dann ins Handeln zu kommen. Ich gebe Dir Tipps und Tools an die Hand, um dranzubleiben und Dich Deinem Ziel auch mit Haut und Haaren zu widmen. Du lernst, wie Du Dich einlassen kannst auf Neues, wie Du Ungewolltes weglassen und Beziehungen und Menschen loslassen kannst, um endlich in ein selbstbestimmtes Leben in persönlicher Freiheit zu gelangen.

Wenn Du zu irgendeinem Zeitpunkt, sei es beim Lesen dieses Buches oder in Deinem Alltag das Gefühl hast, "Das schaffe ich nicht alleine" findest Du in Kapitel

“Was ich für Dich tun kann” Hinweise, wie ich Dich mit einem Coaching oder Mentoring unterstützen kann oder Du kontaktierst mich direkt per E-Mail: Buch@Kopfarbeit.jetzt

Wer Ich bin

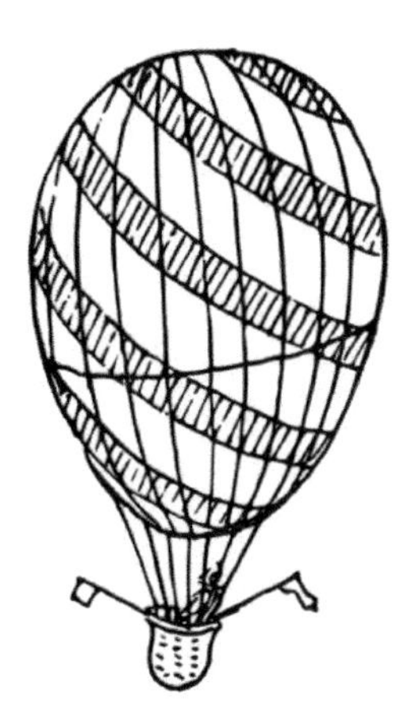

Ich bin aus dem Jahrgang 1963 und das Wunschkind meiner Eltern. Aufgewachsen bin ich während meiner ersten acht Lebensjahre mit einem zehn Jahre älteren Bruder, doch dazu später. Meine frühe Kindheit war unbeschwert. Ich war ein glückliches Kind, ich hatte meinen Freundeskreis, nachmittags trafen wir uns zum Spielen vor der Tür, ich war viel unterwegs, ein richtiger Wildfang. Meine Mutter war Hausfrau und Mutter und besserte den Lebensunterhalt durch verschiedene Stellen als Haushaltshilfe auf. Mein Vater war Vorarbeiter in einer Zellwollfabrik. Ich war das typische Kind einer Arbeiterfamilie, dazu erzogen, etwas "Besseres" zu werden und den richtigen Mann zu heiraten.

In dem Sommer, als ich acht Jahre alt wurde, bekam mein Vater die Nachricht, dass sein Arbeitgeber die Tore schließen wird. Die Maschine, an der mein Vater arbeitete, war schon verkauft. Da er immer ein guter Mitarbeiter gewesen war, der sich gut mit dieser Maschine auskannte, wurde ihm angeboten, in der Firma, die die Maschine gekauft hatte, weiterzuarbeiten. Dies sollte einen Umzug für uns bedeuten an den Niederrhein. Mein Bruder hatte gerade seine Lehre zum Speditionskaufmann beendet und hatte eine Anstellung in seinem Ausbildungsbetrieb in Aussicht. Unser Umzug war also für den 31.10. geplant.

Mein Leben änderte sich

Ich musste nun alles zurücklassen, meine beste Freundin, meine Spielkameraden, meine Schule, meine gewohnte Umgebung. Damals habe ich mir nichts daraus gemacht, weil mir versichert wurde, ich werde neue Freunde finden und eine neue Schule besuchen. Meine beste Freundin versprach mir zum Abschied: "Der Platz neben mir wird immer frei bleiben für dich".

Wenige Tage vor dem Umzug fand meine unbeschwerte Kindheit allerdings ein jähes Ende. Wie fast jeden Nachmittag spielte ich mit meinen Freunden draußen, zumal es einer der letzten Tage war, die ich noch mit ihnen spielen konnte. Auf einmal rief einer unserer Nachbarn nach mir und sagte, ich solle dringend nach Hause gehen. Mich interessierte das im ersten Moment überhaupt nicht, schließlich waren die Laternen noch nicht an und erst dann musste ich sonst immer zu Hause sein. Ich spielte also weiter mit meinen Freunden und ging dann irgendwann nach Hause, in keinster Weise darauf vorbereitet, was mich dort erwartete.

Noch auf dem Nachhauseweg konnte ich mir keinen Reim darauf machen, wieso ich früher als sonst nach Hause sollte. Mein Vater war damals schon an unserem zukünftigen Wohnort und renovierte die neue Wohnung. Der Umzug in den Ruhrpott stand in wenigen Tagen an. Ich vermutete also, dass es hierzu etwas zu regeln gab. Ich ging also gemächlich nach Hause, wo ich von unserer direkten Nachbarin und deren Tochter, der Freundin meines Bruders, in Empfang genommen wurde. Die beiden gingen direkt mit mir in mein Zimmer und ich war völlig irritiert. Warum durfte ich nicht ins Wohnzimmer und warum sahen alle so kreidebleich aus? Die Freundin meines Bruders setzte sich mit mir auf mein Bett, nahm mich in den Arm und versuchte, mir in einfachen Worten zu erklären, dass mein Bruder mittags einen Verkehrsunfall hatte, bei dem er gestorben war.

Er war mit seinem Fahrrad zu unserer Verwandtschaft nach Köln gefahren, um sich von den Großeltern und Onkel und Tante kurz vor dem Umzug zu verabschieden. Da es mittags sein Lieblingsessen geben sollte, wollte er unbedingt noch seine Freundin von der Schule abholen und auf jeden Fall zum Mittagessen zu Hause sein. Auf diesem Weg, öffnete ein unaufmerksamer Autofahrer die Fahrertür, ohne nach hinten zu sehen, direkt vor meinem Bruder. Da er nicht mehr bremsen konnte, stürzte er über die geöffnete Autotür zwischen den Anhänger eines mit Kies beladenen Lasters und starb noch an der Unfallstelle.

Als mein Vater abends gegen 22.00 Uhr nach Hause kam, ahnte er natürlich nichts von dem, was passiert war, denn damals gab es noch keine Möglichkeiten, ihn unterwegs zu erreichen. In der neuen Wohnung gab es noch kein Telefon und Mobiltelefone waren noch nicht erfunden. Als er die Wohnung betrat, war er sehr verwundert über die gesamte Verwandtschaft, die in unserem Wohnzimmer saß, und sagte: „Was ist denn hier für eine Familienfeier?"

Plötzlich Einzelkind

Mein Bruder und ich waren bislang typische Geschwister gewesen. Durch den großen Altersunterschied (mein Bruder war zehn Jahre älter als ich), waren wir ein bisschen wie Hund und Katz, wir konnten nicht miteinander, und noch viel weniger ohne einander. Trotzdem hatten wir ein gutes Verhältnis, wir tobten viel und er benutzte mich manchmal als Alibi, wenn er mit seiner Freundin ins Kino wollte. „Wir nehmen meine Schwester mit", sagte er häufig meinen Eltern, und so kam ich als Kind in den Genuss von Kinobesuchen und mein Bruder konnte währenddessen mit seiner Freundin turteln.

Damals musste ich die Situation, jetzt ohne meinen Bruder zu sein, für mich erst einmal verarbeiten und ich weiß noch, wie ich zwei Tage nach dem Tod meines Bruders, in den Händen einige seiner Sachen, zu meiner Mutter sagte: „Mama, das gehört jetzt alles mir." Mein Bruder war nicht mehr bei uns und brauchte seinen Kassettenrekorder nicht mehr, daher war es für mich – als Achtjährige - die logische Konsequenz, Besitzansprüche zu erheben, wo wir doch bis dahin, sowieso das Meiste geteilt hatten.

In der folgenden Zeit war ich viel alleine, mein Vater vergrub sich in der Arbeit, meine Mutter in die Trauer. Gefühlt war sie mehr auf dem Friedhof als zuhause. Der Umzug erfolgte trotz allem und die neue Umgebung, eine neue Schule und neue Menschen machten diese Situation für uns alle nicht leichter. Von psychologischer Betreuung wurde damals noch nicht gesprochen. Heute ist es für Eltern und Geschwister selbstverständlich, in solchen Fällen Hilfe zu erhalten.

Von einem Tag auf den anderen war ich nun ein Einzelkind und mein freies und unbeschwertes Leben hatte ein Ende. Meine Eltern überwachten und beschützten mich, wo sie nur konnten. Sie packten mich in Watte und schlossen mein Fahrrad weg, sie wollten mich nicht auch noch verlieren. Ich versuchte, so oft ich konnte, aus der Situation, die mich erdrückte, auszubrechen. Ich fühlte mich eingeengt und fremdbestimmt und im Nachhinein habe ich meine Eltern bestimmt einige Nerven gekostet.

Wieder zurück

Nach 18 Monaten kehrten wir zurück, weil wir Heimweh hatten und meine Eltern nicht warm wurden in der neuen Umgebung. Die alten Freunde und die alte Schule waren noch da und der Platz neben meiner besten Freundin war natürlich für mich frei. So vergingen einige Jahre. Ich gewöhnte mich an meine Einschränkungen, die meinen Alltag bestimmten. Meine freie, unbeschwerte Kindheit war vorbei.

Die Bewachung und Überwachung setzten sich als Teenager fort. Mit wem ich unterwegs war, wohin ich wollte, was ich machte, mit welchen Jungs ist mich traf wurde zunehmend Thema, denn es sollte ja direkt der "Richtige" sein. Ausprobieren durfte ich mich nicht. Alles wurde streng überwacht und im Zweifel auch überprüft. Verstöße wurden hart sanktioniert. Auch wenn ich immer wieder aufbegehrte, ließ ich mich meist, um den Sanktionen aus dem Weg zu gehen, fremdbestimmen.

Erst Jahre später kam mir wieder ein Satz in den Sinn, den ich mehrfach von meiner Mutter damals gehört hatte: „Du bist die Falsche!" Sie war damals anscheinend tatsächlich der Meinung, es wäre besser gewesen, wenn ich gestorben wäre, anstatt meines Bruders. In ihrer Trauer mit einem mehr als aufmüpfigen Teenager vielleicht noch verständlich, trotzdem waren es harte Worte. Anfangs habe ich überhaupt nicht verstanden, was sie damit meinte, und natürlich hat sich dieser Glaubenssatz in mir breit gemacht und sich über Jahre hinweg gefestigt. Damals wusste ich nicht, wie ich mit einer solchen Äußerung umgehen sollte. Als Kind nimmt man die Dinge, die die Eltern einem sagen, für bare Münze und so nahm ich auch diese Aussage hin. Mir war nicht klar, dass mein Unterbewusstsein fortan dafür sorgen würde, dass alles was ich tat, in den Augen der Anderen falsch war, dass ich als Person „falsch" war.

Später in meinem Leben, als ich erkannte, was meine Mutter hier in mich „eingepflanzt" hatte und ich mich endlich, nach vielen Jahren und mit viel Arbeit davon lösen konnte, gab es einen großen Streit, zu tief saßen die Verletzungen.

Zu meinem Vater hatte ich glücklicherweise immer ein wirklich sehr gutes Verhältnis, leider ist er vor einigen Jahren gestorben. Wir haben in meinen Kindertagen viel miteinander unternommen, auch wenn er immer viel arbeitete. Er hat mir viel beigebracht, auch handwerklich und ich denke heute, ich war sein Ersatz für den Sohn, den er nicht mehr hatte. Trotzdem war ich als Kind auch viel allein. Mein Vater arbeitete viel, auch damit wir uns ein Häuschen leisten konnten. Meine Mutter gab zur Mitfinanzierung ihr Hausfrauendasein auf und arbeitete erst halbtags, später ganztags als Verkäuferin.

Studium - und dann?

Es stand für meine Eltern absolut fest, dass ich nach dem Abitur studieren sollte. Schließlich sollte ich es besser haben als sie! Medizin sollte es werden, doch dazu reichte mein N.C. nicht. Als ich mich stattdessen für Elektrotechnik entschieden hatte, was meine Eltern argwöhnisch beäugten, schließlich war ich ein Mädchen, sollte es wenigstens unbedingt die Elite-Universität RWTH in Aachen sein. Damit war ich, um erstmalig wieder meine Freiheit zu genießen, weit genug weg vom Elternhaus, wenn auch nicht weit genug, um völlig der Fremdbestimmung meiner Eltern entfliehen zu können. Leider klappte das Studium nicht, wie ich es geplant hatte, und ich musste es nach vier Semestern abbrechen.

Meine Eltern erwarteten, dass ich nun zurück nach Hause komme, doch das kam für mich absolut nicht infrage. „Die Füße wieder unter den Tisch meines Vaters" setzen, wollte ich auf gar keinen Fall. Ich hatte die Freiheit ein Stück weit genossen und wollte nicht mehr unter die "Befehlsgewalt" meiner Eltern. So suchte ich eine Ausbildungsstelle zur Bürokauffrau in Aachen. Ich erinnere mich noch an die Schwierigkeiten, die ich damals hatte, eine Ausbildungsstelle zu finden. In einem Möbelhaus hatte ich mich für die Ausbildung beworben und als der Geschäftsführer hörte, dass ich Abitur gemacht hatte, sagte er nur: „Mit Abitur können Sie ja noch nicht einmal einen Besen halten!" Es waren definitiv damals andere Zeiten.

Letztendlich fand ich doch einen interessanten Ausbildungsplatz in einem Unternehmen, das sich mit Computern und später mit medizinischer Software beschäftigte. Schon während meiner Ausbildung durfte ich sehr viel Verantwortung übernehmen. Ich war damals gemeinsam mit einem der Geschäftsführer dafür zuständig, die Software, die das Unternehmen vertrieb, in Arztpraxen zu verkaufen, zu präsentieren und zu schulen.

Die Arbeit machte mir viel Freude und war anspruchsvoll, also genau mein Ding. Dabei lernte ich meinen zukünftigen ersten Mann kennen und als junge Menschen konnte es uns damals nicht schnell genug gehen. So heirateten wir schon kurze Zeit später. Das war jedoch das Signal für meinen damaligen Chef, dass ich wohl schwanger sein musste und so hatte sich die Übernahme in ein Angestelltenverhältnis erst einmal für mich erledigt. Da mein Bauch nicht rund wurde, wurde ich letztendlich doch übernommen. Damals glaubte ich „Hier wirst Du alt bis zur Rente".

Das Leben nimmt seinen Gang

Nach der Ausbildung blieb ich also im Unternehmen und konnte in der medizinischen Software Fuß fassen und eignete mir sehr fundiertes Wissen an. Das blieb auch dem damaligen Softwarehersteller nicht verborgen und so warb er mich ab. Fortan war ich Fachberaterin in einem großen Teil Deutschlands, fuhr im Außendienst von Praxis zu Praxis und hatte großen Spaß an meiner Arbeit. Aus der Außendiensttätigkeit wurde schnell – für damalige Verhältnisse außergewöhnlich – ein Home-Office-Arbeitsplatz in der Dokumentation und ich schrieb Handbücher und Nachschlagewerke für die Software.

Meine biologische Uhr begann allmählich auch zu ticken und so wurde der Wunsch nach Kindern in mir immer größer. Doch irgendwie wollte es nicht gelingen. Nach einer Vielzahl von unterschiedlichen ärztlich begleiteten Methoden haben wir den Kinderwunsch letztendlich aufgegeben. Es sollte einfach nicht sein.

Aus meiner Sicht auch mit ein Grund, dass meine erste Ehe scheiterte. Wir waren beide in der Situation völlig überfordert, hatten den Druck meiner Eltern im Nacken „endlich mit Enkelkindern aufzuwarten“ und litten doch selbst unter den Umständen. So kam die Trennung und ich lebte ein paar Jahre alleine. Ich stürzte mich in den Beruf und entwickelte mich über weitere Stationen in der Softwarebranche weiter. Ich übernahm zunehmend Verantwortung in meinen Positionen und spürte auch immer wieder den Druck von oben aus der Chefetage.

Der Weg zur Unternehmerin

Ich blieb über 30 Jahre in der gleichen Branche und habe dort einen guten Namen gehabt, habe jedoch alle zwei bis drei Jahre die Firma gewechselt, bis ich 1998 mit vier weiteren Personen, darunter auch mein jetziger Mann, unsere eigene GmbH gründete. Wir wurden Vertriebspartner einer medizinischen Softwarefirma und unser Unternehmen wuchs und gedieh, bis wir letztendlich zehn Mitarbeitende hatten und der erste Vertriebspartner waren, der eine Zertifizierung im Qualitätsmanagement erreicht hatte. Auch hier hatte ich immer wieder den Gedanken: „Hier wirst Du alt mit Deiner Firma, Deine Arbeit macht Dir Spaß, alles ist gut."

Der Mutterkonzern machte uns jedoch immer strengere Vorgaben und wir fühlten uns in dieser Konstellation sehr eingeschränkt. Es gab Vorgaben, die ich so nicht mehr umsetzen konnte und wollte. Heute weiß ich, dass das, was da passierte, einen Verstoß gegen meine Werte bedeutete. Ich fühlte mich zunehmend unwohl, der Spaß an der Arbeit sank von Tag zu Tag und mit jeder neuen Vorgabe vom Mutterkonzern fühlte ich mich mehr und mehr fremdbestimmt. Das alte Muster wiederholte sich.

Eines Tages wurde uns seitens des Konzerns ein Führungskräfte-Training angeboten. Hier hatte ich meine ersten Berührungspunkte zum Thema Persönlichkeitsentwicklung und mit diversen anderen Methoden.

Hier lernte ich unter anderem NLP (neurolinguistisches Programmieren)[2] und Hypnose kennen.

Späte Aufarbeitung

Durch einen während des Seminars initiierten Persönlichkeitstest und das anschließende Auswertungsgespräch mit einer sehr einfühlsamen Trainerin kam das Thema der Verarbeitung des Todes meines Bruders nochmal an die Oberfläche, das ich jahrelang für mich richtiggehend innerlich weggeschlossen hatte. Die Aufarbeitung war hart, jedoch sehr heilsam. Alte Wunden aufzureißen ist nie einfach und aus heutiger Sicht empfehle ich jedem, sich mit seiner Vergangenheit zu beschäftigen, vor allem mit Themen, die vermeintlich verarbeitet, gleichwohl tatsächlich nur weggeschoben und unterdrückt wurden und werden.

In nur wenigen Coaching-Terminen konnte ich das Trauma rund um den Tod meines Bruders vollständig auflösen, ein dunkles Band, dass lange Zeit mein Begleiter gewesen war und mich eingeengt hatte, war nun gelöst, ich fühlte mich frei.

---

2 Wikipedia sagt dazu: "Das **Neuro-Linguistische Programmieren** (kurz **NLP**) ist eine Sammlung von Kommunikationstechniken und Methoden zur Veränderung psychischer Abläufe im Menschen, die unter anderem Konzepte aus der klientenzentrierten Therapie, der Gestalttherapie, der Hypnotherapie und den Kognitionswissenschaften sowie des Konstruktivismus aufgreift. https://bit.ly/2A30x0g".

Durch dieses herausragende Ergebnis und die Übungen, die wir im Führungskräfte-Training absolvierten, hatte ich "Blut geleckt". Ich begann meine NLP-Ausbildung und beschäftigte mich mit meiner Person, meinen Glaubenssätzen und Werten und spürte in mir einen Wunsch immer stärker werden: Das ist es, Du willst Menschen bewegen und nach vorne bringen. Sie sich entwickeln sehen!

Je mehr ich Einblick in gelungene Kommunikation erhielt und zunehmend meine einschränkenden Glaubenssätze bearbeitete, umso mehr fühlte ich, dass mein Freiheitsdrang durch den Mutterkonzern immer stärker eingeschränkt wurde. Ich wollte das alles nicht mehr. Da ich mich mehr und mehr wehrte, wurde ich im Mutterkonzern auffällig und zu einem Gespräch zitiert.

Das Gespräch sollte darüber entscheiden, wie es weitergehen sollte und ich war wahrlich innerlich zerrissen. Ich musste mit klar darüber werden, was ich wollte und was ich nicht mehr wollte und legte deshalb vorbereitend meinen Standort fest: Was will ich, was will ich nicht mehr? Welche Argumente habe ich im Mutterkonzern? Ich führte eine Liste mit positiven und negativen Aspekten, wie Du sie im Kapitel "S-wie Standortbestimmung" auch erfährst, und fuhr zum Konzern.

Mit allerbester Vorbereitung auf das Gespräch fehlte mir trotzdem an entscheidender Stelle der Mut. Als der Konzerngeschäftsführer unsere Akte aus dem Schrank holte und dies mit dem Satz begleitete: "Das tue ich normalerweise nur, wenn es um eine Kündigung geht", hatte ich den Mut nicht, zu sagen: "Dann lass uns über eine Kündigung sprechen". Ich habe stattdessen versucht, einen Status quo zu finden, Vertriebspartner zu bleiben und eine gütliche Einigung zu erzielen.

Heute weiß ich, dass ich damals zwar wusste, was ich nicht mehr wollte und grob auch eine Ahnung hatte, was ich wollte, allerdings hatte ich das Ziel weder spezifiziert, noch eine genaue Vorstellung davon. Ein Fehler, der Dir nicht passiert, wenn Du die folgenden Kapitel nicht nur liest, sondern die Übungen auch ausführst.

Meine Entscheidung, den Mund zu halten, hatte jedoch fatale Folgen.

Zurück in der Firma fassten mein Mann und ich den Entschluss, eine zweite Firma zu gründen. Wir kehrten dem Mutterkonzern den Rücken und suchten uns eine andere Software-Firma, für die wir als Vertriebspartner tätig werden wollten. Rechtsanwalt und Steuerberater gaben grünes Licht und so planten wir einen stufenweisen Übergang von der alten Software-Firma hin zu einer neuen Software-Firma.

Leider wurden wir damals vermutlich von einem anderen Vertriebspartner angeschwärzt und so kam es, dass an einem Dienstagmorgen ein Mitarbeiter des Mutterkonzerns vor der Tür stand und uns die fristlose Kündigung persönlich überbrachte. Ich kann mich noch gut an diesen Moment erinnern, als ich das Wort *Kündigung* las. Von einem auf den anderen Moment war uns unsere finanzielle Grundlage entzogen. Wir hatten kein Vertriebsgebiet, keine Bestandskunden mehr und keine regelmäßigen Einkünfte durch Pflegeverträge mehr. Da wir laut unseren Anwälten alles korrekt abgewickelt hatten, wehrten wir uns gegen diese Behandlung und zogen vor Gericht. Leider verloren wir unseren Prozess, doch das Schlimmste stand uns noch bevor:

Der Mutterkonzern ließ aufgrund des Urteils und der daraus resultierenden zu leistenden Zahlung unser Konto sperren. Wir konnten keine Rechnungen mehr zahlen und unser privat investiertes Geld war ebenfalls verloren, sodass wir Insolvenz anmelden mussten. Ich machte mir damals sehr große Vorwürfe und hatte Schuldgefühle. Trotzdem hielten mein Mann und ich zusammen und wir überstanden die Situation zwar mit Blessuren und trotzdem gemeinsam. Wir standen vor dem Nichts und mussten uns überlegen, wie es weitergehen sollte.

Viele schlaflose Nächte folgten. In einer dieser Nächte war für mich auf einmal klar: Auch das stehen wir durch, jetzt erst recht! In dieser Zeit entstand ein Teil des AK-STEIGER-Prinzips. Ich stellte zusammen, wo wir standen, legte fest, was die nächsten Schritte sein müssen und da uns die bisherige Geschäftsgrundlage entzogen war, war die Richtung wie es weitergehen sollte, plötzlich auch klar: Wir verkleinern das alte Team in der neuen GmbH, um Kosten zu sparen und vertreiben die neue Software weiter. Ich nehme mich heraus und ziehe mein Coaching-Business parallel hoch.

Ungeplanter Urlaubsausgang

Um neue Kraft für den Neustart zu schöpfen, planten mein Mann und ich ein paar Tage Urlaub. Wir brauchten Abstand, eine Auszeit, wollten etwas anderes sehen und ich als Sonnenanbeter freute mich auf die Sonne. Mein 50ster Geburtstag stand ebenfalls bevor und ich hatte mir für den Urlaub Dubai gewünscht.

Wir verbrachten einige wunderbare Tage mit Sonne, Strand und guten Gesprächen. Kaum aus Dubai zurück, ging es meinem Mann auf einmal nicht gut. Er war kraftlos, das kannte ich von ihm sonst gar nicht. Ich vereinbarte also zügig einen Arzttermin für ihn, um ihn durchchecken zu lassen. Es ging ihm jedoch von Stunde zu Stunde schlechter und noch in der Arztpraxis hatte er einen schweren Herzinfarkt. Erneut zog es mir den Boden unter den Füßen weg. Im Krankenhaus wurde er ins Koma gelegt, da durch den Infarkt neben seinem Herz auch seine Lunge in Mitleidenschaft gezogen war. Ein langer Krankenhaus- und Rehaklinikaufenthalt schloss sich an. Ich war also plötzlich mit allen Problemen auf mich allein gestellt.

Doch ich hatte einen Plan und ich wusste, was zu tun ist. Die neue Firma musste weiterlaufen, die Mitarbeiter bei der Stange gehalten werden. Da war keine Zeit für Selbstmitleid. Also krempelte ich die Ärmel hoch und machte das Beste aus der Situation.

In dieser schweren Zeit halfen mir Gespräche mit Anderen sehr. Ich erzählte unterschiedlichsten Menschen aus meinem Umfeld von meinen Herausforderungen und Problemen. Durch den intensiven Austausch konnten sich die Gedanken in meinem Kopf sortieren und neue Ideen entstehen. Ich wollte damals gar keine Ratschläge, sondern einfach nur ein paar offene Ohren, die ich glücklicherweise auch bekam. Deshalb hier schon einmal meine Empfehlung (auf die ich später im Buch noch mal eingehe): Sprich in Krisensituationen oder in Situationen, in denen Du glaubst, nicht weiterzuwissen oder auf der Stelle zu treten mit Menschen, denen Du vertraust, ein Vertrauter in der Verwandtschaft, ein Arbeitskollege, ein/e Vorgesetzte/r – kurzum ein Mensch, der so etwas wie ein Mentor für Dich sein kann.

Lasse in solchen Gesprächen Deinen Gedanken freien Lauf und bitte Dein Gegenüber ausdrücklich nicht um Ratschläge. Häufig entstehen durch diesen Austausch neue Ideen und Perspektiven – und dann kommst Du wieder ins Handeln!
Die Situation, in der ich mich plötzlich befand, sah anfangs aussichtslos aus. Mit einem insolventen Unternehmen, mein Mann schwer krank, trug ich von einem Tag auf den anderen eine Menge Last auf meinen Schultern. Andererseits entwickelte ich eine enorme Energie, denn ich musste in dieser Situation kreativ werden und neue Lösungsansätze finden.

Ich überlegte also gründlich, was ich die kommenden Jahre machen wollte und wie meine Zukunft aussehen sollte. In dieser Situation schaffte ich es mit unermüdlicher Arbeit an mir selbst, meine negativen Glaubenssätze ein für alle Mal aufzulösen. Ich wandelte den Satz „Du bist die Falsche“ um in den neuen Glaubenssatz: „Du bist das größte Geschenk unter der Sonne.“
Wie ich das geschafft habe? Hierzu gibt es eine Technik im Neurolinguistischen Programmieren (auch NLP genannt), die ich angewandt habe. Durch diese Technik konnte ich den alten Glaubenssatz langfristig durch den neuen Glaubenssatz ersetzen. Wie diese Technik funktioniert, erfährst Du später.

Veränderung

Es brauchte eine tiefgreifende Veränderung in meinem Leben, um mich dorthin zu bringen, wo ich heute bin. Meine intensive Auseinandersetzung mit Persönlichkeitsentwicklung und mit meiner Zukunft führte letztendlich zur Erkenntnis, dass ich auch andere Menschen befähigen wollte, ihre Glaubenssätze aufzubrechen und ihre Ziele zu erreichen. Ich wollte das Dynamit sein, das Felsbrocken - alte

Glaubenssätze, Werte, Konventionen - wegsprengt. Ich wollte sehen, wie unter dem alten Gestein und dem Schmutz der Zeit bei Menschen die inneren Diamanten zum Vorschein kommen, wie sie in all ihrer Schönheit und Einzigartigkeit zu strahlen und zu funkeln beginnen und ihr Leuchten in die Welt tragen.

Durch eine glückliche Fügung erhielt ich damals das Angebot, als Honorardozentin bei einem großen Bildungsträger Bewerbungsmanagement und Kommunikation zu unterrichten. Anfangs war ich noch unsicher, ob ich dieser Herausforderung gewachsen sei, doch es stellte sich heraus, dass die Aufgabe wie für mich gemacht war.

So stand ich mit meinem Mann die Insolvenz und seine Krankheit durch und es fügten sich viele Dinge in meinem Leben auf einmal in die richtige Richtung. Die neue Firma allerdings war für meine neue, tatsächliche Aufgabe, nämlich Menschen zu unterstützen, nicht brauchbar. Das Tätigkeitsfeld hatte nichts mit Persönlichkeitsentwicklung zu tun, sondern es ging nur um Software, Schulung und EDV-Installation. Ohne mein offensichtliches Zutun (gleichwohl habe ich die entsprechende Energie dazu wohl ausgestrahlt) kam es zu Ereignissen, die auch dieses Projekt scheitern ließen. Unser Technikleiter bekam kalte Füße und verließ nicht nur die Firma, sondern auch die Gesellschaft. Ohne Technik nutzte der beste Vertrieb nichts und wir mussten meine rechte Hand und Vertrieblerin kündigen.

So übernahm ich beide Positionen zunächst alleine und führte die GmbH mit meinem Mann weiter. Vertrieb, Technik und Support waren jedoch für eine Person nicht leistbar, da ich ja auch noch meine Beschäftigung als Honorardozentin hatte.

Die logische, und aus meiner Sicht auch einzige Konsequenz: Ich lagerte die Aufgaben an andere Firmen aus und widmete mich mehr und mehr meinem Herzensthema.

Mein neuer Weg

Heute bin ich Trainerin, Hypnose-Coach und Dozentin für Bewerbungsmanagement und Kommunikation. Ich bin die Potential-STEIGERin und bin dort angekommen, wo ich hinwollte. Trotz aller Widerstände, Fallstricke und Begrenzungen, die mich festhalten wollten, habe ich meinen Weg verfolgt, ohne aufzugeben. Keiner sollte und würde mich mehr am Boden halten.

Aus der anfangs aussichtslosen Krise erwuchs also letztendlich meine wunderbare Chance, einen völlig neuen Weg zu gehen und meiner Berufung zu folgen. Daher bin ich heute auch der festen Überzeugung, dass es nie zu spät ist, seinem Herzen zu folgen und neue Herausforderungen anzunehmen – ich bin der beste Beweis dafür, dass es funktioniert.
Natürlich gab es auch auf meinem neuen Weg Höhen und Tiefen, jedoch ich hatte mein Ziel, mit Menschen zu arbeiten, immer vor Augen, egal, was passierte.

Mittlerweile blicke ich voller Dankbarkeit auf diese Zeit zurück. Die Insolvenz und die sich daraus ergebenden Konsequenzen waren schmerzhaft und brachten finanzielle Verluste mit sich, doch ich bin überzeugt, sie war das Beste, was mir passieren konnte. Sonst wäre ich heute nicht die, die ich bin.

In meinem Umfeld erlebe ich noch heute täglich eine Vielzahl von Menschen - überwiegend Frauen - die genau wie ich in einer fremdbestimmten Arbeitswelt feststecken. Frauen, die in der Regel sehr gut ausgebildet sind, Abitur gemacht und studiert haben und über herausragende soziale Kompetenzen verfügen - genau wie Du. Dennoch stecken sie in ihrer Position fest, wie der Belag in einem Sandwich zwischen den Brötchenhälften. Sie sind unzufrieden, weil sie nicht vorwärtskommen. Immer öfter denken sie: "Das kann es doch noch nicht gewesen sein!" Sicher kennst Du das auch!

Und genau für Dich habe ich meine Strategien zusammengefasst und in den nächsten Kapiteln verarbeitet.

Seit mehreren Jahren unterstütze ich Menschen dabei, ihren Bewerbungsprozess erfolgreich zu meistern. Zudem biete ich Kommunikationstrainings und Mentoring-Programme an, für Menschen, die aus ihrem fremdbestimmten Leben aufbrechen möchten und ihrer Berufung folgen wollen. Den Teilnehmern meiner Programme und Kurse - und vielleicht auch Dir - vermittle ich, wie sie ihr Selbstvertrauen und ihre Selbstverantwortung stärken können. Und Sie gehen gestärkt und gut gewappnet für den Arbeitsmarkt oder eine neue Herausforderung aus meinen Trainings. Sie haben gelernt, wie Veränderung funktioniert und wie sie ihr Ziel verfolgen und erreichen können. Erfahre mehr darüber im AK-STEIGER-Prinzip.

Das AK-STEIGER-Prinzip

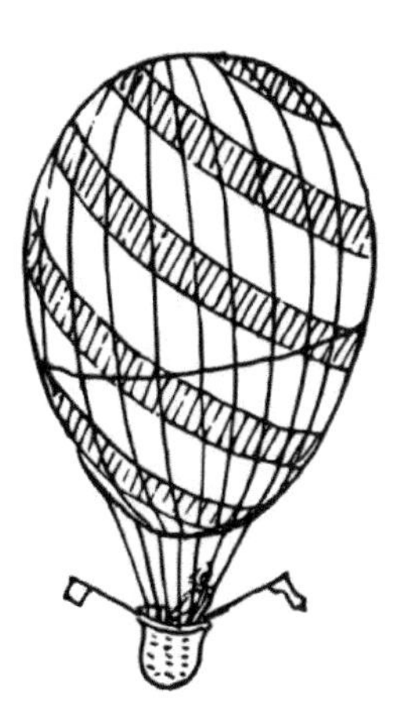

Auf meinem Weg in die Selbstbestimmung und meine persönliche Freiheit habe ich eine Vielzahl von Höhen und auch Tiefen erlebt. Immer wieder habe ich Strategien für mich gefunden, die mir aus schier aussichtslosen Situationen herausgeholfen haben und die mich mutig und zuversichtlich nach vorne haben schauen lassen.

Nun hatte ich alle meine Strategien, die ich auch anderen Menschen wie Dir zur Verfügung stellen konnte, quasi als Sammlung an der Hand. Auf einem Bühnenseminar, dass ich besuchte und bei dem ich lernte, auf der Bühne zu stehen und meine Geschichte zu erzählen, war eine Aufgabe für den Bühnenauftritt auch ein Produkt zu entwickeln, zu beschreiben und zu verkaufen.

Eine gute Möglichkeit, um ein einzigartiges und unverwechselbares Produkt zu kreieren ist ein unverwechselbarer Produktname für das Coaching- oder Mentoring-Programm. Ich hatte schon immer mit meinem Namen "Steiger" gespielt und so auch schon die "Potential-STEIGERin" kreiert. Während und nach meinen Coachings stellten meine Coachees[3] immer fest, dass ihre Lebensqualität deutlich gestiegen war und sie mehr aus ihrem persönlichen Pool aller Ressourcen und Fähigkeiten schöpfen konnten. So wurde der Begriff „AK-STEIGER-Prinzip" geboren.

---

[3] Coachee: Zum **Coachee** wird eine Person, wenn sie ein Coaching in Anspruch nimmt. Der Begriff **Coachee** ist in Analogie zum Begriffspaar Trainer/Trainee entstanden.

In diesem Prinzip habe ich all meinen angewendeten Strategien zusammengefasst, die Dir den Weg in die persönliche Freiheit und ein selbstbestimmtes Leben erleichtern sollen und Dich auf dem Weg begleiten. Ich möchte Dir ermöglichen, die Stolpersteine, die sich Dir in den Weg legen, zu umgehen, damit Du Dein Ziel leichter erreichen kannst. Die ein oder andere Abkürzung zeige ich Dir ebenfalls. Lass Dich überraschen, was Dich mit dem einzigartigen AK-STEIGER-Prinzip erwartet und was damit für Dich alles möglich ist.

Das AK-STEIGER-Prinzip ist Dein siebenstufiges Programm, um zu mehr persönlicher Freiheit und Selbstbestimmung zu gelangen. Jeder Buchstabe meines Nachnamens STEIGER steht für Deinen nächsten Schritt. Schritt für Schritt erklimmst Du so die Treppe auf Deinem Weg zum Ziel.

Und hier eine Übersicht über das AK-STEIGER-Prinzip:

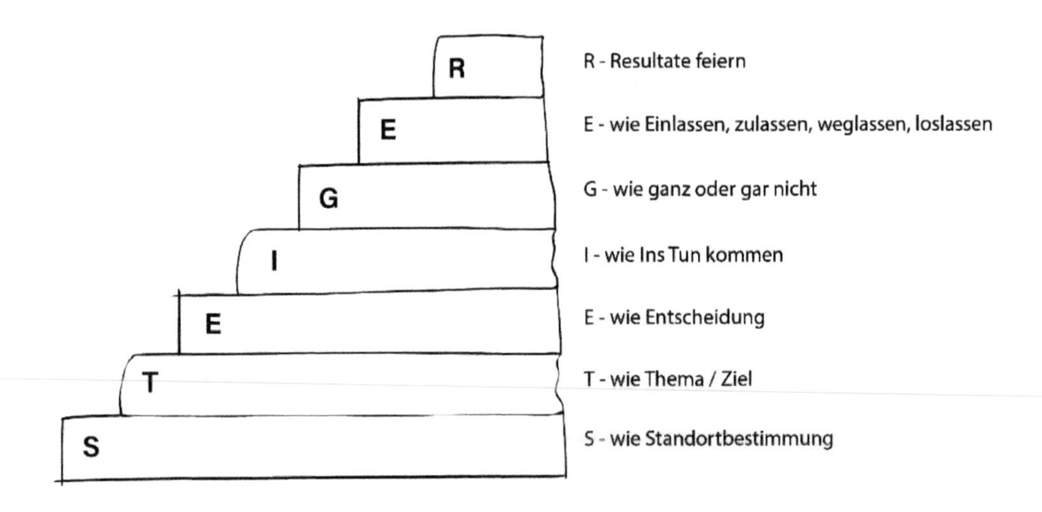

S - wie Standortbestimmung

Hier geht es darum festzustellen, wo Du genau stehst und wo Dein Potential zur Veränderung liegt.

T - wie Thema

Identifikation des Themas, das Du verändern möchtest und festlegen Deines Zieles

E - wie Entscheidung

Treffe Die Entscheidung, Dein Ziel in Angriff zu nehmen und erreichen zu wollen

I - wie ins Tun kommen

Starte mit der Umsetzung Deines Ziels oder Projektes

G - wie Ganz oder gar nicht

Hier geht es darum, Dir Möglichkeiten zu zeigen, wie es gelingt, an den Zögerern und Zauderern, die Dir begegnen, nicht zu scheitern

E - wie Einlassen

Und auch zulassen, weglassen, loslassen

R - wie Resultate

Feiere Deine erreichten Resultate

Ich empfehle Dir, die Kapitel nacheinander zu bearbeiten. Wenn Du Deine Standortbestimmung schon erledigt hast, dann kannst Du auch gerne mit dem nächsten Kapitel fortfahren.

Die beiden vorangestellten Buchstaben „AK“ stehen für meine Vornamen A-Anna und K-Katharina und kommen in den Bonus-Kapiteln ins Spiel.

In diesen Bonus-Kapiteln am Ende des Buches findest Du ein Kapitel zu A wie **Authentizität** und K wie Klare **Kommunikation**.

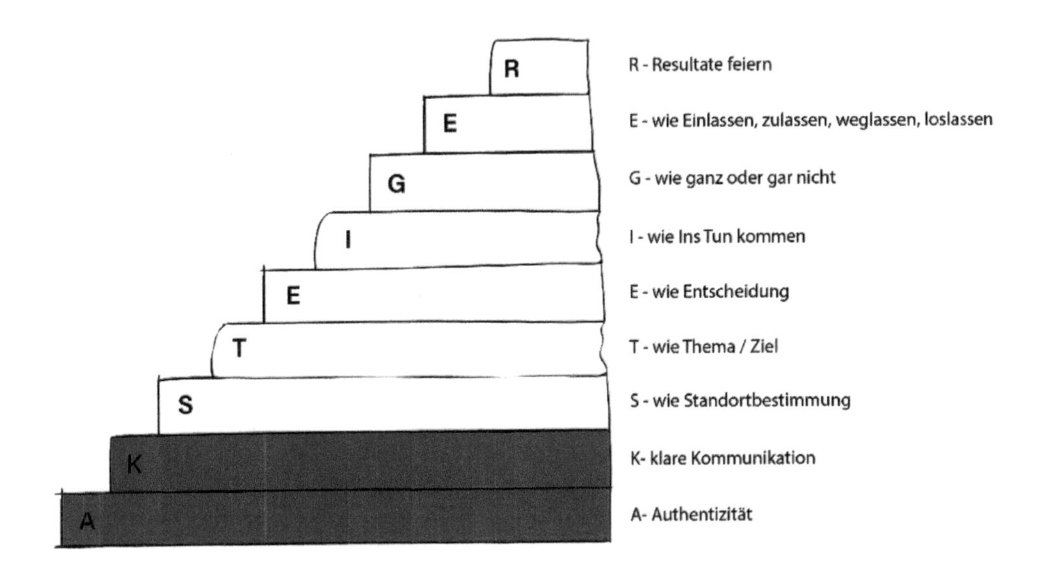

Wenn Du magst, dann schau jetzt schon mal gerne in diese zwei Kapitel, oder lese sie im Anschluss an das AK-STEIGER-Prinzip, ganz wie Du möchtest.

S wie Standortbestimmung

„Wenn Du nicht weißt, wo Du stehst, kannst Du das Ziel nicht bestimmen!"

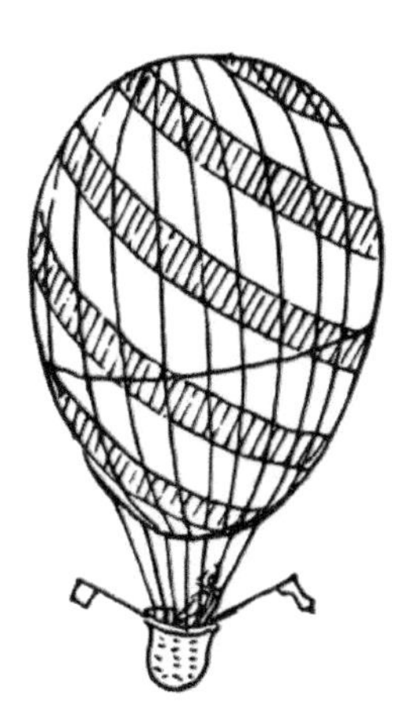

Wenn Du Dich auf eine Reise begibst, egal ob Du in den Urlaub, zu einem beruflichen Termin, zu einem Verwandtschaftsbesuch fährst oder, wenn Du Dich auf eine Reise zu Deiner persönlichen Entwicklung auf den Weg machen möchtest, ist es wichtig, zunächst den Standort zu bestimmen.

Wo stehst Du gerade? Was bewegt Dich gerade? Welche Dinge in Deinem Leben möchtest Du gerne verändern? Vielleicht weißt Du noch gar nicht, wie das alles gehen soll und hast viele Fragen...

Die Standortbestimmung ist Deine Grundlage für alle weiteren Prozesse, denn, wenn Du nicht weißt, wo Du stehst, wirst Du den Weg zum Ziel entweder gar nicht oder nur mit vielen Umwegen finden.

Das ist so ähnlich wie bei einem Navigationssystem im Auto.

Stell Dir vor, Du möchtest mit Deinem Auto nach - sagen wir - München fahren. Aufgrund einer Störung des GPS oder weil Du vergessen hast, den Flugmodus Deines Mobiltelefons, mit dem Du navigieren möchtest, auszustellen, ist es Deinem Navigationssystem nicht möglich, Deinen Standort zu bestimmen, von dem die Reise losgehen soll. Wenn das Navigationssystem jedoch Deinen Ausgangspunkt nicht kennt, bedeutet das, dass es Dir den Weg nicht anzeigen kann! Es wird Dir noch nicht einmal eine grobe Richtung angeben, sondern schlicht und einfach den Dienst versagen, vielleicht noch mit dem Hinweis „Kann Standort nicht bestimmen".

Genauso ist es mit Deiner persönlichen Entwicklung oder Veränderung auch. Du benötigst einen Standort, um Dein Ziel festlegen zu können und einen Weg dorthin aufzuzeigen.

Lass mich auf Deiner Reise Deine Reisebegleiterin sein, die Dich sicher und stets wohlwollend begleitet.

Nun wird es konkret und ich gebe Dir zwei Tools (Werkzeuge) an die Hand, mit denen Du sehr schnell und leicht Deinen Standort bestimmen kannst.

Bestandsliste

Das erste Tool ist eine Bestandsliste.

Bevor Du anfängst, eine wichtige Anmerkung: Ich empfehle Dir, die Bestandsliste und auch alle weiteren Übungen mit der Hand zu schreiben, denn Studien haben ergeben, dass durch das Schreiben mit der Hand die Regionen im Hirn aktiviert werden, die fürdas Denken, für die Sprache und für Erinnerungen zuständig sind. Diese Regionen werden beim Tippen auf dem Computer, Tablet oder Mobiltelefon weitestgehend lahmgelegt. Das bedeutet, Handgeschriebenes unterstützt den Denkprozess und prägt sich schneller und besser ein.

Wenn Du bereit bist, dann nimm Dir ein DIN-A4-Papier[4], lege es hochkant vor Dir ab und ziehe in der Mitte einen geraden Strich, sodass zwei Spalten entstehen. Oben ziehst Du einen waagerechten Strich, sodass Du die beiden Spalten mit Überschriften versehen kannst.

Auf die linke Seite schreibst Du als Überschrift „Was mich stört, nervt, ärgert... ". Dabei ist es egal, aus welchem Lebensbereich der Störfaktor kommt. Fühl Dich eingeladen, alles, was Dir spontan einfällt, auf die Liste zu schreiben und wenn ein Blatt nicht reicht, dann nimm ein weiteres dazu. Die Liste darf wachsen und sich entwickeln und selbst, wenn sich im Laufe des weiteren Prozesses noch Dinge ergeben, die Dich stören, dann schreibe Sie einfach später dazu.

---

[4] Vielleicht nimmst Du Dir auch für diese und die noch folgenden Übungen eine separate Kladde zur Hand. Dann hast Du alle Übungen auf einen Blick und zusammen und brauchst Dir keine Sorgen über fliegende Blätter zu machen.

In die rechte Spalte notierst Du als Überschrift „Ergebnis" und schreibst zu jedem Punkt auf, wie das gewünschte Resultat aussieht, wenn der Punkt gelöst ist, oder sich verbessert hat. Wie soll das Ergebnis aussehen, wenn der Zustand nicht mehr vorhanden ist? Achte bei der Formulierung des Ergebnisses bitte darauf, dass Du es positiv formulierst, also zum Beispiel „ich will eine Anstellung in einer anderen Firma" statt „ich will da nicht mehr arbeiten".

Was mich stört, nervt, ärgert	Ergebnis
mein Chef lobt meine Arbeit nicht	mehr Anerkennung vom Chef
mein Chef schreit mich immer an	Kommunikation auf Augenhöhe
ich arbeite zu viel, zu lange	mehr Freizeit
Mein Partner lässt alles herumliegen	gemeinsames Aufräumen
ich bin unglücklich in meinem Beruf	Anstellung in einer anderen Firma oder selbständig
ich wollte gar nicht studieren	ich möchte Gutes tun und mich sozial engagieren
ich mache es immer allen recht	ich möchte selbst entscheiden
ich bin der seelische Mülleimer der Kollegen	Nette Gespräche und Austausch auf Augenhöhe mit den Kollegen

Vielleicht lässt Du die Liste auch einfach einen Tag oder zwei deutlich sichtbar in Deiner Wohnung liegen. Sei Dir sicher, dass sich Dein Unterbewusstsein mit den Fragestellungen beschäftigt und Dir im Laufe des Tages noch weitere Punkte einfallen.

Es spielt zunächst überhaupt keine Rolle, ob Du schon eine Idee hast, wie die Verbesserung oder Veränderung ermöglicht werden kann oder ob sie überhaupt umsetzbar ist. Setze Dir für die Spalte „Ergebnis" keine Grenzen! Erlaube Dir, wirklich groß und vor allem auch ein bisschen verrückt zu denken. Lass Deiner Phantasie und Deinen Träumen freien Lauf.

Jede VERÄNDERUNG beginnt mit dem DENKEN!

Diese Bestandsaufnahme wird Dir Dein Potential zur Veränderung aufzeigen.

Lebensrad

Das zweite Tool, das ich Dir gerne vorstellen möchte, ist das Lebensrad. Es wird als beliebtes Coaching Tool eingesetzt, um die Lebensbereiche zu entdecken, die in Deinem Leben möglicherweise eine zu kleine oder vielleicht auch eine zu große Rolle spielen.

Es ist wichtig, dass die unterschiedlichen Bereiche in unserem Leben, also zum Beispiel Gesundheit, Karriere, Partnerschaft usw. in Balance sind. Manchmal ist es jedoch so, dass wir uns auf einen Lebensbereich sehr stark konzentrieren, zum Beispiel unsere Karriere. Arbeitest Du nun beispielsweise zehn bis zwölf Stunden am Tag, merkst Du dabei vielleicht gar nicht, wie sehr andere Lebensbereiche zurückstehen. Anstatt Balance aller Lebensbereiche ergibt sich so schnell eine Schieflage. Das Lebensrad hilft Dir dabei, genau diese „Schieflage" deutlich zu erkennen. Was Du zusätzlich zur Vorlage für das Lebensrad noch benötigst, sind zwei Stifte unterschiedlicher Farbe, zum Beispiel Rot für den Ist-Zustand und Grün für den Ziel-Zustand. Wähle die Farben nach Deinem Geschmack.

Das Lebensrad besteht aus zehn konzentrischen Kreisen von 10 % bis 100 % in 10er-Schritten von innen nach außen durchnummeriert und wird in 12 Teile aufgeteilt wie ein Kuchen. Jedes dieser Zwölftel steht für einen Lebensbereich[5].

---

[5] Eine Vorlage für das Lebensrad findest Du hier: https://bit.ly/32JCz5A
Über „Öffnen" kannst Du die Vorlage öffnen und ausdrucken

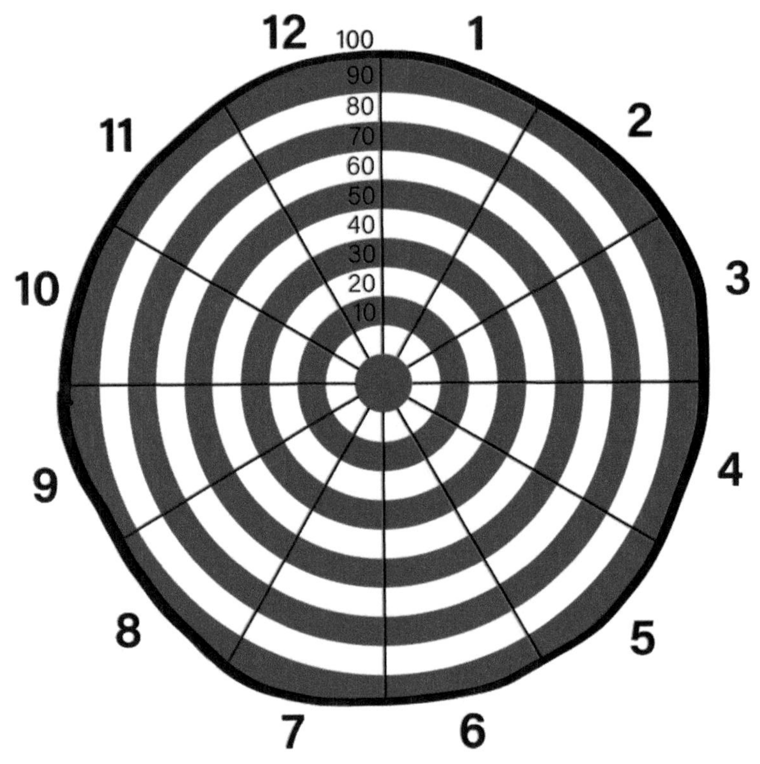

Aus den folgenden Bereichen suchst Du Dir nun zwölf Bereiche Deiner Wahl aus und schreibst diese jeweils an ein Zwölftelstück:

- Gesundheit
- Karriere / Beruf
- Beziehung / Partnerschaft
- Freizeit
- Finanzen
- Kreativität
- Sport / Fitness

- Ernährung
- Ziele
- emotionales Wohlbefinden
- persönliches Glück
- Familie/Freunde
- Wohnsituation
- persönliche Entwicklung
- ...

Vielleicht fallen Dir auch selbst noch Bereiche ein, die Du gerne betrachten möchtest. Dann nimm diese gerne dazu.

Für Deine Standortbestimmung legst Du nun fest, wie zufrieden Du mit dem jeweiligen Lebensbereich bist. 10 % (also innerer Ring) bedeutet gar nicht zufrieden, 100 % (also äußerer Ring) bedeutet sehr zufrieden. Bitte ehrlich bleiben und nicht flunkern!

Die folgenden Fragen können Dich dabei unterstützen, den richtigen Wert für die Bestandsaufnahme - also den Ist-Zustand - zu finden:

- Wie zufrieden bin ich gerade mit diesem Bereich?

- Wünsche ich mir in diesem Bereich eine Veränderung, oder kann es so bleiben wie es ist?

- Wie viel Zeit oder Aufmerksamkeit verwende ich in oder mit diesem Bereich? Ist das ausreichend? Zu viel oder zu wenig?

- Wie viel Energie und Herzblut stecken in diesem Bereich? Ist das genug? Zu viel oder zu wenig?

- Wie intensiv lebe ich diesen Bereich? Ist das ausreichend? Zu viel oder zu wenig?

Betrachten wir als Beispiel den Bereich Karriere / Beruf:
Du verbringst zehn bis zwölf Stunden am Tag mit Deiner Arbeit. Der Druck durch Deinen Chef ist groß, die Arbeit macht so wirklich keinen Spaß mehr. Das Herzblut, das Du früher in Deinen Job gesteckt hast, hat nachgelassen. Du bist unzufrieden. Also nimmt dieser Lebensbereich einen hohen Grad an Zeit in Anspruch mit relativ kleiner Zufriedenheit. Der Grad der Zufriedenheit liegt vielleicht bei 20 %.

Wenn Du den prozentualen Anteil Deiner Zufriedenheit für den jeweiligen Bereich herausgefunden hast, dann trage ihn auf der Linie ein. Hast Du alle Punkte für alle Deine Lebensbereiche gefunden, dann verbinde diese miteinander. So entsteht vermutlich ein Vieleck, in dem Bereiche eher zu wenig berücksichtigt sind, oder zu viel.
Jedenfalls kommt dabei vermutlich ein (Lebens-)Rad heraus, das nicht wirklich rund läuft. Stattdessen hat es Ecken und Kanten, tatsächlich nicht verkehrt, jedoch eben nicht bei einem Rad...

Für die Festlegung des Ziel-Zustandes nimmst Du am besten eine andere Farbe. Auch hier wieder ein paar Fragen, die Dich dabei unterstützen, den Ziel-Zustand festzulegen, um auch hier wieder eine Zahl zwischen 10 % und 100 % zu bestimmen, die Du ebenfalls in die Vorlage einträgst.

- In welchem Bereich möchte ich mehr oder weniger Zeit investieren?

- In welchem Bereich möchte ich eine Veränderung herbeiführen (zunächst ist es unerheblich wie die Veränderung aussehen soll)?

- In welchem Bereich möchte ich mehr oder weniger Energie investieren?

- In welchem Bereich sind meine Bedürfnisse unerfüllt?

Bleiben wir bei dem Beispiel Karriere / Beruf: Vielleicht ist ein logischer Gedanke, dass Du einer Arbeit nachgehen möchtest, die Dich zufriedener macht, die Du mit Herzblut ausführen kannst, in die Du all Deine Energie stecken kannst und die Dich vielleicht auch im Zielzustand weniger Zeit pro Tag kostet. Die Zufriedenheit mit dem Bereich Karriere / Beruf sollte bei etwa 80-90 % liegen, das ist ein realistischer Wert.

Wenn Du nun auch für den Zielzustand aller Bereiche die Prozentzahlen zwischen zehn und 100 festgelegt hast, kannst Du auch diese Punkte miteinander verbinden. Siehst Du, was sich ergibt?

In den Bereichen, in denen der Ist-Zustand und der Ziel-Zustand am weitesten auseinanderklaffen, dort ist Dein höchstes Potential zur Veränderung. Es lohnt sich, nun intensiver darüber nachzudenken, welche Veränderung Du Dir in diesem Bereich genau wünschst. Auch hier ist es Dir erlaubt, groß und vielleicht ein wenig verrückt zu denken. Notiere Dir Deine Wünsche und Ziele direkt auf der Vorlage, dann hast Du alles beisammen.

Schreibe mir gerne eine E-Mail, wie es Dir mit diesen beiden Übungen zur Standortbestimmung gegangen ist. Du findest meine Kontaktdaten im Bereich „Was ich noch für Dich tun kann" oder am Ende der Einleitung. Speziell zu den Übungen im Buch gibt es die E-Mail-Adresse: buch@kopfarbeit.jetzt

T wie Thema oder
Was Du verändern möchtest

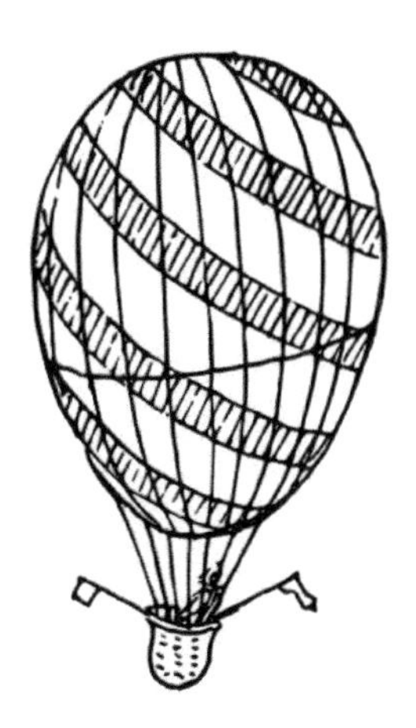

In diesem Kapitel geht es nun darum, festzulegen, welches Thema aus der Bestandsliste oder welchen Lebensbereich aus dem Lebensrad Du als Erstes gerne verändern möchtest.

Nimm Dir also die Liste und die Vorlage des Lebensrades zur Hand. Dort solltest Du bereits Deine Wünsche und Ziele festgehalten haben. Wenn Du noch nicht so weit bist, dann gehe bitte nochmal zum letzten Kapitel zurück und setze eine der beiden dort genannten Möglichkeiten um. Entscheide Dich nun für eine Sache, die Du ändern und umsetzen möchtest.

Wichtig ist, nicht zu lange darüber nachzudenken, wofür Du Dich entscheiden sollst. Jetzt ist es wichtig aus dem Bauch heraus zu handeln und das auszuwählen, was Dich am meisten schmerzt, was Dich am meisten anspringt, wo Du möglicherweise auch den größten Benefit daraus ziehen kannst, sobald Dein Ziel erreicht ist.

Je länger Du darüber nachdenkst, welchen Punkt Du nehmen sollst, umso mehr wird Dein Verstand in die Entscheidung einbezogen. Darauf solltest Du in diesem Fall unbedingt verzichten. Du kennst das vielleicht, wenn Du über etwas länger nachdenkst oder eine Aufgabe lösen möchtest, dann hast Du plötzlich Gedanken, so etwas wie innere Stimmen, die sagen „das schaffst Du eh nicht!" oder „wie soll das denn gehen?" Ich nenne sie gerne die kleinen inneren Zweifler.

Und das ist genau der Punkt, „wie es gehen soll" ist gerade völlig irrelevant. Was genau zu tun ist, ist im Augenblick noch völlig unwichtig. Es ist überhaupt nicht wichtig, dass Du jetzt schon weißt, welche Schritte Du benötigst, um genau dieses Ziel zu erreichen. Das werden wir an späterer Stelle noch tun.

Wichtig ist in diesem Stadium zunächst zu wissen, welches Thema Du verändern möchtest.
Also: Entscheide aus dem Bauch!

Formuliere jetzt als Erstes Dein Ziel, also Dein angestrebtes Ergebnis, so genau wie möglich und schreibe es Dir auf. Achte bitte darauf, Dein Ziel positiv zu formulieren. Als Beispiel: Schreibe „Ich möchte auf Augenhöhe mit meinen Kollegen kommunizieren" statt „Ich möchte nicht mehr der seelische Mülleimer für die Kollegen sein".
Die positive Formulierung ist deshalb so wichtig, weil unser Gehirn generell in Bildern denkt. Das Wort „nicht" kann unser Gehirn jedoch nicht bildlich darstellen. Ein anderes Beispiel macht das sicher deutlich: Wenn ich Dir sage „denke jetzt bitte nicht an einen rosa Elefanten", was kommt Dir als Erstes in den Sinn?

Genau, der rosa Elefant, an den Du nicht denken solltest. Bei dem Satz „ich möchte nicht mehr der seelische Mülleimer für die Kollegen sein" wird Dein Gehirn zuerst denken: „Ich möchte der seelische Mülleimer für die Kollegen sein". Und das ist sicher wenig hilfreich zu glauben.

Deine Zielvorstellung darf auch ruhig ein bisschen übertrieben oder verrückt sein. Lass Deinen Gedanken freien Lauf! Begrenze Dich nicht! Im nächsten Schritt lade ich Dich ein, Dir eine Situation herauszusuchen und sie Dir so auszumalen, wie sie sein wird, wenn Du Dein Ziel erreicht hast. Hier eine Anleitung:

Schließe einfach für ein paar Minuten die Augen. Gestalte den Zielzustand in allen Facetten. Wenn es Dir hilft, kannst Du die folgenden Fragen auch schriftlich beantworten.

Sieh Dich in Gedanken um und beschreibe, ...
... was es in der Zielsituation zu sehen gibt
... wo diese Situation stattfindet
... welche Farben und Formen Du siehst
... ob Du helle oder dunkle Farben siehst
... was in Deiner Nähe ist, was eher weiter weg zu sehen ist
... wer möglicherweise beteiligt ist

höre genau hin, ...
... was es in der Zielsituation zu hören gibt
... vielleicht Stimmen oder Klänge möglicherweise auch einfach Stille
... die lauten und die leisen Töne
... die hohen und die tiefen Töne
... wie die Situation vielleicht auch in Dir klingt
... was möglicherweise auch Deine innere Stimme sagt

Spüre genau hin, ...

... wie sich die Zielsituation für Dich anfühlt

... wie die Umgebungstemperatur ist

... was Du in Dir spürst

... was für ein Gefühl sich in der Zielsituation auch in Dir breit macht

... was die Situation mit Dir macht

Vielleicht hat die Zielsituation ja auch einen besonderen Geruch,

... bekannt oder unbekannt und neu

oder einen Geschmack,

... süß, sauer, salzig

... wie Dir die Zielsituation schmeckt

Male Dir die Zielsituation so genau wie irgend möglich aus mit allen Facetten, jede Kleinigkeit, so bunt und strahlend, wie es geht.

Als Nächstes möchte ich diesen Zielzustand mit Dir noch weiter verstärken, so dass es klar und strahlend für Dich ist. Hierzu benutzen wir Submodalitäten.

Eine kurze Erläuterung wird Dir deutlich machen, was genau dieses Wort bedeutet. Wir nehmen unsere Welt mit den fünf Sinnen wahr: sehen, hören, fühlen, riechen und schmecken. Die fünf Sinne werden manchmal auch Modalitäten genannt. Hieraus ergibt sich nun, dass Submodalitäten Untereigenschaften der Modalitäten, also der fünf Sinne, sind. Submodalitäten sind Eigenschaften der einzelnen Sinneswahrnehmung und damit strukturieren wir unser subjektives Erleben. Je nach Ausprägung der Submodalität hat dies Auswirkungen auf die Art, wie wir eine Situation erleben, wie wir sie abspeichern und mit welchem Gefühl wir uns an sie erinnern.

Wenn Du beispielsweise Deinen Zielzustand, der vermutlich farbig ist und in den natürlichen Farben von Dir gestaltet wurde, jetzt plötzlich in schwarz-weiß vor Deinem inneren Auge erscheinen lässt, erzeugt dies ein anderes Gefühl als in bunt. Probiere es einfach aus.

Ich bin immer wieder fasziniert davon, wie Veränderungen der Submodalitäten das innere Erleben verändern. Submodalitäten können daher auch hervorragend genutzt werden, um schlechte Erinnerungen neu zu bewerten, indem die vorhanden Submodalitäten entsprechend verändert und damit das Erleben der Situation verändert wird.

Eine meiner Mentees[6], ich nenne sie hier Marie, hatte als Zielsituation die Veränderung der Kommunikation mit ihrem Chef. Ein Gespräch mit ihrem Chef stand an und sie war deshalb ziemlich aufgeregt. Ich habe Marie gebeten, sich die Gesprächssituation, wie oben beschrieben, so genau wie möglich vorzustellen und mir die Submodalitäten wie Größe des Bildes, dass sie vor ihrem inneren Auge sieht, Bildhöhe - Augenhöhe oder tiefer oder höher, Lautstärke - und so weiter

[6] Mentee: Person, die von einem Mentor oder einer Mentorin betreut wird

genau zu beschreiben. Das Bild, das sie vor ihrem inneren Auge hatte, zeigte sie und ihren Chef in ihrem Büro. Es hatte vor ihrem inneren Auge eine Größe von etwa 50 x 50 cm, war links unten in Bezug auf ihre Augenhöhe positioniert und hatte einen schweren antiken Goldrahmen. Dann habe ich mit ihr die Submodalitäten verändert. Durch das Wegnehmen des Rahmens entfernte sie die innere Begrenzung zu dieser Situation und durch die Veränderung der Bildposition von links unten auf rechts oben, also auf Augenhöhe, beschrieb Marie, dass sie deutlich weniger Angst vor dem Gespräch habe. Weitere Veränderungen führten dazu, dass sie voller Zuversicht dem Gespräch entgegensah und sich sogar ein bisschen darauf freute.

Doch zurück zu Deinem Zielzustand. Nimm noch einmal mit allen Sinnen Deinen Zielzustand wahr und beantworte die folgenden Fragen für Deinen Zielzustand. Wichtig ist, dass Du inhaltlich nichts veränderst, das bedeutet, dass Du keine Gegenstände, Personen oder Stimmen hinzufügst, sondern Dich auf die verschiedenen Ausprägungen - Submodalitäten - beschränkst.

Ich spreche jetzt bewusst nicht mehr von Zielbild, weil es bei einigen vielleicht gar kein feststehendes Bild, so wie eine Zeichnung, sondern bewegte Bilder, wie ein Film, sind. Vielleicht magst Du die Submodalitäten auch notieren:

- Ist Dein Zielzustand ein Bild oder ein kurzer Film, vielleicht eine Sequenz?

- Wie groß ist Dein Zielbild oder -film? Wenn Du Dir Dein Zielbild oder -film vor Deinem inneren Auge vorstellst, welche Ausmaße hat es dann? Ist es so groß, dass Du die Begrenzung nicht mehr sehen kannst oder hat es eher das Format einer DIN-A-Seite?

- Siehst Du Dich in dem Zielzustand so, als würdest Du von außen ein Bild oder einen Film betrachten, oder bist Du in dem Zielbild oder -film drin, kannst Dich also, wenn Du an Dir herunterschaust im Zielbild oder -film betrachten und Deine Hände sehen?

- Wie weit ist das Bild / der Film von Dir entfernt?

- Ist das Bild / der Film auf Augenhöhe? Vielleicht auch höher oder tiefer?

- Ist es farbig oder schwarz/weiß?

- Ist es scharf oder eher unscharf?

- Wie ist der Kontrast?

- Gibt es Stimmen oder Geräusche, vielleicht auch nur Stille?

- Aus welcher Richtung kommen Stimmen oder Geräusche oder Stille?

- Wie laut ist es?

- Wenn es etwas zu hören gibt, z.B. Stimmen, wie ist die Tonhöhe, eher normal oder tief oder hoch?

- Wie ist die Temperatur? Ist es/Dir warm oder kalt?

Dies ist nur ein Auszug der Submodalitäten. Wenn Du mehr über Veränderungsarbeit mit Submodalitäten erfahren möchtest, dann kontaktiere mich gerne über E-Mail: Buch@Kopfarbeit.jetzt

Jetzt geht es darum mit den oben ermittelten Submodalitäten Deinen Zielzustand zu verbessern. Dies geschieht, indem Du die jeweilige Submodalität in Deiner inneren Vorstellung veränderst. Du selbst wirst wissen, wie das geht. Vielleicht gibt es einen Regler, einen Drehknopf oder einen Schiebeschalter, mit dem Du das bewerkstelligen kannst. Für Dich ist wichtig, darauf zu achten, wann der Zielzustand sich für Dich noch besser als ursprünglich anfühlt. Wenn Du beispielsweise feststellst, dass Dein Gefühl zum Zielzustand sich verbessert, indem Du das Bild näher an Dich heranholst, dann lass es näher bei Dir. Stellst Du fest, dass sich Dein Gefühl zu Deinem Zielzustand verschlechtert, wenn Du die Geräusche oder Stimmen leiser machst, dann stelle den Ursprung wieder her und teste die andere Richtung, also mache die Geräusche oder Stimmen lauter. Im Zweifelsfall, wenn Du nicht sicher bist, ob es durch die Veränderung besser oder schlechter geworden ist, bringe es wieder auf Ursprung zurück.

Wenn Du jetzt ein Zielbild oder -film vor Dir siehst, dann lass Dich überraschen, was passiert, wenn Du dieses Bild oder den Film vor Deinem geistigen Auge in der

Dimension größer werden lässt, und noch größer, und noch größer, so, dass Du die Ränder des Zielbildes oder -films nicht mehr sehen kannst. Entscheide dann selbst, ist es besser oder schlechter?

Spiele die anderen Submodalitäten für Dich durch und vielleicht notierst Du auch die jeweilige Veränderung, die den Zielzustand nochmals deutlich verbessert. Wenn Du alle Submodalitäten durchgespielt hast, hast Du für Dich den perfekten Zielzustand kreiert.
Herzlichen Glückwunsch! Du hast Großartiges geleistet. Du hast Dir mit dieser Übung Deinen perfekten Zielzustand erzeugt.

Das ist jetzt Dein Ziel, Dein Zielzustand. Speichere Dir diesen Zielzustand fest in Deinem Inneren ab, sodass Du Dich jederzeit gut und schnell an Deinen Zielzustand erinnern kannst. Du solltest Dir den Zielzustand jederzeit vor Dein inneres Auge und Dein inneres Erleben holen können. Der neue Zielzustand darf Dir in Fleisch und Blut übergehen.

Wenn Du die jeweils verbesserten Submodalitäten notiert hast, dann lege Dir diesen Zettel griffbereit hin, sodass Du ihn jederzeit erneut lesen kannst.

Warum nun das Ganze? Du erreichst Ziele leichter und kannst ebenfalls gewünschte Veränderungen leichter umsetzen und umso besser erreichen, wenn Du weißt, wohin die Reise geht.
Die Energie in Dir ist umso größer, wenn Du ganz klar weißt, was genau Dein Ziel ist. Mit Deinem ganz individuellen Zielzustand im Hinterkopf kannst Du Dich ab

jetzt besser fokussieren und neue und mutige Entscheidungen treffen. Und, noch eine Anmerkung: Der Sog hin zu einem Ziel ist umso größer, je besser Dein Zielzustand ausgeprägt ist, also nimm Dir gerne ausreichend Zeit, Deinen Zielzustand so zu erschaffen, wie Du möchtest.

Es ist wichtig, dass Du Dir den Zielzustand immer wieder vor Augen führst!
Wie auf Knopfdruck soll Dein Zielzustand immer wieder vor Deinem geistigen Auge erscheinen. Vielleicht kannst Du Dir eine tägliche Routine angewöhnen und abends vor dem Schlafen Deinen Zielzustand aufrufen, oder immer, wenn Du spazieren gehst. Du wirst wissen, wann Du diese Routine einbauen möchtest. Das Aufrufen des perfekten Zielzustandes kann auch hilfreich sein in Situationen, wo Du gestresst bist, oder wo Du oder jemand anderes an Dir zweifelt. Mit der permanenten Wiederholung programmierst Du Dein Gehirn auf dieses Ziel.

„Programmieren" - das klingt jetzt als wäre unser Gehirn ein Computer.
Im weitesten Sinne ist er das auch. Ich möchte es Dir an einem Beispiel erläutern. Von klein auf lernen wir bestimmte Verhaltensweisen und Gesten. Wir erlernen diese Verhaltensweisen und Gesten häufig durch Abschauen oder durch eigene Erfahrung. Wenn Du beispielsweise Deine Arme verschränkst, tust Du dies auf eine ganz bestimmte Art und Weise. Bei manchen Menschen ist der linke Arm oben, bei den anderen der Rechte. Probiere es einfach aus, wie das bei Dir ist. Dies ist ein Verhalten - ein Programm - das Du gelernt hast oder von jemanden abgeguckt hast, als Du noch klein warst.
Das Programm läuft in immer gleicher Weise ab. Bis Dich jemand, so wie ich jetzt, darauf hinweist. Denn jetzt möchte ich Dich bitten, die Arme einmal anders herum

zu verschränken, also den jeweils anderen Arm oben zu haben. Gar nicht so einfach, wie ich finde. Wenn Du es ein paarmal gemacht hast, wirst Du feststellen, dass es immer leichter wird. Und jetzt hast Du schon zwei Möglichkeiten, wie Du Deine Arme verschränken kannst. Und damit ein neues Programm gelernt. Für Dein Ziel bedeutet das, wenn Du Dich immer wieder, am besten regelmäßig, mit Deinem Zielzustand beschäftigst und Dir den Zielzustand immer wieder vorstellst, wird sich Dein Gehirn an diesen Zustand gewöhnen und als neues Programm aufnehmen.

Wenn es Dir schwerfällt, den Zielzustand gedanklich zu beschreiben oder gut und sicher abzuspeichern, dann male ihn oder fertige eine Collage mit aufgeklebten Bildern - ein sogenanntes Vision-Board. Es ist völlig gleichgültig, ob Du malen kannst oder nicht, das Vision-Board ist nur für Dich. Die Hauptsache ist, dass Du Dir Dein Ziel so konkret wie möglich vorstellst. Denke Dir dabei Dein Ziel groß und bunt.

Wenn Du nicht malen kannst oder willst, dann beschreibe Dein Ziel in Stichworten, sodass Du aus Deinen Stichworten sofort wieder den Zielzustand aufrufen kannst, und hänge dieses Ziel präsent irgendwo in der Wohnung auf. Mach Dir ein Hintergrundbild für Deinen Computer, Dein Tablet oder Dein Mobiltelefon. Klebe Dir ein Klebezettelchen mit dem Ziel an den Badezimmerspiegel. Es ist völlig egal. Wichtig ist, dass Du wieder und wieder an Dein Ziel erinnert wirst.

Vielleicht hast Du Dir jetzt gerade die Frage gestellt, wofür das alles gut ist? Eine durchaus berechtigte Frage. Als Erklärung, möchte ich Dir hier drei Sätze an die Hand geben, die mich mittlerweile durch mein Leben begleiten.

Du bekommst, was Du denkst! [7]

oder

Was Du denkst, bist Du. Was Du bist, strahlst Du aus.
Was Du ausstrahlst, ziehst Du an.

Buddha

und

Ob Du denkst, Du kannst es, oder ob Du denkst, Du kannst es nicht: Du wirst auf jeden Fall recht behalten.

Henry Ford

Hierzu ein Beispiel: Du kannst Dich sicher noch an die Zeit der Klassenarbeiten erinnern. Wenn Du an die Klassenarbeit mit dem Gefühl „das wird sowieso nix" oder „das wird bestimmt schwer" herangegangen bist, dann war die Wahrscheinlichkeit hoch, dass diese Klassenarbeit tatsächlich nicht geklappt hat. Wenn Du allerdings

---

[7] Siehe auch Kapitel „E wie Entwickeln und einlassen"

an die Klassenarbeit herangegangen bist mit dem Gedanken „ich bin top vorbereitet, ich habe hinreichend gelernt" dann hast Du sie vermutlich auch gut bewältigt.

Dir fallen sicher ähnliche Situationen aus Deinem Leben ein, in denen Deine Gedanken das Ergebnis beeinflusst haben.

Bevor wir uns nun mit dem nächsten Baustein „Entscheidung treffen" beschäftigen ist es jetzt an der Zeit, zurückzuschauen und Dich für die nächsten Schritte zu motivieren und zu stärken. Dafür benutzt Du:

Deine Erfolgsliste

Hier möchte ich Dir eine kleine und sehr hilfreiche Übung an die Hand geben, die Dich auf Deine bisherigen Erfolge im Leben zurückblicken lässt.

Jetzt fragst Du Dich vielleicht, was ist überhaupt Erfolg? Ich glaube, dass jeder von uns Erfolg ein wenig anders definiert.

Mir geht es bei der Definition von Erfolg nicht nur um „mein Haus, mein Auto, mein Swimming Pool", also nicht ausschließlich um den finanziellen und materiellen Erfolg.

Erfolg ist aus meiner Sicht viel mehr. Erfolgreich bist Du, wenn Du etwas abgeschlossen hast, wenn Du etwas erreicht hast, wenn Du Dich über eine Sache freuen kannst. Wenn Du zufrieden mit dem Erreichten bist. Wenn Du stolz darauf bist, dass Dir etwas gelungen ist. Vielleicht auch dann, wenn Du für eine besondere Sache oder Gelegenheit gelobt wurdest.

Vermutlich denkst Du jetzt: „Welche Erfolge denn?", „war doch so vorbestimmt", „musste doch so kommen", „ist doch total normal", "musste doch gemacht / erledigt werden".
Dann möchte ich Dir jetzt zurufen: STOPP!
Nein, diese Ergebnisse sind nicht normal, selbstverständlich oder nichts Besonderes!

VERÄNDERUNG beginnt mit dem DENKEN!

Lass uns ein Experiment machen. Ich lade Dich ein, einmal anders über Dein bisheriges Leben zu denken. Ich lade Dich ein, nicht mehr alles, was Du bisher erlebt hast, als gegeben und selbstverständlich hinzunehmen.

Wieso ist es so wichtig auf seine Erfolge zu schauen?
Wir nehmen viele Dinge, die wir erreicht haben, einfach so hin, weil „das ja so sein musste oder sollte". Wenn Du allerdings erstmal damit begonnen hast, Deine Erfolge aufzuschreiben - Beispiele findest Du weiter unten im Text - wirst Du merken, wie sich Deine Laune verbessert und wie Dein Selbstbewusstsein wächst. Wenn Du - quasi schwarz auf weiß - siehst, was Du schon alles erreicht hast, wird es Dir leichter fallen, Dein neues, großes Ziel der Veränderung anzugehen.

Nehmen wir als Beispiel Deinen eigenen Schulabschluss, ob Abitur oder nicht ist dabei völlig egal. Überlege Dir, wie viele Menschen diesen Erfolg nicht haben, die keine abgeschlossene Schulausbildung oder keinen Abschluss erreicht haben. Ich nehme an, da kommen eine Menge Menschen zusammen. Hast Du bisher Deinen Abschluss als Erfolg wahrgenommen oder als selbstverständlich? Ist er selbstverständlich? Was denkst Du?

Für die Erfolgsliste kannst Du auch schon viel früher in Deinem Leben beginnen. Da ist vielleicht das bestandene Seepferdchen, die Fahrradprüfung, die Einschulungsprüfung, die super schwere Klassenarbeit, die Prüfung, um auf die höhere Schule zu kommen, der Führerschein, die Mega-Party für Deine beste Freundin, die abgeschlossene Berufsausbildung mit erfolgreicher Zwischen- und Abschlussprüfung, ein toller Verkaufsabschluss, ein gelungenes Vorstellungsgespräch, eine

erfolgreiche Gehaltsverhandlung, ein schwieriges Kundengespräch, das Du mit Bravour gemeistert hast, die herausragende PowerPoint-Präsentation vor Deinem Chef und dem Team, die gelungene Messevorbereitung, das perfekt gestaltete Familienfest.
Du merkst, es gibt jede Menge Erfolge zu feiern, und das ist es, was Du zukünftig tun darfst. Wenn Dir etwas gut gelungen ist, dann feiere Dich dafür! Tue Dir etwas Gutes, gehe ins Kino, gönne Dir eine Massage oder einen Friseurbesuch. Mache irgendetwas, das Dir Spaß macht.

Ich möchte Dich also nun bitten, ein DIN-A4-Papier zu nehmen oder vielleicht sogar ein kleines Büchlein, dass Du dann in Zukunft auch weiterführen kannst, um alle Deine Erfolge, die Du in Deinem bisherigen Leben schon erreicht hast, aufzuschreiben.

Wenn Du beginnst, diese Erfolgsliste zu schreiben, dann mache Dich bitte davon frei, chronologisch durch Deinen Lebenslauf zu gehen. Unser Gehirn denkt nicht chronologisch, sondern springt von einem Ereignis zum anderen. Da ist die Mega-Party zur Volljährigkeit und dann fällt Dir plötzlich das tolle Weihnachtsgeschenk ein, das Du mit 13 Jahren bekommen hast. Nimm die erste Urlaubsreise alleine ins Landschulheim mit zehn Jahren, bei der Du mutig warst und das erste Mal alleine weggefahren bist. Es kommt nicht auf Chronologie an.

So wird sich Dein Erfolgsbuch immer weiter füllen. Höre nicht auf, wenn Dir erstmal nichts mehr aus der Vergangenheit einfällt. Schreibe Dein Erfolgsbuch weiter! Notiere Dir immer, wenn Du einen Erfolg zu feiern hast, diesen Erfolg in das Buch.

Natürlich kannst Du das Schreiben Deiner Erfolgsliste auch in eine tägliche Routine mit einbauen. Und hier zählen auch die kleinen Erfolge, zum Beispiel ein überpünktlicher Feierabend, statt noch bis spät abends am Rechner zu sein. Ich notiere auch, wenn ich mir beispielsweise eine halbe Stunde Zeit für mich ermöglicht habe, oder wenn ich erfolgreich eine Sporteinheit hinter mich gebracht habe.

Diese Erfolgsliste kann Dich nun im weiteren Verlauf unterstützen. Sowohl für die Findung Deines Zieles, als auch beim Treffen der Entscheidung, mit der Du Dich im nächsten Kapitel beschäftigen wirst. Es ist sehr hilfreich, wenn Du Dir Deine Erfolge immer wieder einmal anschaust und Dich darauf besinnst, was Du schon alles erreicht hast. Damit fallen Dir der nächste Schritt und eine mögliche Entscheidung deutlich leichter.

Deine Fähigkeitenliste

Eine ebenso sinnvolle wie hilfreiche weitere Liste ist eine Liste Deiner Fähigkeiten. Ist Dir schon einmal passiert, dass ein Kollege oder eine Kollegin zu Dir gesagt hat: „Dies oder jenes kannst Du aber gut!" zum Beispiel: „Deine PowerPoint Präsentationen sind immer so aussagekräftig" oder „wie Du mit Excel umgehen kannst, ist einfach sensationell" und Du hast mit den Schultern gezuckt und gedacht „ist doch nichts Besonderes".
Doch, ist es!

Kommt möglicherweise Dein Chef regelmäßig zu Dir und sagt: „Können Sie mir bitte einen PowerPoint-Vortrag erstellen? (oder eine Excel-Tabelle oder ein Grafikdesign...)"
Und Du denkst: „Na klar, kann ich, und es macht mir sogar Spaß!"

Wir betrachten oft das, was wir können und vor allem womöglich auch noch gerne tun als etwas völlig Selbstverständliches. Das ist es nicht! Überlege Dir einmal, wie viele Menschen in Deinem Umfeld keine Powerpoints, Exceltabellen oder Grafikdesigns (oder das, was Du gut kannst) eben nicht können.

Überlege einmal, was Deine Freunde über Dich sagen. Vielleicht bist Du eine besonders gute Zuhörerin? Was sagen Deine Chefs über Dich? Wofür wirst Du, auch wenn es selten vorkommt, gelobt? Was ist außergewöhnlich an Dir? Hier einmal ein Beispiel aus dem häuslichen Umfeld: Du kochst jeden Tag für Dich, Deinen Partner, Deine Familie. Und auch wenn es bei Dir zu Hause eher üblich ist, nach dem Motto zu agieren: „Nichts gesagt ist genug gelobt" kommt keiner auf die Idee, Dir jeden Tag aufs Neue zu sagen, dass es sehr gut schmeckt, oder? Also ist doch die Wahrscheinlichkeit hoch, dass Kochen eine Deiner Fähigkeiten ist, die Du jedoch als selbstverständlich und nichts Besonderes wahrnimmst.

Ein anderes Beispiel: Du fährst seit mehreren Jahren unfallfrei Auto. Da liegt nahe, dass eine Deiner Fähigkeiten Auto fahren ist.

Oder, Du wirst für Deinen Vortrag gelobt, vielleicht für die Messevorbereitung. Ja, dann verbergen sich in diesen Bereichen Fähigkeiten, die Du hast und viele andere Menschen eben nicht.

Also, nimm Dir auch hier ein DIN-A4-Blatt und notiere alle Deine Fähigkeiten, so, wie sie Dir gerade in den Sinn kommen. Hierzu gehören alle möglichen Bereiche wie Familie, Garten, Haus und Haushalt, Kinder, Hobbys, Sport, Arbeit und so weiter.

Sowohl Deine Erfolgsliste, als auch Deine Fähigkeitenliste werden beim ersten Schreiben noch nicht vollständig sein. Es sind Listen, die wachsen dürfen.

Listen, mit denen sich Dein Unterbewusstsein beschäftigen darf. Du wirst sehen, Dir werden immer wieder neue Ideen und Einfälle kommen, was noch alles auf den Listen stehen muss.

Nimm nun Deine Erfolge und Deine vielen Fähigkeiten einfach an!

Freue Dich jedes Mal, wenn Du die Liste oder das Büchlein in die Hand nimmst! Mit der Zeit wirst Du merken, wie sich Dein Denken verändert und Du mehr und mehr an Selbstvertrauen gewinnst.

Ich nutze meine Erfolgs- und Fähigkeitenliste in zwei Situationen ganz besonders. Zum einen dann, wenn ich eine wichtige Aufgabe - ein Gespräch, eine Verhandlung etc. - vor mir habe und zum anderen, wenn ich mich gerade auf einem niedrigen Energielevel befinde oder, wenn ich mich nicht motivieren kann und mir der Antrieb fehlt. Dann nehme ich mir die beiden Listen zur Hand und wenn ich sie gelesen habe, bin ich gestärkt und voller Selbstvertrauen.

Wenn Du magst, dann berichte mir gerne per E-Mail oder Messenger, wie es Dir beim Erstellen Deiner Listen ergangen ist. Ich freue mich auf eine Nachricht von Dir an: buch@kopfarbeit.jetzt

E wie Entscheidung

„Der unabdingbare erste Schritt, um das zu bekommen, was Du vom Leben möchtest, ist der: Entscheide, was Du willst.“

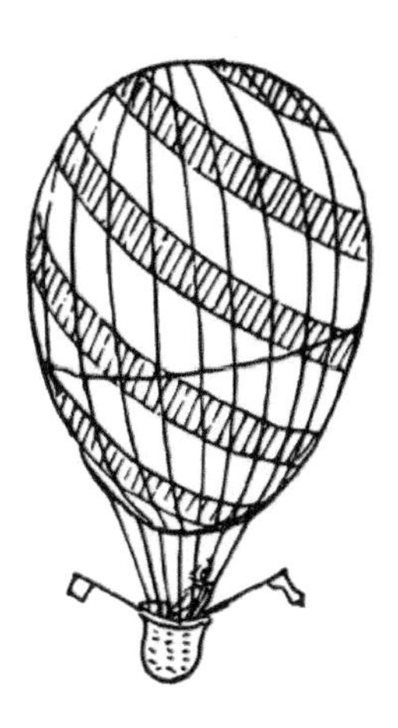

In diesem Kapitel geht es nun darum, zu entscheiden, dass Du weitermachst und wie.
Du hast schon Deine Standortbestimmung durchgeführt, Du hast festgelegt, was Dein Ziel ist. Du hast Dein Ziel groß gemacht und für Dich visualisiert.

Du weißt jetzt, was Du willst. Du kennst Dein Zielbild, Deinen Zielzustand. Hast ihn Dir in den buntesten Farben und Formen ausgemalt. Kannst ihn fühlen und jederzeit gedanklich abrufen. Dann ist es an der Zeit, die Entscheidung zu treffen.

Du darfst jetzt die Entscheidung für Dich treffen, ob Du den Weg hin zu Deinem Ziel gehen möchtest oder nicht. Ob Du Dein Ziel wirklich erreichen willst.

Du darfst Dir jetzt klar darüber werden, ob Du aktiv an Deinem Ziel arbeiten möchtest.

Also stelle Dir einmal die Frage: Was motiviert Dich? Wieso genau möchtest Du eine Veränderung herbeiführen?
Was ist Dein tatsächlicher Motivator?

Wenn Du an dieser Stelle sagst, „so schlimm und nervig ist meine berufliche / private / persönliche Situation ja nicht", dann ist auch das eine Entscheidung. Das hat allerdings Konsequenzen und mit denen darfst Du fortan leben, denn dann wird Dein Leben weitergehen wie bisher. Du wirst weiter all die Situationen erleben, wie ich sie im Kapitel Bestandsaufnahme beschrieben habe und wie Du sie aus Deinem bisherigen Leben kennst.

Love it, Change it or Leave it!

Henry Ford

(Liebe es, ändere es oder (ver)lasse es!)

Du hast immer die Wahl!

In meinen vielen Jahren, in denen ich mich nun schon mit Persönlichkeitsentwicklung und mit meinen eigenen und den Zielen meiner Coachees beschäftige, habe ich den Grundsatz gelernt: „Es gibt immer mindestens drei Möglichkeiten."
Du fragst Dich, welche das sind?

1. Du machst weiter und setzt die Tipps aus diesem Buch um. Du änderst Dein Leben in für Dich wichtigen Punkten und sorgst für Deine persönliche Zufriedenheit, entgegen Deiner kleinen inneren Stimme, die Dich zurückhalten will.

2. Du lässt alles wie bisher und gibst Deiner kleinen inneren Stimme nach. Dann darf Dir allerdings bewusst sein, dass Du mit den bekannten Konsequenzen leben musst. Solltest Du Dich hierfür entscheiden, dann verschenke das Buch an jemand Anderen. Und jammere nicht weiter über Deine Situation.

3. Du machst etwas völlig Anderes – und holst Dir zum Beispiel Unterstützung auf Deinem Weg.

Du bist hier an einem Scheidepunkt auf dem Weg zu Deinem Ziel angekommen und wenn Du nun zögerst, weiterzugehen und ein deutliches "Ja" zu Dir und Deinem Leben nach Deinen Maßstäben zu sagen, dann ist das Dein gutes Recht.

Wenn Du etwas in Deinem Leben verändern willst, dann lies unbedingt weiter!

Wenn Du hier und jetzt Widerstand spürst, dann hast Du auch wieder drei Möglichkeiten:

1. Vergiss mich und das Buch und ich empfehle Dir, klappe das Buch hier und jetzt zu!

2. Irgendetwas, dem Du auf die Spur kommen willst, hält Dich zurück. Möglicherweise hörst Du einen inneren Satz oder eine innere Stimme, vielleicht die Stimme Deiner Eltern.
   Wenn Du hier tatsächlichen Widerstand spürst, dann gibt es etwas, das erst beseitigt werden darf, ein altes Denkmuster, eine alte Erfahrung, die Dich hindert.
   Dann lass es mich wissen und wir schauen, was dahintersteckt, dass Du an dieser Stelle nicht weitergehen kannst. Melde Dich bei mir und wir besprechen, ob und wie ich Dir weiterhelfen kann. Wenn Du der Meinung bist, hier nicht weiterzukommen, dann ist es an der Zeit, mit Unterstützung eines Coaches eines der Taue zu kappen, die Deinen Heißluftballon am Boden halten, damit Du endlich ins Fliegen kommst.

3. Der richtige Zeitpunkt ist noch nicht gekommen? Dann lege das Buch einfach noch einmal weg und lass ein bisschen Zeit vergehen. Vielleicht magst Du es in ein oder zwei Monaten noch einmal aufnehmen und dann weitermachen.

Für das weitere Vorgehen ist es jetzt auch nochmals hilfreich Dir Deine Fähigkeiten und Deine Erfolge anzuschauen, um daraus die Kraft für den nächsten Schritt zu ziehen, bevor Du weitermachst.

Überlege noch mal, was passiert, wenn alles so bleibt wie bisher!
Erinnere Dich an all die Situationen, in denen Du fremdgesteuert und fremdbestimmt warst. Stelle Dir noch mal eine Situation vor, aus der Du noch vor wenigen Seiten herauswolltest. Gehe nochmal ganz tief hinein in die Situation. Wie hat es sich angefühlt? Was hast Du gedacht? Was hat der Moment mit Dir gemacht? Spüre Deine Wut, den Ärger, die Traurigkeit, die Hoffnungslosigkeit. Willst Du wirklich weitermachen wie bisher?

Ich reiche Dir meine Hand, Dich durch den weiteren Prozess zu begleiten und Dir zur Seite zu stehen, mit diesem Buch und auch - wenn Du magst - im Coaching oder Mentoring.

Vielleicht fragst Du Dich, was der Unterschied zwischen Coaching und Mentoring ist: **Coaching** ist eine kurzfristige Begleitung und löst eine vorher definierte Aufgabe, zum Beispiel, ich möchte nicht mehr an den Fingernägeln kauen. **Mentoring** ist langfristig ausgelegt und begleitet einen kompletten Prozess und zeigt Wege auf, die das Ziel ermöglichen und erleichtern, zum Beispiel mehr Selbstbestimmung und persönliche Freiheit im Beruf erreichen.

Möglicherweise brauchst Du hier auch einfach nur ein paar Tage Zeit, Dir noch einmal darüber klar zu werden, was die Entscheidung für Dich tatsächlich bedeutet.
Zeit dafür, all das, was Du bis hierher bearbeitet und an Erkenntnissen gewonnen hast, einfach einmal sacken zu lassen. Von Deinen Eltern kennst Du sicher auch den Satz: „Schlaf mal eine Nacht drüber". Das schadet vor einer Entscheidung sicher nicht, denn Dein Unterbewusstsein beschäftigt sich weiterhin mit diesem Thema.
Nur setze Dir bitte einen Termin, der nicht weiter weg liegt als 72 Stunden ab jetzt, an dem Du entweder weitermachst, oder die Entscheidung triffst, das Buch zu schließen!

Du zögerst noch? Dann möchte ich Dir hier gerne ein paar Tipps zur Entscheidungsfindung geben. An jeder Deiner Entscheidungen sollte sowohl Dein Bauchgefühl, als auch Dein Verstand beteiligt sein. Als weiteres Element hat auch Dein Unterbewusstsein hier eine entscheidende Rolle. Mit all dem, was Du bis hierher erarbeitet hast, hast Du bereits hervorragend für alle drei gesorgt. Du möchtest Deinem Herzensruf (Bauchgefühl) folgen, Du hast Fakten in der Standortbeschreibung zusammengetragen und Dein Ziel für den Verstand festgezurrt. Du hast Dein Unterbewusstsein mit Deinen Fähigkeiten und der Erfolgsliste auf Dein Ziel und den Erfolg programmiert.

Bevor ich Dir im weiteren Verlauf ein kleines Experiment vorschlage, habe ich noch ein paar Tipps zum Treffen der Entscheidung:

- Treffe die Entscheidung nicht unter Druck oder wenn Du gerade mit alltäglichen Belastungen konfrontiert bist. Wenn Du die Möglichkeit hast, dann mache Dich frei von allen Zwängen und Notwendigkeiten des Alltags und brich aus Deinem gewohnten Umfeld aus. Gönne Dir einen Tag Wellness oder Spazieren im Wald. Außerhalb Deines normalen Umfeldes kannst Du alles nochmal deutlich neutraler bewerten und die Entscheidung treffen.

- Vermeide Stress: Unter Stress treffen wir häufig impulsive Entscheidungen, die uns im Nachhinein leidtun. Wenn wir unter Stress stehen, reagiert unser Gehirn leider wie in Urzeiten beim Auftauchen eines Säbelzahntigers und kennt nur drei Reaktionen: Verteidigen, totstellen oder fliehen und das Hals über Kopf. Alles drei - sicher keine guten Grundlagen für eine Entscheidung.

- Treffe die Entscheidung gut gelaunt. Es ergibt keinen Sinn, nach einem Streit eine Dein Leben beeinflussende Entscheidung zu treffen. Deshalb versetze Dich in gute Laune. Höre Deine Gute-Laune-Musik, vielleicht gibt es einen Gute-Laune-Duft oder einen Gute-Laune-Ort. Wer gut gelaunt ist, trifft die besseren Entscheidungen.

- Habe keine Angst vor den vielen neuen Dingen, die jetzt möglicherweise auf Dich zukommen. Leider greifen wir gerne auf Altbewährtes und Bekanntes zurück. Unser Gehirn belohnt uns durch das Hormon Dopamin für bekannte

Situationen. Deshalb achte bei Deiner Entscheidung darauf, ob Du sie lediglich triffst, weil sich die Situation vertraut anfühlt und nicht, weil es gute Gründe dafür gibt.

- Sei Dir bei der Entscheidungsfindung also bewusst, dass Dein Gehirn Dich möglicherweise „anschwindelt", weil es die nächste Dopamin-Dosis will. Nur wer sich außerhalb seiner Komfortzone bewegt und damit Neues wagt, kommt weiter. Selbst wenn sich Deine Entscheidung erst einmal als ungünstig erweist, hast Du in jedem Fall eine Menge gelernt und vermutlich Türen aufgestoßen, von denen Du vorher noch nicht einmal gewusst hast, dass es sie überhaupt gibt.

- Überlege einmal: Wie wirst Du wahrscheinlich in fünf Stunden, fünf Monaten, oder sogar fünf Jahren über Deine Entscheidung denken? Überlege und prüfe gedanklich genau, was passiert, wenn Du die Entscheidung triffst, Dein Ziel zu verfolgen. Was andererseits passiert, wenn Du so weitermachst wie bisher. Schreibe Dir die wesentlichen Aspekte dazu auf. Häufig ist es ja so, dass eine Situation, in der wir gerade stecken, als unangenehm, schrecklich und ganz furchtbar empfunden wird. Wenn Du ein paar Monate oder Jahre darüber nachdenkst, war diese Situation das Beste, was passieren konnte. Vielleicht geht es Dir mit Deiner Entscheidung ja auch so?
  (Die fünf ist übrigens austauschbar, es könnten auch sechs, sieben oder acht sein, es geht lediglich darum Deine Entscheidung kurz-, mittel- und langfristig zu beurteilen.)

- Unternimm etwas Anderes

  Ein sehr bekanntes Phänomen, dass Du sicher auch kennst: Du hast Deinen Schlüssel, Deine Brille oder sonst irgendwas verlegt und suchst danach. Je krampfhafter sich die Suche gestaltet und je mehr Du alle Räume schon mehrfach abgesucht hast, umso geringer ist die Wahrscheinlichkeit, den Gegenstand zu finden. Beschäftigst Du Dich jedoch mit etwas völlig anderem, kommt wie von Geisterhand der Gedanke in Deinen Kopf, wo der Gegenstand liegt. Und wenn Du dort nachschaust, ist dies definitiv so und Du wirst fündig. Bei Entscheidungen ist das ähnlich. Wenn Du Deine Entscheidungsfindung an Dein Unterbewusstsein abgibst und Dich mit etwas anderem beschäftigst, wird sich auch hier die Entscheidung wie von selbst in Deinen Gedanken zeigen.

  Vertraue Dir - und Deinem Unterbewusstsein.

- Treffe die Entscheidung mit dem Bauch (das nachfolgende kleine Experiment zielt genau darauf ab). Die Bauchentscheidung ist in der Regel eine schnelle Entscheidung. Je länger Du darüber nachdenkst, umso mehr Stimmen werden in Deinem Verstand wach, die Dir immer neue Argumente liefern, warum etwas nicht funktionieren kann. Das führt zu Stress, siehe oben.

Wenn Du jetzt Lust auf ein kleines Experiment hast, dann lade ich Dich hier zu einer kleinen Übung ein. Wirf bitte einmal alle Bedenken über Bord und folge einfach der Anweisung, so merkwürdig oder verrückt sie auch klingen mag. Nimm es als einen spielerischen Prozess an, in dem Dein Unterbewusstsein Dir offenbart, wohin die Reise gehen sollte.

- Nimm Dir das Thema, das Du unbedingt verändern möchtest und schreibe ein Stichwort oder einen kurzen Satz dazu in großen Lettern auf ein DIN-A4-Blatt.

- Auf ein zweites DIN-A4-Blatt schreibst Du - ebenfalls in großen Lettern - Dein angestrebtes Ziel.

- Nun drehst Du die beiden Zettel um, sodass die Schrift nach unten liegt.

- Vielleicht hast Du jemand, der Dir hier Hilfestellung geben kann und die Zettel wahllos auf dem Boden auslegt, mit mindestens eineinhalb Metern Abstand, Schrift nach unten. Ansonsten erledigst Du es selber, am besten ohne zu wissen, was auf welchem Zettel steht.

- Als Nächstes schaffst Du Dir eine Referenz oder Vergleichssituation. Beim Betreten der beiden Zettel wird es eine Körperreaktion geben. Damit Du im weiteren Verlauf das Ergebnis gut einordnen und bewerten kannst, benötigst Du eine Referenzsituation auf neutralem Boden, also außerhalb der beiden Zettel.

- Stelle Dich an einen Ort im Raum mit geschlossenen Beinen und verschränke die Arme vor Deinem Körper, schließe bitte die Augen.
  Denke jetzt ein klares „JA", in dem Du das Wort „JA" permanent im Geiste oder leise vor Dich hin gesprochen wiederholst (ja-ja-ja-ja-ja-ja-ja-ja-ja-ja-ja-ja-ja-ja-ja-ja-ja-ja-ja) und lass Dich überraschen, was mit Deinem Körper passiert. Vermutlich wird er in eine bestimmte Richtung „gezogen".

Merke Dir die Richtung als Referenz- /Vergleichswert.

Das Gleiche machst Du an der gleichen Stelle mit dem Wort „NEIN" und merke Dir auch hier die Richtung, in die Deine Körperachse ausschlägt.

Jetzt haben wir für Zustimmung - JA - eine Referenz-Richtung und für Ablehnung - NEIN - ebenfalls. (Häufig ist „Ja" eine Richtung nach vorne und „Nein" nach hinten oder zu einer Seite, bei Dir kann es auch individuell anders sein.)

- Nun suchst Du Dir einen der beiden Zettel, die auf dem Boden liegen und stellst Dich darauf. Beine geschlossen, Arme verschränkt, Augen geschlossen. Lass die Situation einen Augenblick wirken und sei überrascht, in welche Richtung sich tendenziell Dein Körper bewegt.

  Wenn sich eine deutliche Reaktion in eine Richtung zeigt, das heißt, Dein Körper wird in eine Richtung gezogen, eventuell kommst Du aus dem Gleichgewicht, dann fange diese Reaktion mit einem Schritt ab, um nicht zu fallen.

  Merke Dir bitte die Tendenz und gleiche sie mit der Referenz ab. War es eher ein „Ja" oder eher ein „Nein"?

  Verlasse nun mit einem Schritt den ersten Zettel.

- Im Anschluss stellst Du Dich auf den anderen Zettel und führst die Übung genau so durch. Lass die Situation einen Augenblick wirken und sei überrascht, in welche Richtung sich tendenziell Dein Körper hier bewegt.

  Wenn sich eine deutliche Reaktion zeigt, dann fange diese mit einem Schritt ab.

  Merke Dir bitte die Tendenz und gleiche sie ebenfalls mit der Referenz ab. War es eher ein „Ja" oder eher ein „Nein"?

Verlasse nun mit einem Schritt auch den zweiten Zettel.

Hat sich ein deutliches Ja oder Nein abgezeichnet? Wenn Du nun die Zettel hochnimmst und liest was darauf steht, wirst Du Klarheit über Deinen weiteren Weg haben.

Verrückt, oder?

Was denkst Du gerade über das Ergebnis? Schreibe mir gerne, was Du erlebt hast, an: buch@kopfarbeit.jetzt

Dein Unterbewusstsein ist hier der entscheidende Faktor. Es unterstützt Dich bei der Entscheidungsfindung und hat Dir, als Du Dich auf die DIN-A4-Blätter gestellt hast, gezeigt, was es längst schon weiß. Jede Zelle Deines Körpers hat die Information bereits, an dieser Stelle darfst Du einfach einmal vertrauen.
Du kannst es als Spielerei abtun, oder wenn Du Deinem Bauchgefühl, dem Universum, dem lieben Gott, der Vorsehung oder wie immer Du es nennen willst eine Chance geben möchtest, dann folge jetzt Deinem Ruf.

Die oben beschriebene Methode nutze ich selbst häufig, wenn ich gerade nicht weiß, was ich tun soll. Sie hat mir schon in allen Bereichen meines Lebens gute Dienste erwiesen. Über die Methode konnte ich bei einer Coachee noch vor dem Schwangerschaftstest ermitteln, ob sie schwanger ist oder nicht.
Vertraue Dir und Deinem Körper, denn er hat die Information längst - noch bevor sie in Deinem Verstand angekommen ist.

Wenn Dir die Übung zu irreal oder absurd vorkommt, habe ich hier noch eine andere Möglichkeit für Dich herauszufinden, was Du möchtest.

Stell Dir vor, Du machst einen Strandspaziergang. Das kann ein Dir bekannter Strand sein, oder einer, der Deiner Fantasie entspringt. Du siehst die gleißende Sonne und die Wolken am Himmel, vielleicht auch ein paar Möwen, die im Wind segeln, das sanft plätschernde Wasser, vielleicht ein paar Muscheln oder auch einen Seestern. Du hörst das Wellenrauschen, das Kreischen der Möwen und Du spürst die Sonnenwärme auf Deiner Haut und den warmen Sand zwischen Deinen Zehen, vielleicht auch das kühle Meerwasser, das Deine Füße sanft umspült. Du schmeckst das Salz auf Deinen Lippen, riechst das Meer und die Algen. Der Wind spielt sanft mit Deinen Haaren.

Auf Deinem Weg am Strand kommt Dir eine Person entgegen, die Du aus der Ferne noch gar nicht wirklich erkennen kannst. Vielleicht ist sie merkwürdig gekleidet. Es kann jemand sein, den Du kennst, oder auch eine fremde Person, die Du noch nie zuvor gesehen hast. Dieser Person darfst Du genau eine Frage stellen, welche, bleibt ganz Dir überlassen. Die Antwort, die Du bekommst, wird Dich möglicherweise überraschen, erstaunen und Dich bestärken, Deinen Weg zu gehen.

Spannend ist sicher auch noch einmal einen Gedanken darauf zu verschwenden, wer Dir entgegengekommen ist, und was das wohl bedeutet.

Und jetzt - worauf wartest Du noch? - übernimm endlich die Verantwortung für Dein Leben und gelange zu Deiner persönlichen Freiheit.

Ich gratuliere Dir zu Deiner Entscheidung und freue mich darauf, auch die weiteren Schritte mit Dir zu gehen.

Um Deine Entscheidung nun noch weiter zu festigen und auch Klarheit zu folgenden Punkten zu erhalten, gebe ich Dir eine Zielformulierung an die Hand:

- Zeitpunkt - wann ist das Ziel erreicht?

- Ergebnis - was genau ist das ideale Ziel?

SPEZI

Spezi? „Soll ich jetzt etwas trinken?", fragst Du Dich vielleicht. Trinken ist gesund und wichtig, SPEZI hat hier jedoch nichts mit dem Mischgetränk zu tun, sondern ist ein Akronym[8] für eine Zielformulierung. Hier werden fünf Aspekte, die ein Ziel erfüllen soll, festgehalten, denn je genauer das Ziel, dass Du erreichen möchtest, von Dir beschrieben ist, umso höher ist die Wahrscheinlichkeit, dass Du es auch schaffen wirst.

S wie Sinnlich

Das Ziel, auf dass Du zusteuerst, sollte für Dich mit allen Sinnen erfahrbar sein. Du darfst es sehr deutlich und mit allen Facetten sehen, hören, fühlen, riechen und schmecken.

Frage Dich also: Was siehst, hörst, fühlst, riechst und schmeckst Du, wenn Du Dein Ziel erreicht hast? Hier kannst Du Deine Visualisierung des Zieles noch weiter verfeinern, falls die Erfahrung noch nicht „sinnlich" genug ist.

P wie Positiv

Das Ziel, das Du erreichen möchtest, muss positiv formuliert sein. Weg von Deinem Vermeidungsverhalten (ich will nicht mehr ...) hin zu Deinem Zielverhalten (ich will ...).

---

[8] Akronym: ein Kurzwort, welches aus den Anfangsbuchstaben mehrerer Wörter gebildet wird.

Unser Gehirn denkt in Bildern und kann sich deshalb das Wort „nicht" nicht vorstellen. Beispiel: „Denke jetzt bitte nicht an einen rosa Elefanten" und schon siehst Du vor Deinem geistigen Auge genau das - einen rosa Elefanten.

E wie Eigenständig

Eigenständig bedeutet, dass das Ziel aus eigener Kraft von Dir erreicht werden kann. Wenn Du andere Personen dazu brauchst, um das Ziel zu erreichen, dann ist das Ziel nicht verpflichtend genug. Das öffnet Dir die Möglichkeit, Dich wieder aus der Verantwortung zu ziehen, weil der Andere könnte es ja machen oder der Andere ist am eventuellen Scheitern schuld.

Z wie Zusammenhang

Definiere hier den Rahmen: Welche Auswirkungen wird Dein neues Ziel auf Dich und andere Menschen haben? Gibt es Widersprüche oder Ambivalenzen? Mit welchen Konsequenzen musst Du rechnen und kannst Du mit den möglichen Konsequenzen leben?

I wie Intentions-erhaltend

Dieser letzte Bestandteil der Zielformulierung ist häufig der Grund, warum Ziele nicht erreicht werden. Du hast bisher bestimmte Dinge getan, also ein bestimmtes Verhalten an den Tag gelegt. Frage Dich bitte hier, was die positive Absicht dieses Verhaltens war, denn, wenn Du ein neues Verhalten an den Tag legen möchtest, ist es hilfreich, die positive Absicht in das neue Ziel mit einzubauen.

Hierzu gebe ich Dir gerne ein Beispiel: Du hast Dich bei Deinen Kollegen zum seelischen Mülleimer machen lassen, weil Du, um des lieben Friedens willen, keinen Stress haben wolltest. Möglicherweise steckt hinter dieser Vorgehensweise die positive Absicht „dazuzugehören". Für Dein neues Ziel ist es also hilfreich auch wieder „dazuzugehören", vielleicht zu einer neuen Gruppe von Menschen. Menschen, die sich genau wie Du auf den Weg in die persönliche Freiheit und mehr Selbstbestimmung gemacht haben.

Das bedeutet für Dein Ziel, dass Du die Vernetzung mit solchen Menschen unbedingt berücksichtigen solltest und in Deine Zieldefinition mit aufnehmen darfst. Ich weiß, dass es manchmal schwierig ist, hinter einer vermeintlich schlechten Eigenschaft eine positive Absicht zu sehen und gebe Dir hier ein weiteres Beispiel: Wenn Du etwa mit dem Rauchen aufhören möchtest, dann ist auch hier die Frage nach der positiven Absicht des Rauchens zu stellen, obwohl doch allgemein bekannt ist und sogar auf jeder Packung steht, dass Rauchen schädlich ist. Eine positive Absicht des Rauchens kann sein, zu einer Gruppe dazuzugehören, oder nicht die einzige sein zu wollen, die nach dem Essen am Tisch verbleibt und alleine ist, weil sie nicht raucht.

Wenn Du Dir nicht vorstellen kannst, was die positive Absicht hinter Deinem Verhalten ist, welches Du gerne abstellen möchtest, dann tritt gerne mit mir in Kontakt. Schreibe mir unter: buch@kopfarbeit.jetzt.

Auch wenn Du Dein Ziel im Kapitel „Thema" schon sehr differenziert beschrieben, gemalt, oder eine Collage angefertigt hast, unterstützt Dich das Aufschreiben des

Zieles, unter den Aspekten von SPEZI, noch einmal zusätzlich. Es hilft Deinem Unterbewusstsein, Dich Deinem Ziel näherzubringen.
Mit einem so manifestierten Zielzustand erkennst Du zwischendurch auch leichter, ob Du Deinem Ziel näherkommst. Nimm Dir immer wieder die Beschreibung Deines Zieles oder Deines Zielzustandes zwischendurch zur Hand und teste, ob es immer noch das ist, was Du wirklich willst. Und wenn das Ziel immer noch klar vor Deinen Augen ist: Treffe eine Entscheidung und verfolge Dein Ziel!
Wenn Du plötzlich feststellst, Dinge für Dein neues Ziel aufgeben zu müssen, dann gib sie auf!!

Tue nicht länger Dinge, die Dir und Deinem Ziel nicht gut tun!

Wenn Du beispielsweise auf der Karriereleiter aufsteigen willst, dann ergibt es keinen Sinn, wenn Du weiterhin zu allem „Ja und Amen" sagst, alle Dir auferlegten Aufgaben, egal wie viele es sind und wie lange es dauert, klaglos annimmst und erledigst, in den Teamsitzungen angepasst bleibst und für Deine Meinung nicht einstehst. So wird niemand auf Dich aufmerksam! Der nächste Beförderungszyklus geht an Dir vorbei.

Brief an Dein zukünftiges Ich

Damit Du Dein Unterbewusstsein noch mehr auf Dein Ziel und den damit verbundenen Erfolg programmierst ist ein Brief, den Du an Dein zukünftiges ICH schreibst, ein wertvolles Tool.

Hast Du Dir schon mal überlegt, wie Du die Welt vor einigen Jahren gesehen hast? Was hast Du damals gedacht, was Du in zwei, fünf oder gar zehn Jahren erreichen könntest?

Wir gehen zwar generell immer davon aus, dass wir uns weiter- und nicht zurückentwickeln, doch wie genau das aussieht, ist dabei meist eher eine vage Vorstellung. Häufig unterschätzen wir auch die Entwicklung, die wir über einen längeren Zeitraum erzielen können und glauben eher, dass sich gar nicht so viel verändert. Dafür überschätzen wir meist, was wir in kürzerer Zeit erreichen können.

Mit dem Brief an Dein zukünftiges ICH hast Du nun die Möglichkeit, Dein Ziel und vielleicht auch noch Deine Wünsche schriftlich zu formulieren. Auf diese Weise werden sie, noch einmal mehr, in Deinem Unterbewusstsein manifestiert.

Und weil wir davon ausgehen, dass wir uns in der Zukunft weiterentwickeln, schaue bitte wohlwollend auf Dein zukünftiges ICH.

Mit dem Brief erhält Deine Zukunft eine Form, vielleicht auch ein Gesicht. Und schon heute entwickelst Du eine gewisse Vorfreude darauf, den Brief später wieder lesen zu dürfen.

Wie schreibst Du nun diesen Brief an Dich selbst?

- Zunächst legst Du fest, wann Du den Brief lesen möchtest. Vielleicht ist der Zeitpunkt identisch mit dem Zeitpunkt, zu dem Du Dein Ziel erreicht haben willst. Dieses Datum trägst Du Dir in den Terminkalender ein, damit Du weißt, wann Du den Brief öffnen darfst.

- Wenn Du eine vertraute Person in Deiner Umgebung hast, dann kannst Du sie bitten, den Brief für Dich aufzuheben und Dir zu dem festgelegten Datum auszuhändigen oder sogar zuzusenden. Es ist noch einmal eine besondere Überraschung, wenn der Postbote einen Brief Deines früheren ICHs bringt.

- Schreibe den Brief bitte mit der Hand, nimm Dir schönes Briefpapier und einen besonderen Kugelschreiber oder gar Füllfederhalter. Beschreibe in diesem Brief mit allen Sinnen, wie Dein Ziel und Deine Zukunft aussehen, Wie es ist, wenn Du Dein Ziel erreicht hast, wie und wo Du lebst, wie und was Du arbeitest. Mit welchen Menschen Du zusammen bist.

- Du kannst den Brief in Deine unterschiedlichen Lebensbereiche aufteilen: Beruf, Freizeit, Partnerschaft, Familie, Bildung, Persönlichkeitsentwicklung, Reisen, Gesundheit; dies ist jedoch nicht zwingend erforderlich.

- Mache Dir unbedingt auch bewusst, was nicht mehr in Dein zukünftiges Leben gehört, welche Menschen Dich vielleicht nicht mehr auf Deinem Weg begleiten. Dinge, die losgelassen werden wollen. Formuliere auch hier stets positiv und frage Dich: „Was möchtest Du stattdessen?” Beispielsweise: „Ich möchte gesund und fit sein und leben” statt „Ich möchte nicht mehr rauchen!”

- Achte unbedingt auf eine positive Formulierung: „Ich will nichts mehr mit meinem Chef zu tun haben” ist dabei wenig hilfreich. Besser ist „Ich habe einen neuen Chef, der mich wertschätzt und lobt”

- Am Ende des Briefes kannst Du Deinem zukünftigen ICH noch ein paar liebevolle und wertschätzende Zeilen schreiben.

- Verschließe den Brief und stecke ihn in einen Umschlag, den Du mit Deiner eigenen Adresse beschriftest,

- Jetzt legst Du ihn entweder sicher weg oder gibst ihn an eine vertraute Person

So, ein weiterer Meilenstein ist abgeschlossen. Du hast die Entscheidung getroffen, Dein Ziel umzusetzen. Du hast das Ziel in Deinem Unterbewusstsein manifestiert. Jetzt ist es an der Zeit ins Tun zu kommen.
Also los geht´s mit dem nächsten Kapitel.

I wie Ins Tun kommen

Was immer Du tun kannst oder träumst es zu können, fang damit an

Johann Wolfgang von Goethe

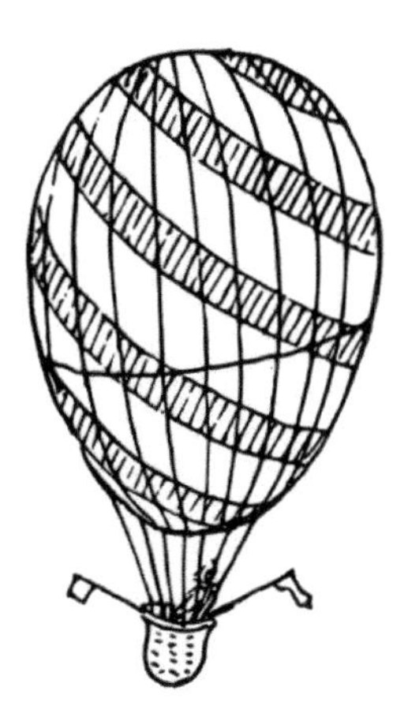

Bevor Du jetzt ins Tun kommst, ist es an der Zeit, Dich zu feiern. Ich gratuliere Dir zu allem, was Du bis hierhin geschafft hast.

Du hast hoffentlich eine ehrliche Standortbestimmung gemacht und weißt, wo gerade Dein größter Schmerzpunkt ist, wo eine Veränderung also unabdingbar ist. Du hast Dein Ziel gefunden und so stark gemacht, dass Du es genau vor Augen hast. Du weißt genau, was Du verändern möchtest und wie der Zielzustand aussieht, sogar wie er sich anfühlt. Du hast zusätzlich das Zielbild gemalt und in einem Brief an Dich selbst nochmals ausführlich formuliert. Dein Unterbewusstsein hat die besten Voraussetzungen, Dich bei der Erreichung des Ziels zu unterstützen. Du hast für Dich die Entscheidung getroffen, diesen Weg zu gehen. Und vielleicht ahnst Du ja auch schon, was die nächsten Schritte für Dich sind.

Hier an dieser Stelle ist es nun wichtig, im Vertrauen zu sein. Vertraue Dir und Deiner Selbst und Du wirst sehen:

Dem Gehenden schiebt sich der Weg unter die Füße

Martin Walser

Wichtig ist, genau jetzt ins Handeln zu kommen.
Du hast bestimmt schon einmal von der 72-Stunden-Regel gehört.

Die 72-Stunden-Regel

Diese Regel besagt, dass Du alles, was Du Dir vornimmst, innerhalb von 72 Stunden beginnen musst, sonst sinkt die Chance, dass Du das Ziel je erreichst, auf ein Prozent. Und das wäre bei Deinem wundervollen Ziel wirklich eine Schande.
Wenn Du also wirklich die ernste Absicht hast, etwas zu verändern und Dein konkretes Ziel zu erreichen, dann starte unmittelbar mit dem ersten Schritt, je schneller, desto besser. Jede Stunde, die Du verstreichen lässt, lässt Deine Erfolgs-Chancen sinken.

Damit Dein Ziel in die Realität kommen kann und das Ganze auch planvoll passiert, ist es jetzt an der Zeit, die wichtigsten Punkte in der Veränderung wie Meilensteine auf einem Zeitstrahl festzuhalten und genau festzulegen, was Du bis wann erreicht haben möchtest.

Du bist wahrscheinlich versiert darin, Projekte zu leiten oder zu verfolgen und hast eine Vorstellung davon, mit welchen Hilfsmitteln Du arbeiten kannst. Ich arbeite gerne mit Flipchart-Papier und Filzschreiber und notiere mir auf einem Zeitstrahl die wichtigsten Positionen. Dieses Blatt hänge ich mir gut sichtbar auf, damit ich immer sehe, was gerade dran ist und ob ich noch auf dem richtigen Weg und in der Zeit bin. Für die Verfeinerung der einzelnen Prozessschritte nutze ich dann Software. Für spontane Einfälle und Ideen zum Beispiel Microsoft Todo[9]. Die App

[9] https://bit.ly/2RKN56p

ist kompatibel für Smartphone und PC und synchronisiert sich, wenn sie entsprechend eingerichtet wurde, zwischen Deinem PC und Deinem Tablet oder Mobiltelefon. Wenn mir unterwegs eine Idee kommt, oder ich etwas Interessantes höre oder lese, das zu meinem Ziel oder meiner Situation passt, trage ich es schnell in die App ein und zu Hause kann ich die Informationen dann weiterverarbeiten. Für die strukturierte Abarbeitung kannst Du auch analog mit Klebezetteln nach der Kanban-Methode[10] arbeiten, oder eine entsprechende Software nutzen. Mein Favorit ist hier Trello[11], gleichwohl gibt es noch zahlreiche andere geeignete Produkte. Vielleicht kennst Du schon eines, welches Du für Dein Vorhaben einsetzen kannst.

Bevor ich Dich mit dem Sammeln von Bausteinen und Meilensteinen zu Deinem Vorhaben unterstütze, möchte ich Dir für den Weg in Deine mögliche Selbstständigkeit, sollte das Dein Wunsch sein, gerne eine Empfehlung geben, die mir auf meinem Weg sehr geholfen hat:

Selbständig zu sein oder zu werden ist kein Schalter, den Du einfach umlegen kannst. Es gibt eine Vielzahl an Dingen, die zu beachten sind und gerade der Anfang der Positionierung und Kundengewinnung kann steinig sein. Deshalb halte ich es für wichtig, dass Du zunächst Deine Anstellung beibehältst, die Dir „den Kühlschrank füllt und die Miete bezahlt", sonst ist die Gefahr groß, dass Du ohne Job,

[10] https://bit.ly/2NVESul
[11] https://trello.com/de

ohne Kunden und ohne Einkommen dastehst. Wenn Du alternativ Rücklagen gebildet hast, oder möglicherweise das Einkommen Deines Partners für eine gewisse Zeit - und ich rede hier von mindestens sechs bis zwölf Monaten - ausreicht, dann kannst Du Deine Anstellung reduzieren.
Ich nenne es „Grundrauschen" oder den „Brot-und-Butter-Job", der Dir beim Weg in die Selbstbestimmung die finanziellen Möglichkeiten gibt, auch entspannt nach Kunden Ausschau zu halten. Kundengewinnung ist umso schwieriger, je höher Dir das Wasser, mangels finanzieller Grundlage, bis zum Hals steht. Kunden merken meist sehr gut, wenn Du es „nötig" hast und glaube mir, aus so einer Position heraus Geschäfte zu machen, ist kein Spaß und kann Dir schnell Deine Selbstständigkeit verleiden.

Mit der Zeit kannst Du die Anstellung dann stundenmäßig herunterfahren und Deinem Herzensbusiness immer mehr Raum geben. Auch hier gibt es eine kleine Stolperfalle, die ich Dir kurz aufzeigen möchte. Wenn Du in Deiner Anstellung bleibst, fühlt sich das, natürlich vor allem auf dem finanziellen Sektor, sehr komfortabel an. Dein monatliches Gehalt stimmt, Du kannst Dir, wie bisher, alles leisten, die Notwendigkeit, nach einem anstrengenden Arbeitstag an Deinem Herzensbusiness zu arbeiten - Kundenakquise zu betreiben, Dich um Dein Marketing und Deine Sichtbarkeit zu kümmern - ist relativ klein.

Die Gefahr, dass so Dein Ziel in Vergessenheit gerät, jedoch entsprechend groß. Meine Strategie an der Stelle ist bis heute: Trage Dir in Deinen Terminkalender feste Zeiten ein, zu denen Du an Deinem Herzensbusiness arbeitest und halte diese Termine unbedingt ein, als wären es Termine mit einem Geschäftskunden!

Wenn Du nicht in die Selbstständigkeit möchtest, sondern einen anderen Job in einer anderen Firma suchst, dann gilt auch hier, bitte nichts überstürzen. Du kannst eine ganze Reihe von Dingen bereits tun, bevor Du Dich aus dem alten Job verabschiedest. Selbst Bewerbungsgespräche sind schon möglich, obwohl Du noch bei Deinem alten Arbeitgeber arbeitest. Hierzu bedarf es ein wenig Fingerspitzengefühl und vor allem Geduld.

Doch womit anfangen? Du hast zwar möglicherweise ein paar Schlagworte im Kopf, die als mögliche Schritte oder Meilensteine infrage kommen, gleichwohl findest Du keinen Anfang. Ein Gefühl, das ich sehr gut kenne. Du bist gerade begeistert, von Deinem Ziel und in Dir sprudeln Ideen, die nun sortiert werden wollen. Du bist euphorisch, willst loslegen und das „jetzt und sofort", weißt jedoch nicht, womit.
Hier hilft ein Blick aus der Zukunft in die Gegenwart. Klingt komisch und ist dennoch eine hervorragende Vorgehensweise, um Dein Vorhaben ein wenig zu strukturieren. Wie machst Du das nun am einfachsten?

Für diese Aufgabe brauchst Du nach Möglichkeit einen ruhigen Ort, an dem Du nicht gestört wirst, Papier und Stift, vielleicht auch schon die oben erwähnten Klebezettel und circa ein bis zwei Stunden Zeit.

Du stellst Dir als Ausgangspunkt in der Zukunft genau die Situation vor, in der Dein Zielzustand zu einhundert Prozent erfüllt ist. Du hast alles erreicht, was Du Dir vorgestellt hast, Du arbeitest genau so, wie Du wolltest, Du hast die Kunden oder Kol-

legen, die Du haben wolltest. Du hast alle Stolpersteine, Hürden und möglicherweise auch Ängste überwunden. Dein Zielzustand ist in Perfektion erreicht. Fühle hier gerne nochmal so richtig in die Situation hinein. Fühlt sich toll an, oder?
Aus dieser zukünftigen Situation heraus drehst Du Dich jetzt quasi um und schaust auf den gegangenen Weg bis heute zurück.

Vielleicht brauchst Du einen Moment, Dich auf dieses Bild einzulassen. Das ist völlig in Ordnung. Jetzt schreibst Du alles, was Du auf Deinem Weg erledigt hast, auf, so wie es Dir in den Sinn kommt. Was ist alles passiert, damit Du den Zielzustand erreicht hast? Oder, natürlich aus heutiger Sicht: Was muss alles passiert sein, damit Dein Ziel erreicht werden kann?
Wenn Du dafür Klebezettel benutzt, erleichtert es Dir das spätere Sortieren, oder Du trägst die einzelnen Schritte später direkt in die Software ein.

Jetzt mache Dir Gedanken, was Du benötigst und / oder erledigen darfst. Die folgenden Fragen sollen Dir dabei eine Hilfestellung sein, die wichtigsten Meilensteine auf einem Zeitstrahl festzulegen.
Ich erhebe hier keinerlei Anspruch auf Vollständigkeit, die Fragen sollen lediglich Denkanstoß für Dich sein.

Hilfreiche Fragen für den Weg in die Selbständigkeit:

- Bis wann soll der Zielzustand erreicht sein?
- Wer sind Deine Kunden?
- Wo findest Du diese Kunden?

- Wie reduzierst Du Deine Stunden im jetzigen Beruf?
- Wann kündigst Du oder wie gehst Du mit Deinem Job überhaupt um?
- Arbeitest Du online oder offline?
- Benötigst Du Geschäftsräume?
- Ist eine Gewerbeanmeldung oder Firmengründung nötig?
- Benötigst Du noch Ausbildungen?
- Brauchst Du Geschäftspartner und wenn ja, wo findest Du diese?
- Wenn Du etwas herstellst, wo produzierst Du und wer produziert?
- Wie hoch ist Dein Budget?
- Wie ist die Preisgestaltung?
- Wie erfahren Menschen davon, was Du tust? (Sichtbarkeit)

Hilfreiche Fragen für den Weg in ein Angestelltenverhältnis in einer anderen Firma:

- Wie soll Dein neuer Job aussehen?
- Möchtest Du lieber in einem Team arbeiten oder bist Du ein Einzelkämpfer?
- Wo findest Du eine entsprechende Anstellung?
- Welche Firmen kommen infrage?
- Kennst Du jemanden, der bereits in Deiner Wunschfirma arbeitet?
- Wer kann Dich bei der Jobsuche unterstützen?
- Wer kann Dir bei der Aufbereitung Deiner Bewerbungsunterlagen helfen?
- Wann kündigst Du?
- Ist das Einschalten eines Headhunters oder einer Agentur hilfreich?
- Wer ist der Ansprechpartner, den Du kontaktieren kannst?

- Kannst Du Dich auf den Social-Media-Kanälen mit Mitarbeitern der neuen Firma vernetzen?

Du musst nicht gleich auf alle Fragen eine passende Antwort haben. Viele Dinge ergeben sich im Verlauf, wenn Du Dich mit den Fragen beschäftigst.

Eine meiner Coachees hat sich aus der Assistenz der Geschäftsleitung in die Selbständigkeit aufgemacht und genau diese Übung benutzt. Damit konnte sie nicht nur die wesentlichen Dinge, die zu tun sind, herausfinden, sondern hatte durch die Vorstellung des Zeitstrahles, von der Zukunft zurück in die Gegenwart, auch schon eine ungefähre Vorstellung, in welcher Reihenfolge die Schritte zu erledigen sind. Natürlich kannst Du den Weg und die Reihenfolge immer noch anpassen und Dinge vorziehen oder anders machen.

Vor allem kannst Du darauf vertrauen, dass sich jetzt, wo Du Dich auf den Weg gemacht hast, Türen öffnen, die Du vorher noch gar nicht gesehen hast.

Wenn Du magst, dann berichte mir gerne von Deiner Zeitreise. Für den Fall, dass Du Dir für diese Übung Unterstützung wünschst, vereinbare mit mir einen Termin zur Durchführung Deiner ganz persönlichen „Zeitreise" und begib Dich auf Dein Abenteuer. Ich bin sehr gerne Deine Reisebegleiterin.

Eat the Frog

Neben der 72-Stunden-Regel ist „Eat-the-Frog"[12], also „iss den Frosch zuerst", eine gute Möglichkeit, Dein Tageswerk zu beginnen.

Auf Deiner To-Do-Liste stehen vermutlich Dinge, die Du nicht so gerne tust, neben Dingen, die Du den ganzen Tag tun könntest und doch haben alle To-Do´s den Anspruch, erledigt werden zu wollen. Wie häufig erwischst Du Dich selbst dabei, dass Du unangenehme Aufgaben den lieben langen Tag vor Dir herschiebst, immer mit der inneren Begründung „ich muss erst noch ..." oder „da kam etwas dazwischen..." oder „ich hatte auch noch zu erledigen...". Und schon ist es Abend und die unerledigte und ungeliebte Aufgabe ist immer noch da.

Im schlimmsten Fall geht es Dir am nächsten Tag genauso, und so weiter und so weiter...

Dadurch hast Du immer weniger Lust, diese Aufgabe zu erledigen. Sie wird immer größer und hängt wie eine große, dunkle Wolke über Dir. Das kann sogar so weit führen, dass Dir auch Deine restlichen Aufgaben schwerer von der Hand gehen!
Die „Eat-the-Frog"-Methode bedeutet, dass Du die schlimmste, schwierigste oder wichtigste Aufgabe als Erstes erledigst. Hieraus ergeben sich zahlreiche Vorteile:

[12] Eat-the-Frog von Brian Tracy erschienen im Gabal-Verlag

- Du hast am Morgen, wenn Du beginnst die nötige Energie und auch die notwendige Zeit

- Du hast Dir Prioritäten gesetzt

- Du hast schon etwas erledigt

- Du fühlst Dich deutlich besser und kannst Dich an der geschafften und unangenehmen Aufgabe und dem daraus entstandenen Teilziel erfreuen. Das macht gute Laune.

- Das Erfolgserlebnis beflügelt Dich für die Erledigung weiterer Aufgaben

- Weil das „Schlimmste" schon hinter Dir liegt, kannst Du den Tag beschwingt weiterarbeiten

Meine Coachee - ich nenne sie Barbara - hat immer wieder mal schwierige Kundengespräche zu erledigen, manchmal auch Beschwerdemanagement. Sie berichtete mir, dass sie diese Aufgaben nur sehr ungern erledigt und erst mal alles andere wegarbeitet, und dann ist plötzlich Feierabend und der Kunde ist nicht angerufen worden. Oft führte das dazu, dass der Kunde am nächsten Tag noch verärgerter war und sich selbst erneut meldete. Am liebsten wäre sie dann davongelaufen. Ich erzählte ihr von der „Eat-the-Frog"-Methode und bat sie, diese einfach einmal auszuprobieren und die schwierigste Aufgabe - das ungeliebte Kundentelefonat - gleich morgens als allererstes zu führen, noch bevor sie sich den ersten Kaffee holt.

Auch wenn die ersten Tage Überwindung kosteten, kann sie sich mittlerweile daran erfreuen, den „größten Frosch schon geschluckt" zu haben und geht sich dann voller Freude auf den Tag ihren Kaffee holen, den sie sich dann ja auch schon verdient hat.

Stolpersteine

Während Deines Weges zum Ziel kann Dein Vorhaben immer mal wieder ins Stocken geraten oder der Weg verläuft nicht so, wie Du ihn Dir ausgemalt hast. Wir stellen uns häufig vor, der Weg zum Ziel sei eine gerade Linie, wie bei einem 100-Meter-Lauf. Du nimmst erstmal Fahrt auf und dann hältst Du eine gleichmäßige Geschwindigkeit bis zum Ziel. So ist es in der Regel allerdings nicht. Auf Deinem Weg wird es Höhen und Tiefen geben, vielleicht auch Stillstand und Schleifen, die Du noch einmal beschreitest. Doch bei all den Stolpersteinen darfst Du Dein großes Ziel nicht aus den Augen verlieren. Halte an Deinen Meilensteinen fest, egal, was passiert.

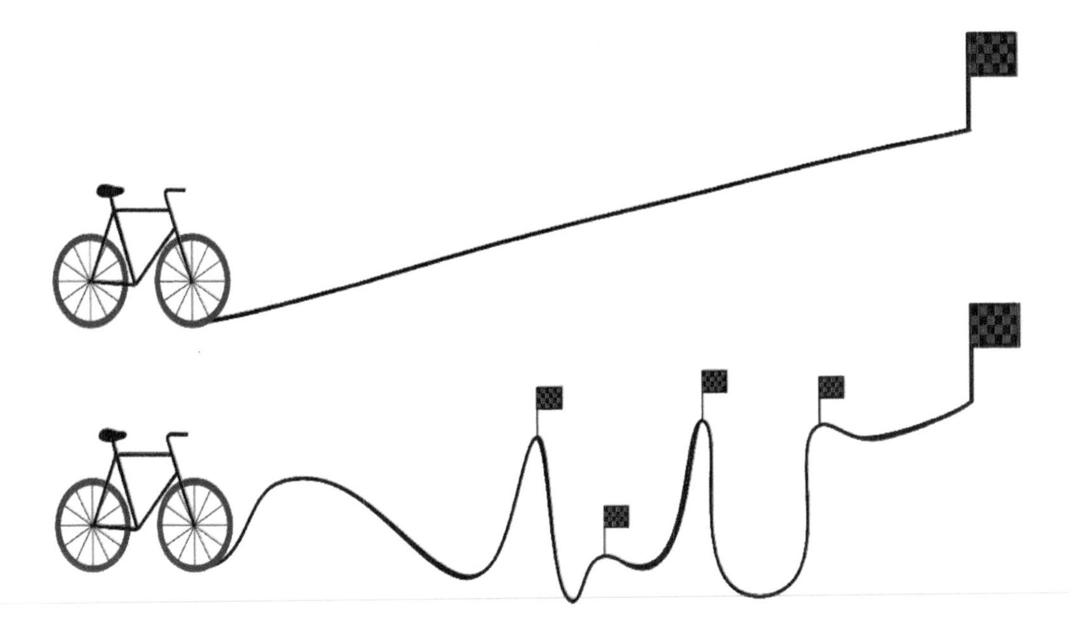

Stolperstein - es kommt anders als geplant

Wenn Dein Plan nicht aufgeht, ist das kein Beinbruch. Wenn Du Dir beispielsweise vorgenommen hast, eine Anstellung in einer bestimmten Firma zu erhalten und all Deine Bemühungen - Bewerbung, Initiativbewerbung, Telefonate, etc. schlagen fehl, dann ist das bedauerlich, jedoch kein Grund aufzugeben. Halte Dein Ziel im Auge, suche Dir eine Stelle in einer ähnlich gearteten Firma oder eine ähnlich geartete Position wie die angestrebte und benutze diese als Sprungbrett. Bleibe mit Deiner Wunschfirma in Kontakt, vernetze Dich mit Mitarbeitern, online oder offline, und bleibe am Ball.

Für den Fall, dass Dich das gerade mächtig runterzieht, empfehle ich Dir immer wieder, Dein Ziel zu visualisieren und Dir Deine Fähigkeiten- und Erfolgsliste anzuschauen. Du bist großartig und nur weil es im ersten Anlauf nicht funktioniert, heißt das nicht, dass Du gescheitert bist. In den meisten Fällen hat die Absage nichts mit Deiner Person zu tun.

Bleib am Ball - Aufgeben ist keine Option!

Stolperstein - es passiert nichts

Du verfolgst Dein Ziel, arbeitest jeden Tag an Dir und dem Ergebnis und dennoch hast Du das Gefühl es geht gerade gar nichts und es bewegt sich nichts. Du kommst nicht vorwärts und hast gerade einen Stillstand. In solchen Phasen hat mir immer ein Glaubenssatz geholfen:

Gras wächst nicht schneller, wenn man daran zieht.

aus Sambia

Diese Plateau-Phasen des Stillstands sind wichtig und richtig. Sie kommen, rückwärts betrachtet, immer zur rechten Zeit. Du hast vielleicht schon die ersten Stufen genommen und die ersten Veränderungen sind eingetreten. Bleib geduldig!

Mach Dir in solchen Momenten auch immer bewusst, was Du bis hierher schon erreicht hast! Sei stolz darauf, dass Du überhaupt eine Veränderung - ein Ziel - gefasst hast und die ersten Schritte bereits gegangen bist. Feiere Deine Erfolge, sei großzügig zu Dir selbst. Sei dankbar für das bereits Erreichte und sprich mit Deinen Freunden darüber. Vielleicht findet sich auch eine Gruppe von Menschen, die ebenfalls ein (ähnliches) Ziel verfolgen. Tausche Dich mit ihnen aus und nutze die gemeinsame Energie.

BLEIB AM BALL!

Zudem braucht es genau diese Plateau-Phasen für Deine Entwicklung. Sie kommen häufig genau vor dem nächsten Durchbruch und sind - wie bei einem Bergsteiger - die Verschnaufpausen, bevor die nächste Anhöhe genommen werden kann.

Stolperstein - keine Lust / keine Zeit

Auch das wird es geben, Du hast heute keine Lust an Deinem Ziel zu arbeiten, oder Du wirst von unvorhersehbaren Terminen eingeholt, die Dir die Zeit nehmen. Wenn Du eine solche Phase hast, dann mache Dir keine Vorwürfe und habe bitte auch kein schlechtes Gewissen. Auch solche Phasen gehören dazu.

Jetzt heißt es, wieder die Kurve zu kriegen und Deinen Startpunkt festzulegen. Eine solche Durststrecke sollte nicht länger als zwei bis drei Tage dauern. Hier tritt auch wieder die 72-Stunden-Regel ein. Nach spätestens drei Tagen solltest Du wieder an Deinem Ziel arbeiten. Auch hier gibt es einen kleinen Trick:

Wenn Du heute keine Lust hast, ist das in Ordnung. Am nächsten Tag setzt Du Dich an Deinen Schreibtisch oder an den Platz, an dem Du gut an Deinem Ziel arbeiten kannst und sorgst als allererstes dafür, dass es keine Ablenkung gibt. Dann stellst Du Dir einen Wecker oder Dein Mobiltelefon auf zehn Minuten. Diese zehn Minuten arbeitest Du an Deinem Ziel, Du recherchierst zum Beispiel intensiv, oder schreibst einen Artikel, oder kümmerst Dich um Kundenakquise, völlig egal. Die Hauptsache ist, Du nutzt diese zehn Minuten unbedingt für Dein Ziel. Wenn der Wecker klingelt und Du hast immer noch keine Lust, dann hör auf und beschäftige Dich mit etwas Anderem. Am nächsten Tag machst Du es wieder genauso: Wecker auf zehn Minuten und intensiv an Deinem Ziel arbeiten. Vermutlich tritt jedoch schon am ersten Tag ein anderer Fall ein: Du bist so im Flow, dass Du den Wecker entweder gar nicht hörst, oder das Geräusch als störend empfindest und einfach weiterarbeitest. Gut so!

Stolperstein - Krankheit

Wenn Du während Deines Vorhabens krank wirst, ist es wichtig, diese Erkrankung erst einmal als solche anzunehmen, statt in den Jammermodus zu verfallen. Meist stellst Du Dir dann Fragen wie: Wieso musste das jetzt ausgerechnet mir passieren? Wieso ausgerechnet ich? Wieso ausgerechnet jetzt?

Das ist allerdings weder hilfreich, noch zielführend. Wichtiger ist, an dieser Stelle Dein Ziel weiter klar vor Augen zu haben und alles dafür zu tun, schnell gesund zu werden. Hole Dir während der Krankheitsphase immer wieder das Zielbild vor Dein inneres Auge und spüre genau in den Zielzustand hinein. Mache Dir immer deutlich, wie es aussieht, wie es sich anhört und wie es sich anfühlt, wenn Du Dein Ziel erreicht hast. Feiere auch in dieser Zeit Deine Erfolge, zum Beispiel, wie sich Dein Gesundheitszustand jeden Tag bessert.

Und, die Frage sei erlaubt, wieso wirst Du ausgerechnet jetzt krank? Was passiert denn jetzt gerade in Dir und mit Dir? Die Krankheitssymptome sind nur eine Ausprägung dessen, wie es Dir gerade geht, was Du jedoch im Augenblick vielleicht auch nicht wahrhaben möchtest. Wenn sich also jetzt gerade Dein Tinnitus wieder einmal zeigt, oder vielleicht zum ersten Mal auftritt, dann stelle Dir die Frage, was Du gerade nicht (mehr) hören willst. Vielleicht ist es ein Nörgler und Kritiker, der nichts Besseres zu tun hat, als Dich herunterzuziehen?

Stelle Dir unbedingt die Frage, was die Krankheit Dir vielleicht sagen will. Wieso zieht die Krankheit Dich gerade, und vor allem gerade jetzt, aus dem Verkehr? Vielleicht sorgt Dein Körper auch einfach für eine notgedrungene Pause, weil Du die letzten vier Wochen richtig viel an Deinem Herzensthema gearbeitet hast.

Dein Körper signalisiert Dir gerade ein klares STOPP. Denn Du wirst nicht grundlos krank. Und wenn Du mehr über das Krankheitssymptom und seine Bedeutung wissen möchtest, empfehle ich Dir zwei Bücher, eines von Rüdiger Dahlke[13] und eines von Jacques Martel[14].

---

[13] Rüdiger Dahlke, Krankheit als Symptom, Bertelsmann Verlag ISBN 978-3-570-12265-5

[14] Jacques Martel, Mein Körper - Barometer der Seele, VAK Verlags GmbH ISBN 978-3-86731-097-0

Wie kannst Du Dich selbst motivieren

Man sollte glauben, Dein Herzenswunsch nach einem selbstbestimmten Leben in persönlicher Freiheit sei Motivation genug. Ja, das ist er auch. Dein Wunsch dient als Dein innerer Motivator dazu, nicht aufzugeben. Und dennoch gibt es ab und zu Momente, Stunden, manchmal auch Tage, an denen Du nicht ins Tun kommst und nicht an Deiner Lebensidee arbeitest. Vielleicht sitzt Du einfach nur da, starrst die nächste anstehende Aufgabe an und hoffst darauf, dass sie sich von alleine erledigt. Weil Du weder weißt wie, noch was, noch warum - und überhaupt...

Hier ist es wichtig zu verstehen, dass solche Ruhephasen notwendig sind und meistens ein Zeitpunkt vor dem nächsten Wachstumssprung sind. Und das ist gut und wertvoll.

Ich beschreibe diese Phasen immer gerne mit dem Satz „Stillstand ist nur der Anlauf vor der nächsten Hürde".

Was meine ich damit?

Gönne Dir die Ruhephasen, wenn sie da sind, gleichwohl beschränke von vorneherein ihre Dauer. Wenn Du feststellst, es geht gerade nicht vorwärts, dann gönne Dir ein bis zwei Tage des Nichtstuns an Deinem Herzenswunsch, das ist völlig in Ordnung.
Mehr als zwei Tage sollten es allerdings nicht sein. Dann ist es wichtig, Dich wieder selbst motivieren zu können.

Wenn Du Dich erinnerst, haben wir im Kapitel „Thema" darüber gesprochen, was Dein Ziel ist. Dieser erstellte Zielzustand ist immer ein guter Motivator. Deshalb hole diesen Zielzustand immer wieder in Dein Gedächtnis. Wenn er beginnt zu verblassen, dann gib in Gedanken erneut Farbe herein oder mache das Ziel vor Deinem geistigen Auge größer. Vielleicht hilft Dir auch ein Gespräch mit einem Deiner Vertrauten, der Dein Ziel kennt und Dich unterstützt, wieder auf die Spur zu kommen. Möglicherweise ist auch ein Coach oder Trainer an Deiner Seite, den Du kontaktieren kannst, wenn Du es alleine nicht schaffst.

Das ein oder andere Tool zur Motivation habe ich Dir auf den vorherigen Seiten schon genannt:

- 72-Stunden-Regel
- Eat-the-frog
- Zehn-Minuten-Regel

Motivation ist neben Fleiß, Disziplin und Pflichtgefühl für Dein großes Ziel einer der wichtigsten Bausteine und damit ein wichtiger Erfolgsfaktor. Motivation kommt aus dem lateinischen, „motus", die „Bewegung". Motivation treibt uns an und hält uns aktiv und in Bewegung. Generell gibt es zwei Formen der Motivation: die intrinsische und die extrinsische.

Die intrinsische Motivation kommt von innen heraus und ist in Deinem Fall begründet durch Dein Ziel. Diese Motivation ist der stärkere Antrieb, sie bringt höhere Zufriedenheit und bessere Leistungen. Sie ist unabhängig von äußeren Faktoren.

Die extrinsische Motivation wird durch äußere Faktoren bestimmt, zum Beispiel die Boni für die besten Verkäufer. Sie dient in den Firmen häufig dazu ein bestimmtes Verhalten - also den Verkauf - zu fördern. Extrinsische Motivation kann auch immateriell sein: Macht, Ruhm, Status oder auch negativ im Sinne von Strafe oder Sanktionen. Bei der extrinsischen Motivation muss - wie bei einem Drogensüchtigen - regelmäßig die Dosis erhöht werden, damit sie weiterwirkt. Jedes Jahr einen größeren Bonus, ein noch besseres Incentive[15], ein noch dickeres Auto - und so weiter.

Beide Motivationen können nebeneinander auftreten.

Zur Erklärung von Motivation ist die Maslowsche Bedürfnispyramide[16] eines der bekanntesten Modelle der Motivationstheorie.

Für Motivation gibt es zwei verschiedene Richtungen. Du kannst „weg-von"-motiviert sein, oder „hin-zu-"motiviert. Bei der „weg-von"-Motivation möchtest Du,

---

[15] Wikipedia sagt dazu: **Incentives** (engl. für Anreiz, Antrieb oder Ansporn) bezeichnet im Zusammenhang mit Wirtschaftstätigkeiten besondere Maßnahmen oder Anreize, die geeignet sein sollen, Mitarbeiter oder Kunden zu Verhalten im Interesse des Incentive-Gebers zu motivieren. Mögliche Incentives können zum Beispiel sein: Reisen oder Events
https://de.wikipedia.org/wiki/Incentive

[16] Abraham Maslow (1908 - 1970)
Mehr Informationen zur Maslowschen Bedürfnispyramide findest Du im Netz, z.B. hier bei Wikipedia: https://bit.ly/2CdreAa

wie der Name schon sagt, von etwas weg, zum Beispiel einem schlechten Job, einer miesen Beziehung, also generell weg von einem unerwünschten Zustand. Diese Motivation basiert eher auf Flucht oder Ausweichen und reicht auf die Dauer für ein großes Projekt nicht aus. Bei der „hin-zu"-Motivation orientierst Du Dich in eine bestimmte Richtung und verfolgst einen Plan. Das ist der Grund, wieso Du Deinen Zielzustand so groß, so strahlend und so vollkommen erzeugt hast. Damit ist Deine „hin-zu"-Motivation hinreichend groß, um Dich den ganzen Weg zu tragen und kann jederzeit wieder aktiviert werden, indem Du Dir Deinen Zielzustand vor Augen führst.
Nachfolgend findest Du noch ein paar Tipps, wie Du Dich selbst motivieren kannst, und die Betonung liegt auf selbst, denn Andere können das nur vorübergehend.

Erkenne Deine Motivatoren

Welche Umgebung motiviert Dich? Welche Musik magst Du, die leise im Hintergrund laufen kann? Welche Bilder siehst Du Dir gerne an, die Du Dir in Deinem Sichtfeld aufhängen könntest? Welche positiven Affirmationen könnten Dich motivieren? Mit einer positiven Affirmation - einem positiven Satz - kannst Du ein positives Selbstbild gewinnen und Dich auf positive Gedanken konzentrieren. So stärkst Du Dein Selbstvertrauen und Dein Selbstbewusstsein

Obwohl ich Frühaufsteher bin, gut in den Tag komme und in der Regel auch bestens motiviert bin, habe ich mir in der Weck-Funktion meines Mobiltelefons zu morgendlichen Weckzeiten und auch über den Tag verteilt, verschiedene positive

Affirmationen hinterlegt. Jedes Mal, wenn also der Wecker klingelt, sehe ich folgende Sätze abwechselnd aufleuchten:

- Early Bird - der Tag gehört mir!
- Ich bin wertvoll!
- Ich bin der wichtigste Mensch in meinem Leben!
- Ich nutze den Tag und bringe Menschen nach vorne!
- Ich bin eins mit dem Universum und verbinde mich mit seiner unaufhörlichen Expansion!
- Ich ziehe Geld an wie ein Magnet!
- Ich nutze die Zeit für meine Projekte!
- Ich bin bereit, alte Verletzungen zu heilen, damit sich neue Türen öffnen können!

Solche positiven Affirmationen kannst Du Dir auch als Klebezettel an die verschiedenen Stellen in der Wohnung oder im Büro hängen, wo Du immer wieder dran vorbeikommst.

Die Methode der positiven Affirmationen ist die einfachste und auch die bekannteste Methode, Dich selbst zu verändern. Unser Denken, Fühlen und Handeln hängt wechselseitig voneinander ab und beeinflusst sich gegenseitig. Wenn Du Deine Gedanken permanent mit positiven Sätzen fütterst, dann ändert sich im Laufe der Zeit auch Dein Verhalten und Deine Gefühle.

Die ersten vier der oben genannten Sätze lese ich jeden Morgen mindestens einmal, bevor ich aus dem Haus gehe. So bin ich gestärkt für meine Vorhaben und freue mich auf den Tag und die Menschen, mit denen ich arbeiten darf.

Löse Dich von Deinen Demotivatoren

Demotivatoren sind alle Dinge oder auch Menschen, die Dich von Deinem Ziel abhalten. Auch Rückschläge oder Hindernisse in Deinem Vorhaben können Demotivatoren sein. Wichtig ist, diese zu erkennen und entweder zu eliminieren oder Methoden zu entwickeln, schnell aus der Demotivation und dem damit verbundenen Zustand wieder in ein positives Gefühl zu kommen.

Demotivatoren und der mögliche Umgang mit ihnen können sein:

- Freunde, Bekannte und auch Familienmitglieder, die Deine Entwicklung nicht verstehen und nicht nachvollziehen können, die als Pessimisten und Nörgler auftreten. → Halte Dich vorübergehend von solchen Menschen fern, oder schränke den Kontakt ein.

- Menschen, die Dich und Deine Erfolge geringschätzen und von denen Du weder Lob, noch Anerkennung erwarten kannst. → Auch hier empfehle ich Dir den zeitweiligen Rückzug.

- Eine Aufgabe für Dein Projekt, die Dir gerade schier unlösbar scheint. → Hier empfehle ich Dir: Hole Dir Unterstützung bei Menschen, die Deine Entwicklung mittragen und die einfach mal ein offenes Ohr für Dich haben. Oft kommen Dir selber die besten Lösungsideen, wenn Du einmal formulieren musstest, was Du als Nächstes erledigen willst. Oft brauchst Du gar keinen Ratschlag, sondern einfach nur einen guten Zuhörer, um selbst auf die beste Idee zu kommen, wie es weitergehen kann.

- Unordnung im Umfeld kann ebenfalls ein Demotivator sein. Eine meiner Coachees berichtete, dass sie völlig demotiviert war und zu Hause kaum an ihrem Projekt arbeiten konnte. Schon, wenn sie an den Schreibtisch herantrat, merkte sie, wie demotiviert sie war. Meine Befragung ergab dann, dass sie, wenn sie in der Arbeit drinsteckt, völlig ihr Umfeld vergisst und ihr egal ist, wie es aussieht. Weiter berichtete sich mir von einem chaotischen Schreibtisch und der mittlerweile schon auf den Fußboden ausgelagerten Ablage mit Zeitschriften, Papierstapeln etc. Kein guter Platz für die Bearbeitung eines Herzenswunsches. Meine Empfehlung war, zunächst das Chaos zu beseitigen, die Belege zu sortieren und abzuheften, die Zeitschriften zu sichten und eventuell auch zu entsorgen. Kurzum das Umfeld und den Schreibtisch aufzuräumen und auf dem Schreibtisch nur die Dinge zu lassen, die auf einen Schreibtisch gehören und an denen sie im Augenblick arbeitet.

  In der nächsten Sitzung erzählte sie mir von den Erfolgen: Nicht nur, dass sie wieder an ihrem Projekt mit viel Spaß und Freude arbeitete, sie hatte sogar Freude am Prozess des Aufräumens und an der dann geschaffenen Ordnung. Vielleicht ist das bei Dir genauso, ein Versuch ist es in jedem Fall wert.

Zusätzlich gibt es die Demotivatoren von Innen. Auslöser hierfür sind demotivierende Gedanken. Dass Du von demotivierenden Gedanken ab und an heimgesucht wirst, lässt sich nicht verhindern. Von den 60-80.000 Gedanken am Tag, die Du, wie jeder andere Mensch übrigens auch, so denkst, sind gerade einmal drei Prozent aufbauend und weitere 25 Prozent sind Gedanken, die entweder Dir selbst oder anderen schaden. Das sind Gedanken wie „was hat der denn für Klamotten an?" oder „ich bin zu blöd". Die restlichen 72 Prozent sind Gedanken, die eher flüchtig sind und unbedeutend, wie etwa „der Abwasch müsste noch gemacht werden, ach, das mache ich später", oder, „Ich habe Durst, soll ich aufstehen und etwas trinken oder mache ich meine Arbeit erst zu Ende". Auch diese Gedanken beeinflussen Dich und die meisten davon wiederholen sich jeden Tag. Wichtig ist nun, diese negativen Gedanken zu erkennen, bewusst wahrzunehmen und anschließend richtig damit umzugehen. Einige von diesen Gedanken möchte ich Dir nun näher erläutern:

„Ich schaffe das nicht ..."

Da unser Gehirn sich prima manipulieren lässt - das hast Du ja schon bei den positiven Affirmationen erfahren - ist auch ein solcher negativer Gedanke bestens geeignet, Dein Vorhaben im Keim zu ersticken. Selbst auf einen Versuch, Dein Ziel zu erreichen, hast Du mit einem solchen Gedanken im Hinterkopf keine Lust mehr. Wenn Du diesen Gedanken bei Dir entdeckst, rate ich Dir unbedingt dazu, Deine Erfolgsliste zu befragen und Dir nochmal durchzulesen, was Du bis heute schon alles erreicht hast. Damit lenkst Du den Fokus wieder auf Deine Erfolge.

„Es muss perfekt sein"

Natürlich soll alles möglichst perfekt sein, dennoch ist Perfektion ein Motivationskiller. Wie wäre es mit dem Anspruch, es so gut wie möglich machen zu wollen? Ich habe von einem meiner Trainer gelernt:

Besser unperfekt gestartet, als perfekt gewartet.

Sei also wohlwollend mit Dir und Deiner Arbeit. Dein Gegenüber kennt den perfekten Zustand Deiner Arbeit nicht und ist in der Regel schon mehr als zufrieden mit dem, aus Deiner Sicht vielleicht noch, „unperfekten Ergebnis". Präsentiere Deine Ergebnisse mit Stolz und erfreue Dich an dem schon Erreichten.

„Ich muss …"[17]

Das Wörtchen „müssen" vermittelt gerne das Gefühl, keine Wahl zu haben und im Grunde genommen die Entscheidung nicht mehr selbst treffen zu können. Wenn Du Dich bei einem solchen Satz erwischst, dann formuliere den Satz um in „Ich darf…" oder „Ich kann…"

---

[17] Mehr hierzu findest Du auch im Bonus-Kapitel „Kommunikation - Do´s and Don´ts"

"Das mache ich morgen ..."

Damit startet meist die Aufschieberitis und schnell hat sich nicht nur eine Aufgabe für morgen angesammelt, sondern gleich mehrere. Und weil es so einfach ist, verschiebst Du es gleich um einen weiteren Tag und dann noch einen und noch einen ...

Mach Dir eine Todo-Liste und beginne diese abzuarbeiten. Erst, wenn Du abends feststellst, Dich mit Deiner Todo-Liste übernommen zu haben, weil entweder zu viele Aufgaben darauf standen oder Du die benötigte Zeit unterschätzt hast, dann kannst Du die unerledigten Aufgaben auf den nächsten Tag verschieben. Auf der Todo-Liste für morgen stehen diese dann bitte ganz oben.

Das waren einige Demotivatoren. Sicher kannst Du für Dich noch weitere Demotivatoren aufdecken. Berichte mir gerne von Deinen Demotivatoren.

Schaffe Dir Routinen

Routinen sind zwar keine Motivationsbooster, dennoch helfen sie Dir über das ein oder andere Motivationsloch hinweg und geben Dir die Sicherheit, mit Deinem Projekt vorwärtszukommen. Außerdem erleichtern sie Dir den Alltag. Je früher Du beginnst, Routinen zu etablieren, umso sicherer überbrücken sie Deine Tiefs. Routinen können sein:

- jeden Tag als Erstes drei potentielle Kunden kontaktieren
- nach dem Aufstehen zunächst zehn Minuten zu meditieren
- zu einer bestimmten Uhrzeit Deine Mails zu checken und zu beantworten
- ...

Wozu sind Routinen gut?

Wenn Du Dir Routine aneignest, machst Du Dir Dein Leben leichter, weil Du Deinem Leben und Deinem Alltag Struktur verleihst. Durch immer gleiche Abläufe vermeidest Du auch permanent Entscheidungen zu treffen, da der Ablauf vorhersehbar und strukturiert ist. Routinen werden, regelmäßig angewendet, schnell zur Gewohnheit und dann geht es nicht mehr ohne diese Tätigkeit. Routinen, die Du Dir in Deinem Herzensbusiness angewöhnst, zum Beispiel morgens als Erstes drei neue Interessenten zu kontaktieren, führen dazu, dass Du diese Aufgabe auch erledigen wirst, wenn Du ein Motivationsloch hast, weil Dir die Aufgabe bereits in Fleisch und Blut übergegangen ist.

Solche Routinen geben Dir zusätzlich Sicherheit, weil die Aufgabe in immer gleicher Art und Weise abläuft. Nach kurzer Zeit wirst Du sogar eine Leistungssteigerung feststellen. Du machst weniger Fehler und wirst immer besser darin. Routinen verankern sich fest in Deinem Gehirn und werden bald unbewusst ausgeführt. Irgendwann gehört dann die Tätigkeit einfach zu Deinem Leben dazu – genauso, wie morgendliches Zähneputzen.

G wie Ganz oder gar nicht

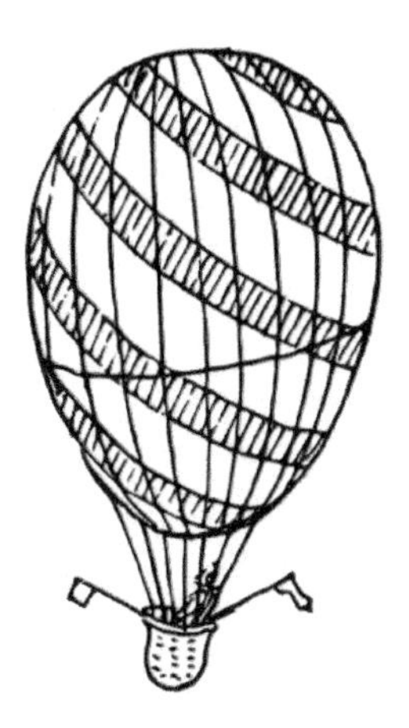

Möglicherweise ist jetzt auch der Zeitpunkt, wo sich Zweifler, Nörgler und Kritiker zeigen. Dein Freundeskreis beginnt, Dich zu kritisieren, sich zurückzuziehen und vielleicht auch mit einem Gefühl von "im Stich gelassen werden" sich von Dir abzuwenden. Vielleicht nehmen sie an Dir Veränderungen wahr, die sie nicht wahrnehmen wollen und die sie möglicherweise auch gar nicht nachvollziehen können oder wollen. Deine Eltern sagen Dir: "Kind, das kannst Du doch nicht machen", "Du hast doch einen guten Job!", "Was willst Du denn noch?" Deine beste Freundin zweifelt an Deinem Verstand. Deinem Partner / Deiner Partnerin bleibt Deine Veränderung sicher auch nicht verborgen und so gibt es hier möglicherweise auch Verstimmungen oder zumindest erhöhten Gesprächsbedarf. Sie bemerken einfach, dass Du Dich anders verhältst als sonst, dass Du vielleicht lieber neue Ideen für Deinen Herzenswunsch entwickelst, als mit der Clique ins Kino zu gehen. Deinen Freunden macht das möglicherweise Angst und sie empfinden es als bedrohlich.

Doch auch hier kannst Du Deine Sichtweise auf die Dinge verändern: Freunde zu verlieren ist eine Erfahrung, manchmal auch eine bittere. Manchmal ist es auch eine Enttäuschung, wenn der vermeintlich gute oder gar beste Freund sich plötzlich aus Deinem Leben verabschiedet oder still und heimlich geht. Eine Enttäuschung ist auch das ENDE einer TÄUSCHUNG.

Was ich damit sagen will: Den besten Freund oder die beste Freundin hast Du gerade deshalb gewählt, weil Du geglaubt hast, mit diesem Menschen durch dick und dünn zu gehen. Ein Mensch, mit dem Du Pferde stehlen kannst und der Dich nimmt, wie Du bist, mit allen Ecken und Kanten und eben auch mit Deiner persönlichen Weiterentwicklung. Jetzt plötzlich lässt er, oder sie, sich nicht mehr blicken und kann es Dir vielleicht noch nicht einmal ins Gesicht sagen, was er, oder sie, von Dir hält und wie es ihm, oder ihr, mit Deiner Veränderung geht. Das ist tatsächlich eine Enttäuschung.

Wenn sich nun plötzlich auch in Deiner Partnerschaft Momente zeigen, wo Dein Partner / Deine Partnerin verstimmt sind, dann empfehle ich Dir: Hole ihn oder sie wieder mit ins Boot.

Erkläre genau was Du tust, was Deine Wünsche und Vorstellungen sind und gib ihm / ihr zu verstehen, dass Dein Herzensbusiness Dich und damit auch Eure Beziehung glücklicher gestaltet. Dazu ist jedoch ein gewisser Zeitraum mit Mehrarbeit besetzt.

In den Momenten, in denen Dich ein guter Freund / eine gute Freundin im Stich lässt und Dir eine Enttäuschung zufügt, ist es hilfreich, sich aus dieser Enttäuschung zu befreien und hier helfen Dir aus Kapitel "T wie THEMA" die beiden wertvollen Listen Deiner Erfolge und Deiner Fähigkeiten, die Dich beim Lesen, und vielleicht sogar ergänzen, in eine besser Stimmung bringen.

In jedem Fall ist der Verlust von Menschen aus Deinem Umfeld eine weitere Chance für Dich, Dein neues Ziel weiter voranzutreiben, um es zu verwirklichen und Deine ganze Kraft dafür einzusetzen. Wenn Du plötzlich merkst, ganz auf Dich alleine gestellt zu sein, dann bringt dies auch oft neue Energien zu Tage und Deine

Kraft kann sich neu entfalten. Wenn Menschen Dich nicht mehr auf Deinem Weg begleiten, kannst Du alle Zeit und Energie, die Du bisher mit diesem Menschen verbracht hast, in Dein Projekt investieren. Manchmal kommt auch einfach dieses Gefühl von "jetzt erst recht" in Dir auf, nach dem Motto: "Dem /Der werde ich es zeigen und beweisen!" Damit setzt Du unglaubliche Energien in Dir frei, die Dich unterstützen werden, Dein Herzensprojekt weiter zu fördern.

Und vor allem, denke immer daran: Du bist nicht alleine, denn, wenn Du Dich in Deinem Bekannten-, Freundes- und Verwandtenkreis einmal genau umschaust, wirst Du Menschen finden, die einen ähnlichen Weg hinter sich haben wie Du und die gerne bereit sind, Dich zu fördern und zu unterstützen. Manchmal sind es Menschen, die Du gerade erst kennengelernt hast.

Hier noch einmal der Appell an Dich: Trenne Dich, zumindest temporär, von Menschen, die Dich Energie kosten, die Dich runterziehen, oder die kein Verständnis mehr für Dich oder Dein Ziel haben. Damit schaffst Du Raum für neue Menschen, die Dich ein Stück des Weges begleiten und Dich unterstützen können.

Nimm als einen Deiner Meilensteine unbedingt auf, eine Liste von Menschen aus Deinem Umfeld anzufertigen und deren spezielle Fähigkeiten oder Ressourcen zu notieren, die Dir hilfreich sein können. Sprich diese Menschen an und bitte sie um Unterstützung.

Rechne jedoch auch damit, dass Dir Widerstände begegnen – innere wie äußere. Deine Umgebung wird möglicherweise versuchen, Dich zu boykottieren, bewusst oder unbewusst. Dadurch, dass Du anders denkst und anders handelst, hat dies auch Auswirkungen auf Dein Umfeld und es darf erst einmal lernen, damit umzugehen. Wenn Du gerne an den Menschen aus Deinem Umfeld festhalten möchtest und sie Dir idealerweise die Gelegenheit dazu geben, dann ist ein wichtiger Punkt: Lasse sie an Deinem Vorhaben teilhaben. Erkläre ihnen, was Du vorhast. Erzähle ihnen von Deinen Wünschen, Träumen und Vorstellungen. Ich weiß, das sind in der Regel keine leichten Gespräche. Denn alle Argumente, und nicht nur positive, werden hier vermutlich ins Feld geführt. Wenn Du Dich richtig gut auf ein solches Gespräch vorbereiten möchtest, dann empfehle ich Dir im Bonus-Kapitel "Klare Kommunikation" das Unterkapitel "Gesprächsvorbereitung".

Außerdem gibt es trotz allem zusätzlich Deine inneren Saboteure. Die kleinen Stimmen, die immer wieder auf Deiner Schulter sitzen und alte Glaubenssätze zutage fördern wie „das schaffst Du sowieso nicht".

Wenn so etwas passiert, brauchst Du Strategien, um Dich schnell wieder aus einem negativen Gedankenstrudel zu lösen: Du darfst jetzt nicht nachlassen, Dein Ziel zu verfolgen!

Nutze diese Momente und spreche mit einem vertrauten Menschen in Deiner Nähe. Versuche die Ängste, Deine eigenen und auch die aus Deinem Umfeld, zu verstehen. Mache Dir und Deinem Umfeld Dein Ziel so transparent wie möglich. Nimm Deine Ängste wahr und geh durch sie hindurch. Einer meiner Lehrer sagte zu mir: Geh durch Deine größte Angst, darin verbirgt sich Dein größtes Wachstum! Und er hatte recht.

Wir sind nur dann zufrieden und glücklich, wenn wir wachsen, auch wenn wir das selber häufig gar nicht so sehr bemerken. Studien belegen, dass unser Gehirn gefordert werden will, dass es sich ständig neuen Situationen aussetzen will. Wir sind am glücklichsten, wenn wir Erfolgserlebnisse feiern können und wenn wir unsere Angst besiegt haben. Denn Deine eigene Grenze sitzt zwischen Deinen beiden Ohren. Nichts begrenzt uns mehr, als wir selbst, als die kleine Stimme in unserem Kopf. Dein Wachstum zu beschleunigen ist also gar nicht so schwierig. Wenn Du Dinge tust, die Dich wirklich nervös machen, dann sind Dein Wachstum und Dein Erfolg am größten. Gehe, bildlich gesprochen, durch das Feuer und Du wirst auf der anderen Seite Deinen größten Erfolg feiern können!

Um das zu „üben", helfen Dir auch Dinge, die nichts mit dem Business zu tun haben. Auch Freizeitaktivitäten oder Aktivitäten auf Deiner Löffelliste[18] führen Dich manchmal zunächst in die Angst. Auf meiner Löffelliste stand ein Fallschirmsprung und ich kann Dir versichern, das hat mir mächtig Angst gemacht.
In unserem Urlaub in Las Vegas sah ich im Hotel eine Werbung einer Fallschirmspringer-Schule am Ort. Und hier trifft wieder zu „es gibt keine Zufälle, sondern es fällt zu, was fällig ist".

---

[18] Eine Löffel- oder Bucket-Liste ist eine Liste mit den Dingen, die Du in Deinem Leben noch tun, erleben oder sehen möchtest, bevor Du „den Löffel abgibst"

So fuhr ich also mit meinem Mann dorthin, „um mich zu informieren". Ich muss gestehen mein Englisch ist nicht besonders gut - wahrscheinlich war das ein Vorteil - und so erhielt ich die Informationen über Risiken und Nebenwirkungen des Sprungs auf Englisch - ich glaube, ich bin ganz froh nicht alles verstanden zu haben. Auf die Frage, wann denn der nächste Sprung möglich wäre, erhielt ich die Antwort: „Morgen früh um 7.30 Uhr, bitte um 06.30 Uhr hier sein". Das war der Moment, als meine Knie begannen zu schlottern. Am nächsten Morgen um 6.30 Uhr wurden wir von einem hochprofessionellen Team empfangen, das uns persönlich einwies und uns das nötige Equipment anzog, alles nochmal erklärte und so auf den Sprung vorbereitete. Durch diese Professionalität schwand meine Aufregung etwas. Als ich im Flieger saß, war es eher gespannte Vorfreude, die mich überkam, statt Angst, die war tatsächlich vorher. Mein Guide ließ mir dann zum Überlegen auch gar keine Zeit. Ich war die erste im Flugzeug gewesen und damit die letzte, die sprang. Ich war schneller draußen, als ich überlegen konnte und dann war es einfach nur überwältigend: Es ist kein Fallen, sondern tatsächlich ein Fliegen und das Gefühl ist großartig.

Ich hätte das niemals erlebt, hätte ich mich von der Angst steuern lassen. Dann wäre ich nie im Leben in das Flugzeug gestiegen, dann hätte ich vermutlich kurz vorher noch abgesagt, oder hätte im Flieger, im wahrsten Sinne des Wortes, die Reißleine gezogen und wäre an Bord geblieben, anstatt zu springen.

Und genauso ist es mit Deinem Ziel auch. Du wirst auf Ängste treffen und Dir Sorgen machen, wie alles wohl ausgeht und welche Risiken es birgt. Doch, wenn Du es nicht versuchst, wirst Du auch nicht wissen, welchen Erfolg Du erreichen könntest.

Was tun, wenn Dich plötzlich die Angst vor Ablehnung packt?

Du bist seit Jahren mit dem Partner zusammen, Du hast einen festen Freundeskreis, Du bist in Deine Ursprungsfamilie eingebettet und nun hast Du das Ziel, Deinen gut bezahlten Job hinzuschmeißen und Dich möglicherweise selbständig zu machen oder Dir eine andere Stelle zu suchen. Und plötzlich kommt da die Angst vor Ablehnung. Was sollen die Eltern, der Partner, die Freunde nur denken? Was passiert, wenn sie Dich plötzlich ablehnen? Wie kannst Du mit Ablehnung umgehen?

Wichtig ist, dass Du weißt, Du kannst andere nicht verändern! Du kannst nicht von jemandem in Deinem Umfeld verlangen, dass er, oder sie, anders werden muss, damit es Dir besser geht. Wenn sich jemand verändern kann, dann bist einzig und alleine Du das.

Du kannst Deine Sichtweise auf etwas verändern. Beispiel: Du hast Angst davor, dass Deine Eltern Dich nicht mehr liebhaben, weil Du Dich jetzt selbständig machen möchtest und den vorbestimmten Weg verlassen willst. Sie haben sich für Dich den Rücken krumm gemacht, haben verzichtet, nur damit Du studieren kannst oder Ähnliches. Sie haben sich für Dich „geopfert". Jetzt heißt es, Du darfst anerkennen, dass die Situation aus der Sicht Deiner Eltern so war und vielleicht immer noch ist. Du darfst ihre Meinung und ihre Sicht auf die Dinge annehmen und jetzt zunächst einmal dankbar dafür sein, was sie Dir ermöglicht haben.

Du darfst auch dankbar sein für Dich. Dein Wesen, Deine Glaubenssätze, Deine Werte, die Du von Deinen Eltern übernommen und beigebracht bekommen hast, haben Dich bis zum heutigen Zeitpunkt begleitet und das aus Dir gemacht, was Du heute bist. Mit diesen Eigenschaften bist Du bis hier und heute gekommen. Darauf darfst Du stolz sein. Und wenn Du ab jetzt etwas ändern willst, dann fühle Dich frei, es zu tun! Verändere Deine Sichtweise auf das, was gewesen ist. Wenn Dich beispielsweise das Verhalten Deiner Mutter nervt, verärgert oder gar kränkt, weil sie Dich permanent mit Ignoranz gestraft hat und weiterhin straft, dann habe ich zwei Sätze für Dich, die Dich diese Art und Weise sehr viel wohlwollender betrachten lassen:

- Menschen handeln immer in positiver Absicht!
  Und zwar in positiver Absicht, immer für sich selber.

- Wir handeln immer in der besten Option, die uns in der Situation zur Verfügung steht.

Zu beiden Sätzen findest Du mehr im „Bonus Kapitel - K wie Kommunikation"

Wenn Du diese beiden Sätze ständig im Hinterkopf hast, wird Dein Blick auf so viele Situationen plötzlich ein anderer. Du gehst viel leichter und wohlwollender mit Situation und Menschen um. Vielleicht reflektierst Du auch nochmal über Situationen aus vergangenen Tagen. Welche positive Absicht hatte denn Dein Vater, als er dieses oder jenes gesagt oder getan hat. Was war daran seine beste Option?

Das setzt allerdings voraus, dass Du Dich sehr gut reflektieren kannst, weil Du Dein kleines Ego zurücknehmen und erst mal auf den anderen schauen darfst.
Du kannst auch gut und gerne Situationen aus Deinem Alltag betrachten. Dein Chef / Deine Chefin legt Dir eine Aufgabe nach der anderen auf den Schreibtisch.

Und Du sagst nichts dazu. Stelle doch hier einmal die beiden Fragen nach der positiven Absicht für Deinen Chef / Deine Chefin. Warum das seine / ihre beste Option in diesem Moment ist.

Seine / ihre positive Absicht könnte sein, dass er / sie einen frühen Feierabend benötigt, weil sein / ihr Hochzeitstag ist, oder er / sie endlich einmal in der Woche pünktlich zuhause sein möchte. Vielleicht, weil der Haussegen sowieso schon schief hängt.

Die beiden Fragen nach der positiven Absicht und der besten Option kannst Du gleichermaßen auch für Dich anwenden und Dich fragen: Wieso lasse ich zu, dass ich und mein Schreibtisch mit immer mehr und immer neuen Aufgaben überhäuft werden? Wieso halte ich den Mund und sage nichts dazu? Was ist gerade Deine positive Absicht und warum ist Mund halten gerade die beste Option für Dich? Höre einmal in Dich hinein.

Eine mögliche Alternative könnte folgendes Szenario sein: Dein Chef / Deine Chefin kommt mit einer weiteren Aufgabe für Dich und möchte sie Dir auf den sowieso schon überfüllten Schreibtisch legen. Du sagst zu ihm oder ihr: „Vielen Dank, Herr / Frau XY, ich habe bereits zwei weitere Projekte von Ihnen, und mit dem dritten hier, müsste ich wissen, welches Ihnen am wichtigsten ist und welches Projekt ich zurückstellen kann." Vielleicht ist Deinem Chef / Deiner Chefin gar nicht (mehr) bewusst, dass Du permanent zu viele Aufgaben auf Deinem Schreibtisch hast, weil das ja bisher völlig klaglos funktioniert hat. Sei gespannt wie er / sie reagiert.

Oder hast Du Sorge, dass Dein Chef / Deine Chefin Dich nicht mehr mag, wenn Du mal nein sagst und nicht so funktionierst, wie er / sie das gerne hätte? Ich kann Dich beruhigen. Auch wenn Deine neue Verhaltensweise für Deinen Chef / Deine Chefin neu ist und sie sicher zunächst einmal verwundert, vielleicht auch verärgert sind, hast Du so eine Chance auf Kommunikation auf Augenhöhe.

Jetzt fragst Du Dich sicher, wie Du solche Verhaltensweisen lernen kannst? Ich kann Dir versichern, dass es funktioniert. Du brauchst ein bisschen Selbstvertrauen und ein bisschen Mut und dann heißt es üben, üben, üben.

Sein Verhalten zu verändern hat viel mit einem Muskel zu tun. Von einem Muskel erwartest Du auch nicht, dass er größer wird, wenn Du einmal trainierst. Muskelaufbau funktioniert auch nur durch regelmäßiges Trainieren. Genauso kannst Du Deinen Verhaltens-Muskel trainieren, so dass Du immer stärker wirst.

Hin- / Zuhören

Für mich gehört zu einer solchen Veränderung in der gegenseitigen Kommunikation als Erstes das gute Zuhören, wobei mir der Ausdruck ZU-hören nicht so gut gefällt und ich deshalb lieber von HIN-hören spreche.

Du lernst viel mehr, wenn Du anderen Menschen zuhörst. Du hörst ihre Meinungen und Ansichten, ihre (Lebens-)Geschichten. Alles, was Du erzählst, kennst Du schon, davon lernen dann möglicherweise (nur) die Anderen.

Du hast sicher auch schon einmal von AKTIVEM Zuhören gehört und genau das ist es, was ich meine. Hier die drei wichtigsten Elemente des aktiven Hin-Hörens:

- Den Sprechenden beobachten, Pausen zulassen und nicht gleich antworten, vielleicht auch ab und an wohlwollend nicken

- Rückfragen stellen und so für korrektes Verstehen sorgen, Wünsche des Gegenübers heraushören und das Gespräch zusammenfassen

- Bei der Antwort Gefühle spiegeln, das eigene Verständnis und das des Gegenübers immer wieder prüfen und Abstand von Belehrungen nehmen

Gute Zuhörer hören nicht nur, sondern erkundigen sich, ob sie alles richtig verstanden haben. Sie wiederholen den Inhalt mit ihren eigenen Worten, um sich zu vergewissern, dass sie ihr Gegenüber richtig verstanden haben. Hierbei geht es auch darum, die Emotionen und die Motivation des Anderen zu verstehen und ihm damit auch Wertschätzung zu vermitteln. Wer gut zuhören kann, zeichnet sich durch emotionale Intelligenz aus. Zuhören heißt, neben dem gesagten Wort, auch die Körpersprache, Mimik und Gestik, Stimmlage und -klang mit aufzunehmen.

Du darfst lernen, Pausen auszuhalten. Wenn Du Gespräche, sowohl beruflich als auch privat beobachtest, wirst Du feststellen, dass es kaum Pausen gibt und, dass häufig aneinander vorbeigesprochen wird. Jeder hat etwas zum Thema zu sagen und anstatt zuzuhören, wird bereits im Kopf die eigene Geschichte zum Thema formuliert, um sie dann schnellstmöglich loszuwerden und womöglich dem Gegenüber auch noch ins Wort zu fallen.

Ein Beispiel hierzu sind die immer wieder gern genommenen Gespräche auf den Familienfesten, die einer der Anwesenden beginnt mit den Worten: „Ich war gestern beim Arzt …". Schnell sind alle beteiligt und eine Stunde oder mehr ist rum. Du kennst nun von allen die allerneuesten Arztgeschichten und die schlimmsten Erkrankungen, weshalb jedoch der erste Sprecher beim Arzt war, entzieht sich leider der Kenntnis aller Beteiligten. Schade, oder?

Abschließend zum Thema hin- / zuhören ein paar Tipps, wie es Dir gut gelingen kann und eine kleine Übung, die Du mit einem Sparringspartner zu Hause machen kannst und die auch bei einem gemütlichen Abend mit Freunden neue Erkenntnisse zum Thema bringen kann:

- **Blickkontakt**

  Halte Blickkontakt mit dem Sprechenden und nimm so auch die möglicherweise nervösen Übersprungshandlungen, wie Fuß wippen oder mit dem Kugelschreiber spielen auf. Diese darfst Du dann im Gespräch auch durchaus benennen. Bitte stets wohlwollend und behutsam. Du könntest beispielsweise sagen: „Mir kommt es so vor, als bist Du ein bisschen nervös. Liege ich da richtig?"

- **Pause**

  Lasse unbedingt Pausen zu, sowohl, wenn Dein Gegenüber eine Pause macht, als auch vor Deiner Antwort. So haben beide Gesprächsparteien die Möglichkeit, das Gesagte zu verdauen.

  Am Anfang fühlt sich das komisch an und führt bisweilen auch dazu, dass Du in einer Teamsitzung oder einer Telefon- / Videokonferenz kaum zu Wort kommst, weil die Anderen bereits wieder in Deine Pause sprechen. Pausen zu üben lohnt sich allerdings. Deine Antworten werden besser und Dein Gegenüber weiß das zu schätzen.

  Ein kleiner Tipp, wie Du das üben kannst: Atme bewusst einmal tief ein und aus, bevor Du wieder zu sprechen beginnst. Auch wenn Dir diese Pause am Anfang lang vorkommt, sind es maximal zwei bis drei Sekunden.

- **Entspannen**

  Entspanne Dich und die ganze Atmosphäre. Sorge dafür, dass Du keine Gespräche mehr auf dem Flur zwischen Tür und Angel führst oder unter Zeitdruck. Beides ist dem Gesprächsergebnis nicht zuträglich.

  Es ist auch durchaus legitim, im Sinne der eigenen Selbstfürsorge, Deinem Gegenüber mitzuteilen, dass Du gerade keine Zeit für ein Gespräch hast, oder Du gerade keine Lust auf dieses Thema hast.

  Im Zweifel finde einen Termin und einen Ort, an dem Du ungestört Dein Gespräch führen kannst.

- **Fragen stellen**

  Auch wenn es komisch klingt. Zuhören ist durchaus aktiv und hat nichts mit Schweigen zu tun. Stelle zwischendurch immer wieder Verständnisfragen und formuliere das Gesagte mit Deinen eigenen Worten. Achte hier vor allem darauf, dass Du Dich nicht wie ein Papagei anhörst, also nicht nur nachplapperst, sondern Deine eigenen Worte verwendest.

Zum Abschluss gibt es noch die versprochene Übung: Nimm Dir einen Sparringspartner, eine Freundin oder Deinen Partner. Dann wählt ihr ein Thema aus, über das ihr sprechen möchtet. Wähle hier bitte etwas Belangloses wie Urlaub oder den letzten Ausflug. Die Übung ist nicht dafür geeignet, sinnvolle Entscheidungen herbeizuführen, sondern dient eher dem Training für besseres Zuhören. Nun beginnt der Erste und spricht einen Satz, der zum Thema passt, zum Beispiel: „In unserem letzten Urlaub hatten wir Super-Wetter". Dein Sparringspartner nimmt nun den letzten Buchstaben des letzten Wortes - in unserem Beispiel das „R" und beginnt mit diesem Buchstaben den neuen Satz. Zum Beispiel: „Richtig, Regen hatten wir nur einmal." Dann nimmst Du den letzten Buchstaben des letzten Wortes, hier das „L" und beginnst einen Satz mit „L" und so weiter.

Du wirst merken, dass die Pausen zwischen den Sätzen relativ groß sind, weil Du Deinen nächsten Satz völlig neu denken musst und Du wirst ebenfalls feststellen, dass es viel mehr Aufmerksamkeit erfordert, bis zum letzten Buchstaben zuzuhören. Selbstverständlich lässt sich diese Übung auch in einer größeren Gruppe spielen.

Wie kann ich Verhaltensweisen ändern

Wir alle haben kleine Verhaltensweisen oder gar Ticks, die uns im Alltag gar nicht mehr auffallen. Wir nutzen zum Beispiel permanent Füllwörter oder „Ähms" und „Öhs" oder jeder zweite Satz beginnt mit „Im Grunde genommen" oder Ähnliches. Es kann auch sein, dass wir beim Sprechen nervös mit dem Knie rauf und runter gehen oder immer die Finger ineinander verkneten. Manchmal werden wir von wohlwollenden Menschen darauf hingewiesen, dass wir eine solche Eigenschaft haben, manchmal fällt sie uns auch selber auf.

Wenn Du also eine solche Verhaltensweise an Dir feststellst, die Du gerne verändern möchtest, weil sie Dich selbst nervt oder weil Du immer wieder darauf angesprochen wirst, dann gibt es unterschiedliche Möglichkeiten der Veränderung. Wichtig zu wissen ist an dieser Stelle: Was Du einmal gelernt hast, kannst Du auch wieder verlernen.

Es kann ein Modell aus dem NLP zurate gezogen werden, denn auch für dieses Verhalten gilt: Es gibt eine positive Absicht und die ist aus Deinem Innersten wohlbegründet. Wenn Du der positiven Absicht auf den Grund gekommen bist, wird in diesem Modell erarbeitet, welche Verhaltensweise diese positive Absicht alternativ erfüllen kann und / oder womit die Verhaltensweise ersetzt werden kann[19]
Hier möchte ich Dir einen Weg aufzeigen, wie Du ohne Coach ein passables Ergebnis erreichen kannst. Hierzu ziehe ich die vier Stufen des Lernens zu Rate, die ich

[19] Wenn Du mehr über das NLP-Format 7-Step erfahren möchtest, schreibe mich gerne per E-Mail an: Buch@Kopfarbeit.jetzt

nachfolgend kurz erläutere, bevor ich Dir zeige, wie Du eine Verhaltensweise leicht verändern kannst.

Lernen erfolgt in vier Stufen

Verdeutlichen möchte ich Dir das am Beispiel Auto fahren.

In der ersten Phase der „unbewussten Inkompetenz", wenn wir noch klein sind, wissen wir gar nicht, dass wir nicht Autofahren können, geschweige denn, dass es Autofahren gibt. Wenn wir etwas älter werden, kommen wir in die zweite Phase - die „bewusste Inkompetenz". Jetzt wissen wir, dass es Autofahren gibt, und uns ist - womöglich schmerzlich - bewusst, dass wir es (noch) nicht können.

Wir machen den Führerschein und lernen hier sehr bewusst mit Gas und Kupplung umzugehen, den Blick über die Schulter nicht zu vergessen und beim Abbiegen Blinker zu setzen. Irgendwann können wir dann theoretisch Autofahren und haben auch schon erste Praxiserfahrung gewonnen. Diese dritte Phase wird auch „bewusste Kompetenz" genannt (ich weiß, dass ich etwas kann und ich weiß, wie es geht). Einige Jahre später fahren wir wie selbstverständlich Auto und können dabei noch eine Unterhaltung mit dem Beifahrer führen und Kaffee trinken. Das ist die vierte Phase – „die unbewusste Kompetenz". Wir machen etwas völlig automatisch.

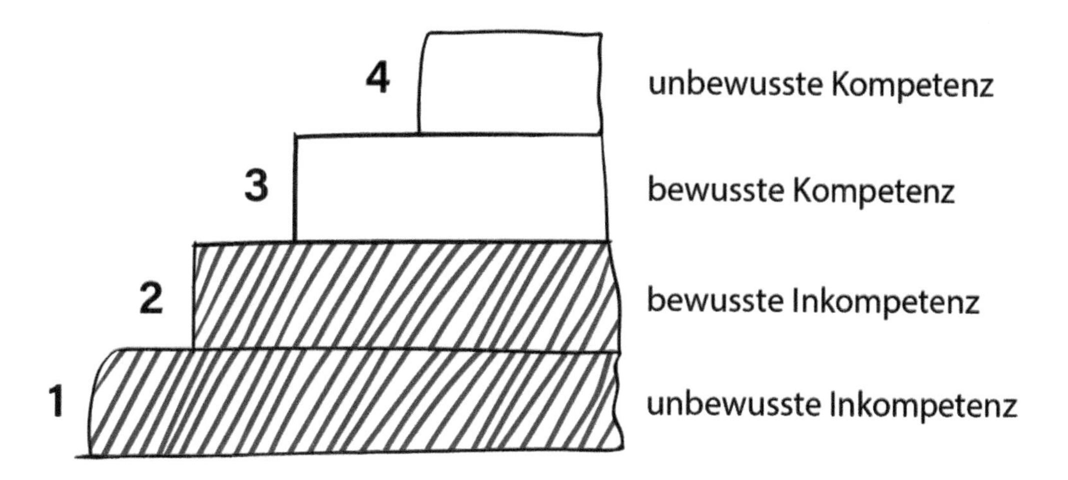

Mit Deiner womöglich unerwünschten Verhaltensweise, also Deinen Ticks, bewegst Du Dich in Stufe vier, also auf der Ebene der unbewussten Kompetenz. Du machst etwas vollkommen automatisch, ohne daran zu denken oder darüber nachzudenken. Du weißt vielleicht gar nicht, dass Du dieses Verhalten hast.

Um nun eine Veränderung herbeizuführen, ist es erforderlich, mindestens eine Stufe herabzusteigen und Dir Dein Verhalten wieder bewusst zu machen, es also aus der unbewussten Kompetenz wieder in die bewusste Kompetenz zu holen. Ich empfehle meinen Mentees, sich hierfür jemanden aus dem Umfeld zu suchen, der wohlwollend ist und Dich häufig genug sieht. Vielleicht kann es der Partner sein oder eine gute Freundin. Diese Person weist Dich nun, so oft es geht, in den nächsten 14 Tagen bis drei Wochen auf Dein Verhalten hin und macht Dir so dieses Verhalten wieder bewusst. Du darfst dabei nicht verärgert sein, auch wenn das gefühlt viel zu oft am Tag passiert. Dein Sparringspartner benötigt Durchhaltevermögen und Konsequenz.

Am Ende dieser Phase wirst Du vermutlich schon selbst das ein oder andere Mal wissen, dass Du das Verhalten an den Tag gelegt hast, gleichwohl kannst Du es noch nicht durch ein neues Verhalten ersetzen. Auch das dauert im Schnitt 14 Tage bis drei Wochen. Im nächsten Schritt erkennst Du die Situation selbst, in der jetzt wieder Deine Verhaltensweise greifen würde und korrigierst diese, in dem Du etwas anderes tust. Du ersetzt also das unerwünschte Verhalten durch etwas anderes. In der vierten und letzten Phase hast Du Deine Verhaltensweise abgelegt ohne, dass Du weiter darüber nachdenken musst.

Hier ein Beispiel: Eine meiner Mentees, ich will sie Manuela nennen, begann häufig ihre Sätze mit „was ich noch sagen wollte". Als mir dies in den ersten Gesprächen auffiel, habe ich sie zunächst ein wenig geneckt und jedes Mal gefragt: „Wann sie es denn dann sagen wird?" Ich weiß, eine sprachliche Spitzfindigkeit. Doch über diesen Weg wurde Manuela bewusst, dass der Satzbeginn völlig überflüssig ist. Mit der oben beschriebenen Methode und der Hilfe ihrer besten Freundin, die sie immer mit einem vereinbarten Zeichen darauf hinwies, wenn der Satz fiel, konnte sich Manuela die Formulierung vollständig abgewöhnen. Beste Freundinnen sind die beiden übrigens immer noch.

Das Gleiche funktioniert auch mit dem Wörtchen „man". Wenn Du bei dem Gebrauch des Wörtchens „man" darauf hingewiesen wirst, „wer denn man sei?" formulierst Du automatisch nach einiger Zeit direkter und benennst „man" mit „ich", „Du", „wir" oder der tatsächlich gemeinten Person.

Wenn Du jetzt nach der Dauer fragst, die es braucht, um die neue Gewohnheit oder das neue Verhalten zu etablieren, kann ich keinen genauen Zeitraum benennen. Studien hierzu besagen, dass es zwischen 18 und 254 Tagen dauert, um eine neue Gewohnheit zu bilden. Plane also lieber etwas mehr Zeit ein.

Bevor Du jetzt entmutigt die Flinte ins Korn wirfst: Bitte verurteile Dich nicht, wenn es nicht innerhalb von nur 21 Tagen funktioniert, Du musst nicht perfekt sein. Wichtig dabei, eine neue Gewohnheit zu etablieren, ist, mit Tag eins anzufangen. Für den kleinen Motivationskick kannst Du Dir in Deinem Kalender für jeden Tag, an dem es Dir erfolgreich gelungen ist, die Gewohnheit abzulegen, eine Markierung machen - einen farbigen Kreis oder etwas anderes Geeignetes und so eine Kette bilden. Und wenn Du auf den Kalender schaust, wird Dich jeder Tag neu motivieren, denn auch heute Abend möchtest Du wieder diese Markierung setzen können. Halte durch - es lohnt sich!

Tools, um Dich auf Erfolg zu programmieren

In diesem Kapitel möchte ich Dir ein paar hilfreiche Tools an die Hand geben, wie Du Dich immer wieder auf Erfolg programmieren kannst, wenn Du beispielsweise gefühlt nicht vorwärtskommst oder gar meinst, Rückschritte zu machen.

Dann, wenn Du vor einer Aufgabe stehst, die Dir schwierig erscheint, oder Du Sorge hast, es nicht schaffen zu können.

Der Weg zu einem Ziel kann beschwerlich sein, es gibt Widerstände und möglicherweise auch Rückschläge, manchmal überrascht einen das Gefühl, dass es gerade überhaupt nicht vorwärtsgeht. Bei solchen Phasen hat mir immer ein Glaubenssatz geholfen: Gut Ding will Weile haben!

Mache Dir in solchen Momenten des Zweifels auch immer bewusst, was Du bis hierher schon alles erreicht hast! Sei stolz auf Dich, überhaupt eine Veränderung - ein Ziel - gefasst zu haben und die ersten Schritte bereits gegangen zu sein. Feiere Deine Erfolge und sei großzügig zu Dir selbst. Denke immer wieder an das bereits Erreichte und spreche mit Deinen Freunden darüber. Sei dankbar dafür, wie weit Du schon gekommen bist.

Vielleicht findet sich auch eine Gruppe von Menschen, die ebenfalls ein Ziel verfolgen. Solche Gruppen findest Du in den sozialen Medien ebenso wie auf Netzwerkveranstaltungen. Tausche Dich aus und nutze die gemeinsame Energie.

BLEIB AM BALL!

Neben dem ersten getanen Schritt und der passenden Gedankenhaltung braucht es auch immer Durchhaltevermögen. All die Erfolgreichen, von denen Du im Internet liest oder von denen Du hörst, die plötzlich und unerwartet scheinbar über Nacht erfolgreich sind, haben alle mehrere Jahre, zumindest jedoch Monate hart, intensiv und lange gearbeitet, um diesen Erfolg zu erreichen.
Mache Dir Dein Ziel immer wieder bewusst, je öfter Du das tust, umso höher ist die Wahrscheinlichkeit, dass Du dranbleibst und es verinnerlichst.

Dabei geht es nicht darum, blind und ohne Verstand an einem Ziel festzuhalten. Bewahre Dir unbedingt die innere Freiheit, Dich immer wieder neu zu entscheiden, ob der nächste Schritt jetzt schon dran ist, ob er überhaupt dran ist, oder ob es einen erneuten Richtungswechsel geben muss.

Entscheidend ist, nicht aufzugeben. Sondern sich in jedem Moment Wert zu schätzen, sich selbst zu lieben und zu wissen, warum und wofür Du diese Veränderung, Dein Ziel, erreichen willst.

Auf den folgenden Seiten gebe ich Dir nochmals ein paar Tipps, damit Du Dich voll und ganz auf Erfolg programmierst und Du zudem kleine „Hacks" gegen Durchhänger findest.

Für Deinen Erfolg ist vor allen Dingen eins wichtig: Du musst von Deinem Ziel überzeugt sein. Du musst dieses Ziel, inklusive der damit verbundenen Veränderungen, wirklich wollen. Wenn Du selbst zu zweifeln beginnst - und das ist zwischendurch normal - dann suche Dir Mentoren, die Dich unterstützen und mache Dir Deinen

Zielzustand nochmal klar. Vielleicht braucht es ein bisschen Nachjustieren oder Veränderungen. Verstecke Dich in solchen Phasen nicht in Deinem Schneckenhaus, sondern suche Dir Menschen Deines Vertrauens.

Sei Dir sicher, dass Du Dein Ziel erreichst, vertraue auf Dich, auf Deine Fähigkeiten und auf Deine inneren Kräfte. Denke stets daran, wie großartig Du bist!
Diese Denkweise musst Du für Dich verinnerlichen.

Wenn Du Dir jeden Tag vor dem Schlafengehen sagst:

- Ich bin großartig!
- Ich schaffe alles, was ich will!
- Ich erreiche meine Ziele!

... wird das einen Effekt haben. Wenn Du glaubst, dass das Blödsinn ist, empfehle ich Dir: Probiere es aus und lass Dich überraschen.

Wenn Du Dich ganz konkret in einer Situation, einer längeren Krise oder in Deinem Alltag gefangen oder hilflos fühlst, dann empfehle ich Dir, als „Erste-Hilfe", ein Dankbarkeitstagebuch. Schreibe Dir jeden Tag drei Dinge auf, für die Du dankbar bist.
Das können auch profane Dinge sein, wie zum Beispiel: Zeit für ein Buch, etwas Gutes zu Essen oder den Spaziergang in der Mittagspause.

Ich führe das Dankbarkeitstagebuch abends, bevor ich ins Bett gehe. Manche Menschen führen es lieber morgens, direkt nach dem Aufstehen. Mit einem Dankbarkeitstagebuch veränderst Du Deinen Blick auf die Welt – weg vom Negativen und hin zum Positiven.

Studien haben bewiesen, dass ein Dankbarkeitstagebuch

- Deine Stimmung verbessert
- Dich optimistischer macht
- Deine Fortschritte bei der Zielerreichung verbessert
- Dich entschlossener und enthusiastischer macht
- Deine Energie erhöht
- Dich seltener krank werden lässt

Ich finde, das sind alles Gründe, die es lohnenswert machen. Nur bitte mache auch hier keinen Zwang daraus. Natürlich sollte es zur Routine werden, das Dankbarkeitstagebuch zu schreiben, dennoch ist es auch kein Beinbruch, wenn Du es ab und an „vergisst", weil Du vor lauter Müdigkeit nur noch ins Bett wolltest.

Gib Dir selbst auch regelmäßig Feedback. Feedback dient der Selbstreflexion und ist nützlich für Dein Vorankommen. Beim Feedback an Dich selbst ist es wichtig, dass Du wohlwollend bleibst und positiv formulierst:

- Was hast Du heute gut gemacht?
- Was machst Du (ab) morgen besser oder anders?

- War das, was Du heute gemacht hast, zielführend für die Erreichung Deines großen Ziels?
- Behandelst Du Dein Umfeld korrekt?

Mit diesem Selbstfeedback programmierst Du ebenfalls Dein Gehirn auf Erfolg und löst Dich von Deinen negativen Glaubenssätzen.

Energie folgt der Aufmerksamkeit

Vielleicht hast Du diesen Satz schon einmal gehört. Was genau bedeutet er?

Das, womit wir uns tagein, tagaus beschäftigen, die Dinge, mit denen wir uns gedanklich beschäftigen, dort wo wir unsere Emotionen und Gefühle hineinlegen, das ist es, was wir verstärken. Das passiert nicht in unserem bewussten Geist, sondern in unserem Unterbewusstsein. Wenn Du morgens schon mit Frust, Ärger und Wut aufstehst, dann bewegst Du Dich auf einer emotionalen Negativspirale immer weiter nach unten und hast dabei jedoch eine hohe Energie. Du gerätst nach und nach in eine immer niedrigere Schwingung.

Schwingung meint hier ein symbolisches Abbild Deiner inneren und äußeren Verfassung. Menschen mit einer hohen Schwingung sind glücklich, zufrieden und voller positiver Erwartungen. Sie lieben ihr Leben mit all dem, was sie besitzen. Menschen, die eher negativ reden, Frustration, Ärger und Wut verspüren und eher an das Unglück glauben, eher schwarz als weiß sehen, sind damit bildlich gesprochen in einer niedrigen Schwingung. Zu Gefühlen auf einer hohen Schwingungsspirale zählen:

- Zufriedenheit
- Hoffnung
- positive Erwartungen und Glaube
- Begeisterung
- Leidenschaft
- Freude, Erkenntnis, Stärke, Freiheit, Liebe und Wertschätzung

Zu den Gefühlen in der niedrigen Schwingungsspirale zählen:

- Langeweile
- Pessimismus
- Frustration, Ärger, Ungeduld
- Überforderung
- Enttäuschung
- Zweifel
- Sorgen
- Tadel
- Entmutigung
- Zorn
- Rache
- Hass, Wut

- Neid, Gier
- Unsicherheit, Schuld, Wertlosigkeit
- Angst, Trauer, Depression und Machtlosigkeit[20]

Wenn Du also morgens schon sprichwörtlich mit dem linken Fuß aufgestanden bist, dann wird der kommende Tag geprägt sein von Situationen, die Dich weiter verärgern und Dich frusten. Schnell macht sich dann auch Überforderung breit, die zügig in Enttäuschung und Zweifel wechseln kann. Und so dreht sich die Spirale weite abwärts.
Dann helfen selbst die schönsten, aufgesagten, positiven Affirmationen nicht mehr. Wichtig ist hier, Deinen Fokus zu verändern, und zwar so, dass Du Dich permanent mit dem beschäftigst, was Du willst und was gut für Dich ist.

Hierzu können die drei folgenden Fragen dienlich sein:

- Worauf liegt in diesem Moment gerade Deine Aufmerksamkeit?

- Wo könnte Deine Aufmerksamkeit jetzt sein (bei den vielen Dingen, die gerade da sind)?

- Wo möchtest Du Deine Aufmerksamkeit gerade haben?

Was passiert bei diesen drei Fragen?

---

[20] Emotionsskala nach Hicks

Die erste Frage holt Dich ins Hier und Jetzt. Sie macht Dich aufmerksam darauf, was und worüber Du gerade jetzt nachdenkst. Häufig macht es den Eindruck, gerade wenn Du plötzlich die Aufmerksamkeit auf Dein Denken richtest, dass Du förmlich gedacht wirst und gar nicht mehr selber denkst. Diesen komischen Zustand löst Du mit der ersten Frage auf, weil Du Dich mit dieser Frage auf Dein Denken und Deine Aufmerksamkeit fokussierst.

Die zweite Frage dient der Öffnung des Horizontes. Was solltest Du jetzt besser denken, anstatt der Gedanken, die Du mit Frage eins gerade herausgefunden hast? Wähle aus der Vielzahl der Möglichkeiten die hilfreichsten aus.

Und mit der dritten Frage programmiert Du Deinen Fokus auf Dein Ziel, denn damit kommt Dein eigener Wille ins Spiel. Du lenkst Dein Denken wieder in die richtige Richtung und damit in der Schwingungsspirale aufwärts.

Ein kleines Beispiel: Du sitzt mit Deinem Mobiltelefon auf der Couch und surfst wahllos in Deiner Facebook-Timeline, oder spielst vielleicht sogar eines dieser „süchtig-machenden" Strategiespiele.

Worauf liegt gerade Deine Aufmerksamkeit? Auf Deiner Facebook-Timeline oder dem Spiel?

Wo könnte Deine Aufmerksamkeit jetzt sein? Du könntest Dich zum Beispiel mit Neukundengewinnung oder mit der Vorbereitung auf das Gespräch mit Deinem Chef beschäftigen.

Wo möchtest Du Deine Aufmerksamkeit gerade haben? Bei Deinem Ziel! Also legst Du das Mobiltelefon zur Seite und beschäftigst Dich mit der Gesprächsvorbereitung oder der Kundenakquise.
Du wirst mit diesen Fragen immer noch in derselben Umgebung sein, da Du jedoch Deinen Fokus und Deine ganze Ausrichtung verändert hast, werden die Umstände und die Ereignisse - zeitverzögert - nachziehen. Das bedeutet, wenn Du Deine Aufmerksamkeit statt auf Deine Facebook-Timeline auf Deinen Zielzustand richtest und Aufgaben dafür erledigst, werden nach und nach Dinge in Dein Leben treten, die Deinem Zielzustand zuträglich sind. Kunden kommen womöglich auf Dich zu, das Gespräch mit Deinem Chef gelingt leicht und führt zu Deinem gewünschten Ergebnis.

Morgenroutine

Du fragst Dich sicher, wieso ich das Thema Morgenroutine an dieser Stelle anspreche. Ist doch klar, was zu tun ist: Wecker klingelt, Snooze-Taste drücken (fünf Minuten gehen noch), aufstehen, noch verschlafen ins Badezimmer wanken, Morgentoilette erledigen, Kaffee, Kaffee und noch mal Kaffee, schnell anziehen, frühstücken fällt aus, denn Du bist eh schon zu spät dran, ins Auto oder zum Bus und ab zu Arbeit.

Ich gebe zu, das ist eine Routine, gleichwohl nicht das, was ich wirklich meine. Eine echte Morgenroutine, für die es sich tatsächlich lohnt 30-45 Minuten früher aufzustehen, hat ein paar elementare Eigenschaften:

- Du hast sie festgelegt

- Du machst sie freiwillig
- Du erledigst sie jeden Tag
- Du schätzt die damit verbundenen, positiven Effekte
- Du behältst sie langfristig bei
- Sie entspricht Dir und Deinen Belangen

Die Stimmung, die Du über die Morgenroutine aufnehmen kannst, hält sich über den ganzen Tag.

Verplane am Anfang nicht so viel Zeit für die Morgenroutine, denn sich durch eine 60-Minuten-Morgenroutine zu quälen, ist eher kontraproduktiv. Vielleicht beginnst Du einfach mit einer kleinen Übung, die ich in meinem Mentoringprogramm meinen Mentees als Erstes mitgebe: Nimm Dir jeden Morgen drei bis fünf Minuten Zeit, am besten, wenn Du noch im Bett liegst, und überlege Dir drei Dinge, auf die Du Dich heute freust und für die es sich lohnt, aufzustehen. Schreibe sie am besten kurz auf.

Meine Mentees berichten schon nach wenigen Tagen, wie sich ihre Stimmung über den Tag verändert.

Zunächst ist es vielleicht eine Herausforderung aufzuschreiben, worauf Du Dich freuen kannst, wartet doch ein anspruchsvoller Arbeitstag mit viel zu viel Arbeit auf Dich.
Es sind vor allem die kleinen Dinge, die Du hier heranziehen und aufschreiben kannst, zum Beispiel der leckere Kaffee in der Mittagspause, Deine Sporteinheit

am Nachmittag, das Telefonat mit der Freundin am Abend, das entspannende Bad, und so weiter. Du wirst sehen, Dir fallen zunehmend mehr Dinge ein, auf die Du Dich freuen kannst. Meine Mentees berichten, dass sie nach einiger Zeit den Tag viel entspannter erleben und den Fokus viel mehr auf die positiven Dinge des Tages richten, als auf die negativen. Und das ist die drei bis fünf Minuten am Morgen allemal wert, findest Du nicht?

Mit Deiner Morgenroutine startest Du entspannt in den Tag. Wenn sie erst zur Gewohnheit geworden ist, fällt sie Dir auch zunehmend leichter und Du kannst sie gegebenenfalls weiter ausbauen. Mit einer guten Morgenroutine, und damit einem gelungenen Start in den Tag, lässt sich Deine Produktivität steigern und am Ende des Tages bist Du vielleicht sogar mit Deinen täglichen Aufgaben schneller fertig.

Der Sozialpsychologe Ron Friedman sagt in einem Podcast[21], dass jeder von uns lediglich drei Stunden am Tag richtig fokussiert ist. Eine Zeitspanne, in der wir gut planen und nachdenken können, sind die drei Stunden nach dem Aufstehen, weil wir durch den Schlaf einen wahren Energieschub erhalten haben. Es wäre doch eine Schande, diese energiegeladene Zeit mit Stress und Gehetze zu verplempern. Außerdem hebt eine gute Morgenroutine die Laune für den ganzen Tag und Du wirst sehen, das ist ansteckend.

---

21 Ron Friedman zu Harvard Business Review: https://hbr.org/podcast/2015/03/your-brains-ideal-schedule.html

Das Wichtigste für eine gute Morgenroutine ist, dass Du bitte keine Ausreden findest, getreu dem Motto „ich bin noch so müde" und dass Du dafür sorgst, während Deiner Morgenroutine ungestört und ohne Ablenkung zu sein und vor allem ohne Hektik. Viele erfolgreiche Menschen haben eine Morgenroutine. Doch ahme diese bitte nicht einfach nach. Die Morgenroutine sollte Deinen Bedürfnissen entsprechen und darf sich - bis Du Deine optimale Routine gefunden hast - auch durchaus verändern. Probiere das ein oder andere aus.

Du hast noch keine Idee, wie Du Deine Morgenroutine gestalten kannst? Ich gebe Dir ein paar Inspirationen und schildere Dir anschließend, wie meine Morgenroutine aussieht.

Inspirationen für die Morgenroutine (neben Deiner üblichen Morgentoilette, die ich hier unerwähnt lasse, die Du jedoch auch noch in den Zeitplan einbauen darfst):

- Direkt nach dem Aufstehen ein Glas (250 ml) lauwarmes Wasser trinken
- 15 Minuten lesen (Tageszeitung oder ein Buch)
- Meditation (siehe auch nächstes Kurzkapitel)
- Dehnübungen
- Eine Runde um den Block spazieren
- Sport - Ausdauer oder Kraft
- Tagesplanung und Vorbereitung des Tages
- ToDo-Liste füllen
- Erfolgstagebuch schreiben (wenn Du es nicht abends schreibst)
- Dankbarkeitstagebuch schreiben (wenn Du es nicht abends schreibst)

- Tasche für den Tag packen
- Tee oder Kaffee kochen
- Ausgiebig frühstücken
- Erste kleine Aufgaben erledigen
- ...

Dir fallen sicher noch mehr Dinge ein, die Dich entspannt in den Tag starten lassen. Meine Morgenroutine sieht an Arbeitstagen folgendermaßen aus:

- Aufstehen 05:15 Uhr
- 20-30 Minuten Sport (Ausdauer), das macht meinen Kopf frei
- 15 Minuten Tagesplanung: Termine sichten, ToDos aufschreiben, den Tag planen
- Morgentoilette mit ausgiebiger Dusche
- Frühstück für mich und meinen Mann zubereiten
- 20 Minuten Stille genießen, bis mein Mann zum Frühstück kommt
- Ausgiebig 30 Minuten mit Zeitung lesen und Kaffee trinken am Frühstückstisch verbringen
- 07:15 Uhr aus dem Haus gehen

Meditieren

Wusstest Du, dass wir jeden Tag etwa 60-80.000 Gedanken denken? Ich habe manchmal das Gefühl, dass ich gar nicht selbst denke, sondern „gedacht werde", bei dem ganzen Geplapper in meinem Hirn.

Pro Sekunde werden ca. elf Millionen Sinneseindrücke in unserem Gehirn verarbeitet. Davon nehmen wir jedoch nur etwa 40 (!!) bewusst wahr. Um diesem Gedankenkarussell entgegenzuwirken und Antworten auf bestimmte Fragen aus dem Unterbewusstsein in Dein Bewusstsein zu holen, ist Meditation ein erprobtes Mittel.

Wenn Du jetzt Bilder im Kopf hast, die Dich mit verknoteten Beinen auf einem Kissen sitzen lassen und die Finger in der typischen Ommm-Stellung, dann kann ich Dich beruhigen. Es lohnt sich durchaus, sich ein bisschen mit dem Thema zu befassen und für Dich das Beste daraus zu ziehen. Wenn Du Dich zunächst von der Wortherkunft näherst, kommen die Wörter „nachdenken, überlegen" aus dem lateinischen „meditatio".

So weit, so gut, nachdenken ist nie verkehrt. Die Meditation im herkömmlichen Sinne ist zwar eine religiöse Praxis mit dem Ziel, Erleuchtung zu erlangen, doch mit Nachdenken anzufangen, reicht erst einmal aus.

Unterschieden wird die aktive und die passive Meditation. Bei der aktiven Meditation ist langsame Bewegung mit im Spiel, zum Beispiel eine Geh-Meditation, bei der sehr langsam und sehr achtsam - im Kreis - gegangen wird. Die passive Meditation findet im Sitzen oder Liegen statt.

Fange mit der Meditation klein an und mit einer kurzen Dauer. Wenn Du die Ruhe des Körpers und des Geistes nicht gewöhnt bist, gibst Du sonst zu schnell auf. Es

gibt online und in den entsprechenden App-Stores zahlreiche Apps, die Dich bei der Meditation unterstützen.
Ich möchte hier nur zwei Möglichkeiten benennen, eine Atemmeditation, die abends im Bett ausgeführt auch eine prima Einschlafhilfe ist, und die Meditation mit einer Affirmation.

Zur Meditation kannst Du Dich mit gerader Wirbelsäule hinstellen oder setzen, Ablenkungen ausschalten und dafür sorgen, dass Du ungestört bist. Nutzt Du die Atemmeditation zum Einschlafen, dann kannst Du Dich selbstverständlich auch bequem hinlegen.

Zur Atemmeditation gibt es unterschiedliche Ansätze, wie zum Beispiel die 4-6-8-Methode. Sie funktioniert wie folgt: Tief - bis tief in Bauch - durch die Nase einatmen und dabei bis vier zählen, dann die Luft anhalten und dabei bis sechs zählen, langsam durch den Mund ausatmen und dabei bis acht zählen. Das ganze mindestens fünfmal wiederholen. So kannst Du auch Frust und Wut einfach weg atmen.

Meine Atemmeditation sieht ein bisschen anders aus. Während des Einatmens durch die Nase sage ich oder denke ich „Entspannung einatmen" und beim Ausatmen durch den Mund „Anspannung ausatmen". Damit beruhigt und verlangsamt sich mein Atem und ich bin sehr schnell eingeschlafen.

Wenn Dich bei der Meditation Gedanken einholen und Du plötzlich feststellst, dass Du weder weiterzählst, noch „Entspannung einatmen, Anspannung ausatmen" sagst / denkst, dann ist das überhaupt nicht schlimm und kein Grund schon wieder aufzugeben. Es zeigt Dir nur, wie sehr Deine Gedanken Dich noch beschäftigen. Lass alle Gedanken, die vorbeikommen, los und an Dir vorüberziehen, wie Wolken am Sommerhimmel, und kehre wieder zum Zählen zurück.

Für die Meditation mit Affirmationen benötigst Du eine Affirmation, also einen Satz, der Dich positiv stimmt und wie ein Glaubenssatz in Dein Unterbewusstsein dringt. Zum Beispiel „Ich bin Schöpfer meines Wohlstands" oder „Ich bin ohne Angst und Zweifel". Deiner Phantasie sind keine Grenzen gesetzt, solange der Satz positiv formuliert ist. Die Affirmation kann auch gerne wechseln.

Wiederhole während der Meditation diese Affirmation und Du wirst merken, wie der Satz Deine Emotionen beeinflusst. Das bedeutet natürlich auch im Umkehrschluss, dass Du die Affirmation an Deinen jeweiligen Gemütszustand anpassen kannst, um Dich so relativ schnell - binnen weniger Minuten - in eine andere Emotion zu bringen.

Tipps für mehr Durchhaltevermögen

Gib´ Deinem inneren Schweinehund keine Chance. Dein innerer Schweinehund ist im Grunde tatsächlich ein „gechillter" Typ, denn er schlägt immer den einfachen Weg vor. Er beharrt darauf, dass Du in Deiner Komfortzone bleibst und bloß nichts veränderst. Sein Ziel ist es, Dir ein wunderbares Gefühl zu geben. Du sollst Dich wohlbehalten und vermeintlich sicher fühlen. Ist doch eine gute Sache, oder etwa doch nicht?

Gerade, wenn Du ein großes Ziel vor Augen hast und eine berufliche oder private Veränderung anstrebst, dann darfst Du jetzt lernen, den kleinen inneren Schweinehund in seine Schranken zu weisen. Ein erster Tipp gegen den inneren Schweinehund ist es, Dir immer und immer wieder Deine persönliche Motivation klar zu machen.

Wieso hast Du Dich bis hierher auf den Weg gemacht? Was ist Deine eigene und innerste Motivation? Mache Dir diese immer wieder klar und setze Dir ein klares inneres Stoppzeichen, wenn Du Dich Sätze denken hörst, wie zum Beispiel: „Damit fange ich morgen an ..." oder „das hat Zeit bis nächste Woche... ". Solche Sätze sind erste Anzeichen, dass der innere Schweinehund erwacht, sich streckt und zur Tat schreiten möchte. Lass das nicht zu!

Zwei Faktoren begünstigen, dass Dein innerer Schweinehund wächst und gedeiht: Angst und Unlust.

Zur Unlust findest Du im Kapitel „

Stolperstein - keine Lust / keine Zeit" eine wundervolle Übung, die den inneren Schweinehund zähmt.

Du hast Angst, wenn Du an den Weg zu Deinem großen Ziel denkst?
Das ist völlig normal.

Mal hast Du Angst vor der Veränderung und was das mit Dir macht, häufig vor dem, was die Anderen - Familie, Freunde, Verwandte, Kollegen und so weiter - von Dir und Deinem Vorhaben denken könnten und nicht zuletzt hast Du womöglich auch Angst vor Deinen eigenen Erwartungen. Was passiert, wenn es nicht so klappt, wie Du es Dir vorstellst?

Du kannst jetzt natürlich vor lauter Angst Deinem inneren Schweinehund nachgeben und einfach nichts weiter unternehmen. Denn, wenn Du in Deiner jetzigen Position verharrst, brauchst Du keine Angst zu haben, dass etwas schiefgehen könnte. Du bleibst in Deiner kuscheligen, warmen und bekannten Komfortzone. Wenn Du jetzt ernsthaft darüber nachdenkst, dann ist allerdings Dein Ziel offensichtlich noch nicht groß genug.

Dabei wünschst Du Dir so sehr, dass Du Dein Ziel mit etwas Disziplin, Durchhaltewillen und Durchhaltekraft erreichen kannst!

Die folgenden Tipps unterstützen Dich dabei, Dein Durchhaltevermögen zu stärken.

Der Erfinder des Stanford-Intelligenztests Lewis Terman[22] hat nämlich sogar herausgefunden, dass Beharrlichkeit eine wesentlich größere Wirkung für den Erfolg hat, als Intelligenz. Also ist Dranbleiben der Geheimtipp, um Dein Ziel zu erreichen.

Beharrlichkeit bedeutet dabei dennoch keinesfalls, auf Teufel komm raus das Ziel zu verfolgen. Vielleicht stellst Du auf dem Weg dorthin fest, dass Dein Ziel doch ein bisschen anders gelagert ist, als ursprünglich vermutet. Dann heißt es: Ziel neu festlegen und einen neuen Weg beschreiten. Oder Du stellst fest, dass Du Dich völlig in einer fixen Idee verrannt hast, die sich als nicht umsetzbar zeigt. Dann ziehe einen Schlussstrich und überdenke Dein Ziel noch einmal völlig neu. Das sind beides keine Beinbrüche! Denke an Edison und die Glühbirne.

Ich habe nicht versagt. Ich habe nur 10.000 Wege gefunden,
die nicht funktionieren.

Thomas A. Edison

Deshalb zahlt sich Beharrlichkeit aus. Denn, wer permanent auf halber Strecke aufgibt, zahlt auch dafür einen hohen Preis und muss mit den - sich daraus ergebenden - Konsequenzen leben.

---

[22] Lewis Madison Terman (geboren am 15. Januar 1877 in Johnson County, Indiana; verstorben am 21. Dezember 1956) war US-amerikanischer Psychologe und initiierte 1921 eine Hochbegabtenstudie, die bis heute noch läuft.

Leider erwächst daraus häufig ein Gefühl des Versagens, dass sich, je öfter der Abbruch erfolgt, umso heftiger manifestiert. Dies wiederum kratzt am Selbstvertrauen und Selbstwertgefühl. Nicht zuletzt werden die Anderen Dich für unzuverlässig halten, weil Du mal wieder Deine eigenen, und die Erwartungen der anderen, unerfüllt lässt.

Menschen geben auf, weil

- das Ziel falsch ist
- der Spaß zu kurz kommt
- sie selber glauben, es nicht (mehr) zu schaffen

Punkt eins kannst Du ausschließen, es sei denn, Du hast Dich zu einem anderen Ziel entschlossen.
Um den Spaß nicht zu kurz kommen zu lassen, darfst Du Dich regelmäßig auch für kleine Etappenziele belohnen.

Selbst zu glauben, dass Du es nicht mehr schaffen kannst, ist meistens begründet durch Ungeduld, durch bereits erlebte Niederlagen oder durch Menschen aus Deinem Umfeld, die Dir Dein Ziel nicht zutrauen.

Willenskraft und Durchhaltevermögen sind wie Muskeln, die trainiert werden können. Nutze dafür all die kleinen Tipps, die Du auf den letzten Seiten schon erfahren hast. Sei zuversichtlich, dass Du Dein Ziel erreichst!

Durchhänger - was nun?

Du hast gerade einen Durchhänger und Dir fehlt die Energie Dich aufzuraffen, an Deinem Business zu arbeiten - das kommt vor. Alles scheint gerade schwer und der Tag ist noch viel zu lang, um ihn zu vergeuden und der Uhr beim Ticken zuzuschauen. Das Wichtigste ist jetzt, dass Du Dich nicht von diesem kurzfristigen Motivationsloch herunterziehen lässt. Durchhänger passieren und haben nicht immer einen akuten Auslöser, wie viele glauben, die beispielsweise montags am späten Vormittag in das Montagsloch fallen. Stelle Dir die Frage, woran der Durchhänger liegen könnte.

Hast Du möglicherweise in der letzten Woche alles gegeben und das Wochenende durchgearbeitet? Dabei ist es unerheblich, ob Dir die Arbeit an Deinem Business Spaß gemacht hat oder nicht. Wir benötigen Ruhephasen, in denen wir uns körperlich und geistig erholen können. Mit einem Durchhänger zeigt uns unser Körper nur, dass eine Entspannungsphase dringend Not tut, damit wir für unser weiteres Vorhaben wieder Energie und Tatendrang entwickeln können. Vielleicht liegt auch eine Aufgabe vor Dir, die Dir beim bloßen daran denken schon die Haare zu Berge stehen lässt, weil sie zu schwer oder zu unangenehm erscheint. Dann schau noch mal bei „I wie ins Tun kommen" im Unterkapitel „Eat the Frog".

Tue Dir selber den Gefallen und ignoriere diesen Durchhänger nicht. Viel wichtiger ist es, dass Du Dir Strategien überlegst, aus solchen Durchhängern wieder schnell herauszukommen, um Deine ganze Kraft und Energie wieder auf Dein Projekt, Dein großes Ziel fokussieren zu können.

Das einfachste gegen Durchhänger ist jetzt eine Pause, die Dich ablenkt. Also, lass Dein Projekt liegen und falls Du am Computer gearbeitet hast, mach den Computer aus und verschaffe Dir eine Ablenkung.

Auch wenn Dir Dein Projekt großen Spaß macht, kannst Du nicht acht und mehr Stunden völlig ohne Unterbrechung daran arbeiten. Dein Körper signalisiert Dir das dann schon entsprechend. Wenn Du kannst, mach ein Nickerchen oder, wie es Neudeutsch heißt, einen Powernap. Wichtig ist dabei, nicht fest einzuschlafen. Auch dafür habe ich einen Tipp, der ein bisschen Übung braucht:

Nimm eine bequeme Sitzhaltung ein und stütze Deine Arme auf Deinen Knien auf, sodass Deine Hände locker zwischen den Knien hängen können. In eine der beiden Hände nimmst Du nun Deinen Schlüsselbund. Das Gleiche funktioniert übrigens auch, wenn Du die Möglichkeit hast, Dich hinzulegen und die Hand, die den Schlüsselbund hält, einfach locker über den Rand Deines Bettes oder der Couch hängen lässt. Du fragst Dich sicher schon, was das mit dem Schlüsselbund zu tun hat?

Kurz bevor wir in die Tiefschlafphase kommen, und das solltest Du für den Powernap und Dein Wohlbefinden danach vermeiden, entspannen wir nochmals unsere Muskeln. Das führt dazu, dass Du den Schlüsselbund fallen lässt, durch das Geräusch automatisch aufwachst und den Powernap beendest. Wenn der Untergrund zu weich ist und der aufschlagende Schlüsselbund nicht laut genug ist, kannst Du Dir mit einer Plastik- oder Glasschüssel helfen und sie dort auf den Boden stellen, wo der Schlüssel aufschlagen wird. Der Powernap dauert mit diesem Trick nicht länger als 25 Minuten.

Wenn Dir wegen des Durchhängers die Motivation sowieso gerade fehlt, kannst Du Dich auch einmal mit komplett anderen Dingen beschäftigen, die sowieso getan werden müssten: Aufräumen!

Ein Mittel, das zweierlei mit sich bringt. In einem aufgeräumten Zimmer oder mit einem aufgeräumten Schreibtisch, arbeitet es sich besser und als zweites genießt Du die Freude am Anblick des aufgeräumten Zimmers oder Schreibtisches - Du wirst sehen, das gibt Dir einen Motivationsschub der Extraklasse!

Also nimm Dir Deinen Schreibtisch vor und räume zunächst alles von Deinem Schreibtisch ab, was nicht zwingend zu Deinen Schreibutensilien gehört. Es spricht nichts gegen ein Bild Deines Partners, der Eltern oder der Kinder auf Deinem Schreibtisch. Ich meine eher den ganzen anderen Kleinkram, den Du unbedacht auf dem Schreibtisch abgelegt hast. Und damit es jetzt nicht in einer anderen Ecke im Haus eine „Krimskrams-Ecke" gibt: Räume die Sachen gleich ordentlich weg oder entsorge sie.

Im nächsten Schritt nimmst Du Dir alle Papiere, die unsortiert auf Deinem Schreibtisch liegen vor: ungeöffnete und geöffnete Post, unbezahlte und bezahlte Rechnungen, die Notizzettel, die Du geschrieben hast, und so weiter. Sortiere die erledigten Belege weg, schaue Deine Post durch und wenn Du einen Vorgang jetzt nicht erledigen willst, dann sortiere die Post in entsprechende Stapel und lege Sie in Postkörbchen ab. Am besten schreibst Du Dir auch gleich einen Termin in Deinen Kalender, wann Du die Stapel abarbeiten möchtest. Wenn Das geschehen ist, solltest Du einen blitzeblanken Schreibtisch haben, an den Du Dich gerne setzt und arbeitest.

Lächle Deinen Durchhänger weg!
Das macht nicht nur gute Laune, sondern hebt auch die Motivation, wieder loszulegen. Zur Verstärkung sind auch hier wieder positive Affirmationen hilfreich.

Was Dich wirklich anspornt

Für mangelnde Motivation gibt es unterschiedliche Gründe. Du siehst vielleicht nur die Belohnung und Dein großes Ziel und vergisst momentan dabei, dass der Weg dorthin erledigt werden will. Möglicherweise besteht er aus Tätigkeiten, die Dir nichts bedeuten oder die Dir zuwider sind. Vielleicht gehören dazu, das chronologische Sortieren von Belegen, die Buchhaltung, die zähe und manchmal frustrierende Suche nach Interessenten oder Kunden. Wenn Du überlegst, fallen Dir sicher noch mehr Aufgaben ein, die Dir keinen Spaß machen, die jedoch erledigt werden wollen. Bei so viel Aufgaben und To-Dos, da erstickt selbst die beste Motivation, hinsichtlich des großen Ziels, im Keim. Was dahinter steckt, ist das „Wenn-Dann-Denken":

- Wenn ich erstmal den neuen Traumjob habe, bin ich zufriedener
- Wenn ich erst so und so viel Kunden habe, dann bin ich motivierter
- Wenn ich dieses oder jenes erreicht habe, bin ich glücklicher
- ...

Leider steckt hinter diesen Annahmen eine Menge Selbstbetrug, denn es handelt sich um externe Motivatoren, die uns zusätzlich auch noch abhängig machen. Der neue Traumjob reicht dann plötzlich nicht mehr aus, um wirklich glücklich zu sein, oder die X Kunden sind für eine dauerhafte Motivation doch viel zu wenig.

Wenn das nächste Ziel erreicht ist, bist Du nicht wirklich glücklicher, weil sich herausgestellt hat, dass es nur ein Etappenziel war und das nächste Ziel schon erreicht werden möchte.

Wenn die Motivation nicht aus dem Innen kommt, musst Du die Dosis immer weiter erhöhen, um zum einen den Anreiz zu schaffen und zum anderen für kurze Zeit glücklicher, motivierter oder zufriedener zu sein. Hört sich an, wie bei einer Droge, oder? Immer mehr und mehr ...

Was Dich wirklich antreibt, sind stattdessen

- **Selbstständigkeit und Unabhängigkeit**
  Solange Du das Gefühl hast, fremdbestimmt zu sein und nur der Erfüller der Wünsche oder Bedingungen anderer, wird sich in Dir ein Gefühl der Ohnmacht breit machen.
  Nur wenn Du in wesentlichen Bereichen Dein Leben und damit Deine Ausrichtung selbst bestimmen und lenken kannst, bedeutet dies persönliche Freiheit, Souveränität und damit einen hohen Grad an Motivation, der aus Dir selbst kommt. Darin liegt auch ein hoher Grad an Selbstverantwortung, denn in der Unabhängigkeit darfst Du umso mehr Verantwortung dafür übernehmen,

was Du tust und vor allem auch für das, was Du nicht tust. Wenn Du Dich also entscheidest keine Kundenakquise zu betreiben, dann darfst Du auch nicht jammern, wenn in wenigen Wochen keine neuen Kunden mehr da sind und das Geld zu Ende geht.

- **Meisterschaft in Deinem Thema**

Ich weiß nicht, wie es Dir geht, ich hatte immer großen Spaß am Lernen ganz allgemein und im Besonderen bei Themen, die mich sehr interessiert haben. So habe ich in verschiedenen Bereichen immer mehr gelernt und wurde damit auch immer besser in meinem Tun. Du kennst das sicher auch.
Und je besser Du wirst, umso höher ist die Motivation und umso mehr tust Du in diesem Bereich. So dreht sich Dein Motivationsrad quasi von ganz alleine und treibt sich wie von selbst an. Funktionieren kann das nur, wenn Dir diese Tätigkeit etwas bedeutet. Wirst Du zu einer Aufgabe oder Tätigkeit gezwungen, funktioniert dieses Motivations-Schwung-Rad nicht.

Ich sollte als Kind beispielsweise unbedingt ein Instrument lernen, weil das für meine Eltern zu einer guten Ausbildung einfach dazu gehörte. Weil meine beste Freundin damals Klavier lernte, wollte ich das natürlich auch. Meine Eltern waren da anderer Meinung, denn, wenn ich Klavier lernte, sei ich zum Spielen immer davon abhängig, dass auch ein Klavier vorhanden sei. Viel besser sei da ein Instrument, das ich mitnehmen könne. Und wenn es denn ein Tasteninstrument sein sollte, warum nicht ein Akkordeon. So lernte ich also, auf expliziten Wunsch meiner Eltern, Akkordeon, quälte mich jeden Tag durch die 30 Minuten, die ich üben sollte, ging mit Widerwillen zum Unterricht und spielte mit Abneigung im Orchester. Jetzt steht das Instrument seit vielen Jahren ungenutzt rum. Meisterschaft habe ich, trotz der sieben Jahre Unterricht und täglichen Übens, nie erlangt.

Was ich daraus gelernt habe: Wenn Dir Dinge keinen Spaß machen, dann hör auf, sie zu tun!

Wenn Du Aufgaben nur mit Qual und Widerwillen erledigst, dann überlege Dir, ob es jemanden gibt, der das möglicherweise viel besser kann als Du und der eventuell sogar Spaß daran hat.

- **Sinnhaftigkeit, in dem, was wir tun**
  Wenn Du in Deiner jetzigen Position feststeckst und täglich Arbeiten verrichtest, die Dir zum einen nichts bedeuten und Dir andererseits auch gar nicht klar ist, wofür das gut ist, was Du tust, dann ist das ein echter Motivationskiller. Erkennst Du hingegen in Deiner Arbeit eine gewisse Sinnhaftigkeit und ist das, was Du tust etwas, das beispielsweise die Welt verbessert oder das Miteinander positiv verändert oder bist Du von den Produkten überzeugt, die ein Problem des Kunden lösen, dann ist auch das eine Motivationsspritze.

Kurzum: Das, was Du tust, muss eine Bedeutung für Dich haben. Und die Betonung liegt hier eindeutig auf „für DICH". Wenn die Bedeutung für jemand anderen da ist, zum Beispiel für Deinen Chef, dann ist das Deiner Motivation nicht zuträglich. Frage Dich also bei der Umsetzung hin zu Deinem großen Ziel, was Dir wirklich wichtig ist. Erkenne den Mehrwert dessen, was Du tust! Dann kommen Engagement, Einsatz und Freude, gepaart mit Kreativität und Spaß, ganz von alleine.

Wie erkennst Du nun die Sinnhaftigkeit oder den Wert an Deiner Aufgabe oder Tätigkeit?

Hierzu habe ich eine kleine Übung für Dich: Nimm Dir aus Deinem privaten Bereich oder auch aus dem beruflichen Kontext ein bis zwei Situationen aus der Vergangenheit und betrachte diese Situationen genau. Was gibt es zu sehen, wer war vielleicht beteiligt, wo hat die Situation stattgefunden. Vielleicht spürst Du zunächst auch noch einmal genau dort hinein. Welche Emotionen waren vielleicht daran beteiligt, wie hast Du Dich gefühlt?

Danach stellst Du Dir folgende Fragen:

- Welchen positiven Beitrag leistest Du für Andere?
- Welchen Unterschied macht Dein Tun und Handeln für Dein Umfeld, vielleicht sogar für diese Welt?
- Was haben andere davon, dass es Dich und Deine Qualitäten gibt?
- Wo, für wen und wie wirkt sich Dein Tun positiv aus?

Diese Fragen kannst Du auch in die Zukunft projizieren und auf Dein Herzensbusiness oder Deinen Zielzustand anwenden:

- Welchen positiven Beitrag wirst Du leisten für Andere, wenn Du Deinen Zielzustand erreicht hast?

- Welchen Unterschied wird Dein Tun und Handeln für Dein Umfeld oder sogar für die Welt haben, wenn Du Deinen Zielzustand erreicht hast?

- Was werden andere davon haben, wenn Du Dein Ziel erreicht hast?

- Wo, für wen und wie wird sich Dein neues Tun positiv auswirken, wenn Du Dein Ziel erreicht hast?

Wenn Du den Sinn alleine nicht erkennen kannst, dann tausche Dich gerne mit Deinem Partner oder Deiner besten Freundin / Deinem besten Freund aus.

Sind alle drei Motivationsbooster vereint, dann steht Deiner Selbstmotivation und der Umsetzung Deiner Ziele nichts mehr im Weg.
Jetzt noch ein paar Tipps für die Durststrecken, wenn es mal mit der Selbstmotivation nicht so gut klappt:

- Stelle Dir immer wieder Deinen Erfolg vor, der nach getaner Aufgabe auf Dich wartet.

- Fühle immer wieder hinein, wie sich Dein Ziel, wenn es erreicht ist, anfühlt.

- Notiere alle Anreize und Motivatoren für eine Aufgabe und für Dein Ziel einzeln auf kleinen Karteikarten. Jeden Tag stellst Du Dir ein Kärtchen in Dein Sichtfeld, wo Du es immer wieder sehen und lesen kannst.

- Mache Dir die Konsequenzen klar, wenn Du die Aufgabe nicht erfüllst. Für manche Menschen ist Angst ein Motivator. Zwar kein schöner, aber auch das kann funktionieren, probiere es aus.

- Setze Dir für die jeweilige Aufgabe einen Termin, an dem sie fertiggestellt sein sollte. Manche Menschen werden durch Zeitdruck motiviert. Schon manche Deadline hat für enorme Produktivität gesorgt.

- Sorge dafür, dass Du Dich nicht überlastest. Wenn jeden Abend Aufgaben übrigbleiben, die Du nicht geschafft hast, dann demotiviert das eher, vor allem wenn Du fast jeden Morgen an einen immer noch vollen Schreibtisch zurückkehrst.

- Räume Deinen Arbeitsplatz abends auf. Dann kehrst Du am nächsten Morgen an einen leeren Schreibtisch zurück und kannst voller Tatendrang starten, ohne Dir erst Platz schaffen zu müssen.

- Trenne Dich von Demotivatoren. Erstelle eine Liste von Dingen, die Dich demotivieren und schaffe sie sukzessive ab.

Das kann zum Beispiel eine negative Umgebung sein. Vielleicht stellst Du fest, dass Du in einem Co-Working-Space oder im nahegelegenen Café besser arbeiten kannst, als zu Hause.
Das können negativ eingestellte Menschen sein. Dann vermindere den Kontakt oder setze ihn vorübergehend ganz aus.
Schlechtes Zeitmanagement kann ebenso ein Demotivator sein. Wenn Du abends immer wieder vor einer langen Todo-Liste sitzt, die Du nicht geschafft hast, dann ist es an der Zeit, Dein Zeitmanagement zu überprüfen oder Deine zu hoch gelegte Anforderung an Dich selbst.

Du findest sicher heraus, was Dich demotiviert und vor allem auch, wie Du genau das abschaffen kannst.

Tricks zur Motivationssteigerung

- Hintergrundfarbe des Monitors
  Laut einer Studie an der Universität von British Columbia, geführt von Ravi Mehta und Rui Zu[23] erhöht ein roter Bildschirmhintergrund die Aufmerksamkeit, wohingegen ein blauer Hintergrund eher Sicherheit vermittelt und uns unbewusst mutigere Entscheidungen treffen lässt. Wähle aus, was Du momentan benötigst und stelle die Farbe Deines Bildschirms entsprechend ein

[23] Wie der Hintergrund die Leistung beeinflusst: https://bit.ly/33O1qVm

oder wähle ein Bild als Hintergrund, in dem die genannten Farben vorherrschen.

- Soziale Kontrolle
  Erzähle wohlgesonnenen Menschen von Deinem Vorhaben und stelle ihnen Deine Ziele vor. Damit begibst Du Dich automatisch in die soziale Kontrolle und das spornt an.

  Das ist ähnlich wie im Fitnessstudio: unter der Beobachtung der anderen Menschen dort mobilisierst Du noch mehr Kraftreserven, weil Du Dich ja nicht blamieren möchtest. In Deinem Fall erhältst Du den unterbewussten Ansporn, Dein Ziel erreichen zu wollen.

- Natur
  Gehe regelmäßig in die Natur, denn die Bewegung in der Natur sorgt dafür, dass unsere Gedanken frei werden. Sport hat einen ähnlichen Effekt und am besten verbindest Du beides miteinander. Vor allem, wenn Du in einem Thema feststeckst, ist ein Spaziergang in der Natur ein wahres Wundermittel. Dabei können Dir plötzlich die besten Ideen kommen.

- Denke an Deine Endlichkeit
  Der Gedanke an den Tod macht in der Regel erst mal Angst. Wenn Du Dir jedoch klarmachst, welchen Fußabdruck Du auf der Welt hinterlassen möchtest und was einmal über Dich erzählt werden soll, zum Beispiel bei Deiner Grabrede, dann kann das ein Motivator sein, die Dinge voranzutreiben und

vor allem die gesetzten Prioritäten nochmals zu überdenken. Ein Sprichwort sagt:

Wir alle haben zwei Leben. Das Zweite beginnt, wenn wir realisieren, dass wir nur eins haben.

Tom Hiddleston

Neben all den Tipps und Tricks zur Motivation, Selbstmotivation und gegen Durchhänger ist auch immer wieder ratsam, Dir Deine Erfolgs- und Fähigkeitenliste zur Hand nehmen. Schau Dir an, was Du alles kannst und was Du schon alles erreicht hast. Ich kann es nicht oft genug wiederholen.

Meine Botschaft an Dich ist: „Tue das, was Dein Herz Dir sagt! Und bleibe am Ball!" Arbeit sollte keine Quälerei sein, sondern Spaß machen. Wenn Du Deine Berufung gefunden hast, dann tue alles dafür, diese auszuleben. Scheue Dich nicht davor, Veränderungen anzugehen und zuzulassen. Jeder einzelne von uns ist einzigartig und wundervoll und trägt so viel wunderbare Dinge in sich, die geweckt werden müssen. Lasse Veränderungen zu – Du kannst nur gewinnen!

Einschränkende Glaubenssätze

Wenn Du einmal die Entscheidung getroffen hast und Dich Deinem Ziel voll und ganz hingibst, dann wirst Du feststellen, dass Du vor allem auf Dein Verhalten schauen musst. Du darfst wohlwollend auf Dein Umfeld und Deine Mitmenschen schauen. Du wirst Dich aufgrund Deines großen Ziels zwangsläufig in Deinem Verhalten verändern, gehst vielleicht nicht mehr mit Freunden weg, sondern arbeitest stattdessen noch abends und am Wochenende an Deinem Ziel. Diese Veränderung nimmt Dein Umfeld ebenfalls wahr und reagiert darauf vielleicht anders, als Du erwartest. Das bedeutet für Dich dennoch keinen Kampf oder Überzeugungsarbeit, sondern einen wertschätzenden und wohlwollenden Umgang mit dem Gegenüber. Erkläre genau, was Du tust und wohin Du willst. Sorge für Verständnis und Unterstützung, wenn das geht, sonst für Zurückhaltung und möglicherweise darf die Freundschaft auch einfach einmal ruhen.

Es wird auch Zeitpunkte geben, an denen Dein Vorhaben stockt und alle Strategien gegen Motivationslöcher und Durchhänger nicht helfen. Zeiten, in denen Du Dich womöglich fragst „Wozu das alles?" Dann empfehle ich Dir, zuerst noch einmal zurückzugehen zum Kapitel Standortbestimmung. Prüfe nochmals für Dich, ob das Ziel im Zielzustand groß genug? Ist es wirklich das, was Du erreichen möchtest?

Und prüfe, ob Dein „Warum" groß genug ist. Sowohl in der Rückschau - weil Du aus der jetzigen Situation rauswillst - als auch in der Zukunft, warum willst Du tun, was Du tun willst?
Spüre auch noch einmal in den Schmerz hinein, den es mit sich bringt, wenn Du fortan nichts an Deiner bisherigen Situation änderst. Ich wiederhole das hier noch

einmal, denn alle diese Punkte sind immens wichtig für Deinen Fortschritt in Richtung Ziel.

Natürlich kann Dir auch immer mal wieder ein einschränkender Glaubenssatz einen Strich durch die Rechnung machen. Da hörst Du plötzlich jemanden über Dich sagen: „Das schafft die sowieso nicht!" oder Familie und Freunde beginnen an Dir zu zweifeln: „Bist Du sicher, dass Du das kannst?"

Da hindern Dich alte Glaubenssätze über Geld oder Erfolg daran, Deine Dienstleistung hochpreisig zu machen, oder, oder, oder.

Meine Empfehlung an dieser Stelle für Dich ist, Dir unbedingt professionelle Hilfe zu holen, wenn Du das Gefühl hast, dass Du es nicht alleine lösen kannst. Auch ich habe einen Mentor und Coach an meiner Seite, der mir immer wieder helfend unter die Arme greift.
ACHTUNG, Glaubenssatz: Du „kannst das Auto nicht anschieben, in dem Du sitzt". Das bedeutet, dass Du Dich nicht selbst von einschränkenden Glaubenssätzen befreien kannst, insbesondere, wenn diese unbewusst wirken, was sie meist tun.

In den letzten Kapiteln hast Du jetzt schon mehrfach von einschränkenden oder limitierenden Glaubenssätzen gehört. Was sind das denn nun: Glaubenssätze?
Glaubenssätze sind Leitplanken, die Du von Deinem unmittelbaren Umfeld bekommst, in der Regel von den Eltern oder Erziehungsberechtigten oder engen Verwandten und Freunden. Manchmal spielt auch die Grundschullehrerin eine Rolle. Es sind also die Menschen, die Du im Alter zwischen Geburt und sieben Jahren um

Dich hattest. In diesem Alter - auch Prägephase genannt - nehmen wir alle Ereignisse, Gefühle, Bilder, Geräusche, Gerüche und Geschmäcker in uns auf. In der folgenden Phase, etwa bis zum 13. Lebensjahr, ahmen wir vor allem unsere Eltern nach und Personen, die wir mögen und bewundern, zum Beispiel Lehrer, Onkel und Tanten. Nach dem 13. Lebensjahr werden unsere Glaubenssysteme und Wertvorstellungen gebildet und gefestigt.

In der frühen Präge- und Modellierphase wird Dir gesagt, was Du darfst und was Du nicht darfst, was Du kannst und was Du nicht kannst. Da fallen vielleicht Sätze wie „dafür bist Du noch zu klein" oder „lass das mal Deinen großen Bruder machen". „Dafür bist Du zu dick", „...zu dünn", „...zu irgendwas" und weil Du so ein Urvertrauen in die Menschen hast, die Dir nahestehen, vor allem die Eltern oder Erziehungsberechtigten, glaubst Du diese Sätze ungeprüft.

Wieso solltest Du auch daran zweifeln, erlebst Du Deine Eltern doch als fürsorglich und umsorgend. Sie füttern Dich, geben Dir zu trinken, Du hast ein Dach über dem Kopf, Spielzeug und alles was Du brauchst. Wieso sollte das, was sie sagen, also falsch sein?

Deine einschränkenden Glaubenssätze werden im späteren Leben zusätzlich durch Deine persönlichen Erfahrungen gebildet. Wenn immer gleiche Handlungen zu immer gleichen Ergebnissen führen. Wenn Du zum Beispiel immer wieder an Partner gerätst, die Dich schlecht behandeln, dann kann daraus der Glaubenssatz „alle Männer behandeln mich schlecht" werden.

Du siehst schon am Wort „alle", dass Glaubenssätze auch Verallgemeinerungen sind. In der nachfolgenden Grafik findest Du eine Übersicht, von wem wir alles Glaubenssätze übernehmen.

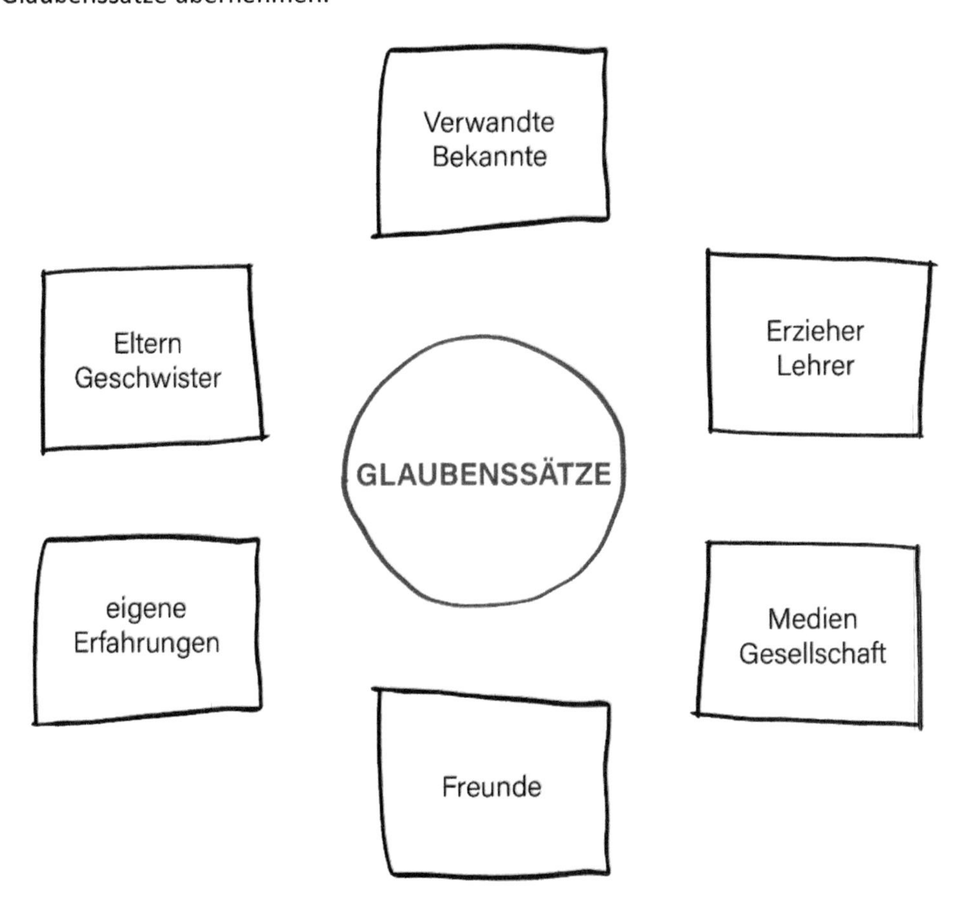

Laut einer Studie der Harvard Universität hören Jugendliche bis zu ihrem 18. Lebensjahr etwa 180.000 einschränkende Glaubenssätze und Jeder von uns sagt sich heute noch 22 von diesen Glaubenssätzen pro Tag.

Das glaubst Du nicht?

Dann höre Dir gerne mal über den Tag beim Denken oder Reden zu.

Was sagst Du zu Dir oder denkst Du über Dich, wenn Dir in der Küche ein Glas herunterfällt und auf dem Küchenboden zerschellt?

Entschlüpfen Dir dann so Sätze wie „Du dusselige Kuh" oder „Boah, bist Du blöd", vielleicht auch „Du Depp"?

Wäre es nicht viel liebevoller und wohlwollender zu sagen: „Oh, Scherben bringen Glück!" oder „Oh, wie praktisch, ich wollte sowieso neue Gläser kaufen!", statt Dich zu verurteilen und Dich niederzumachen?

Was machen jetzt diese Glaubenssätze mit Dir?

Die folgende Grafik kann Dir das verdeutlichen:

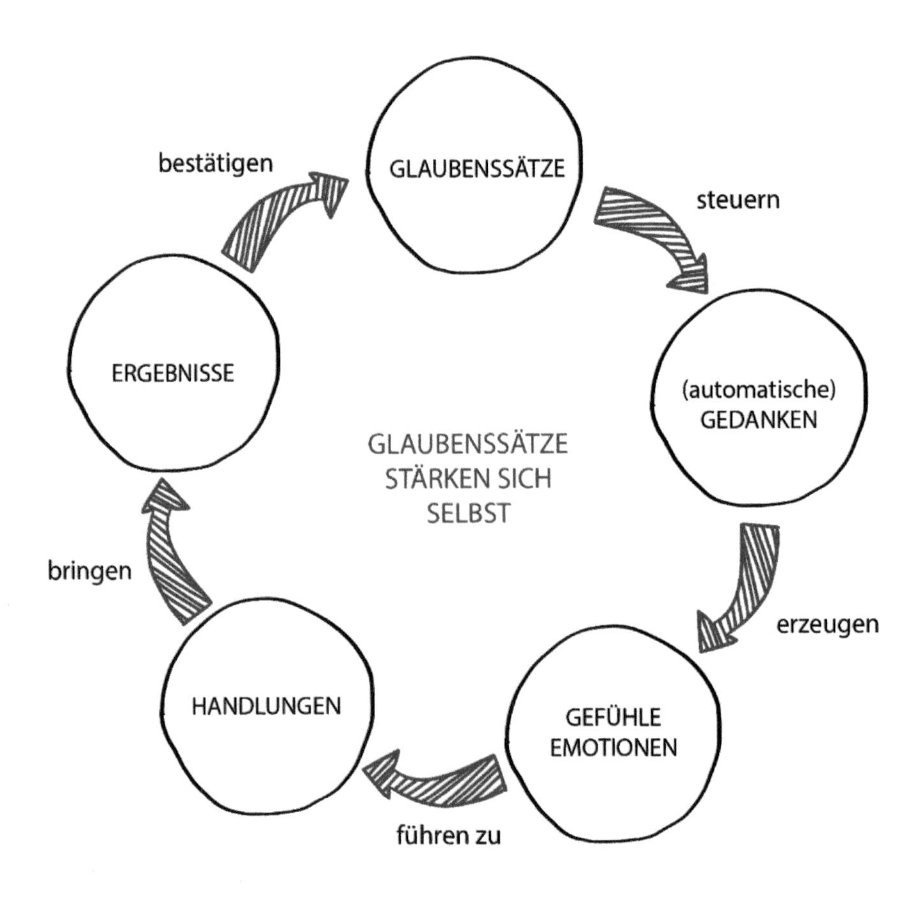

Deine Glaubenssätze steuern unbewusst Deine Gedanken. Wenn Du im Unterbewusstsein also „weißt", dass Du keine zweite Karriere starten kannst, weil Du zu alt dafür bist, dann verschwendest Du relativ wenig Gedanken an eine mögliche Umsetzung. Stattdessen denkst Du, dass es sowieso zwecklos ist, denn Du bist ja zu alt. Diese Gedanken erzeugen jetzt in Dir Gefühle und Emotionen. Du fühlst Dich alt und zu nichts mehr nutze. Am besten fällst Du also nicht mehr groß auf, um den alten Job zu behalten. Was soll denn passieren, wenn Du plötzlich gekündigt wirst, dann kriegst Du sowieso keine Stelle mehr, denn Du bist ja zu alt. Ein Teufelskreis. Diese Gefühle und Emotionen führen dann zu entsprechenden Handlungen:

Du hältst die Füße im Job still, damit Du nicht angreifbar wirst. Du erledigst die Arbeit, die sowieso schon zu viel ist, weiterhin klaglos und beschwerst Dich auch nicht, wenn Dir noch mehr auf den Schreibtisch gelegt wird.

Diese Handlungen führen zu Ergebnissen: Du schleppst Dich Tag für Tag zu Deiner Arbeit und brichst unter der Last fast zusammen. Du fühlst Dich erschöpft, die Wochenenden sind für Erholung viel zu kurz. Kurzum, Du fühlst Dich alt und verbraucht und bestätigst damit Deinen eigenen Glaubenssatz „Ich bin zu alt".

Du siehst also, dass Dein Glaube „ich bin zu alt" Deine Körperfunktionen beeinflussen kann, weil Dein Körper darauf reagiert, was Du glaubst.

Und wenn sich Dein Glaubenssatz auf diese Weise einige Male bestätigt hat, dann bist Du auch nicht mehr bereit, eventuelle Ausnahmen zu erkennen. Du ignorierst sie, blendest sie aus oder hältst sie gar für falsch. Das gilt im negativen und auch im positiven Sinne.

DU BEKOMMST, WAS DU DENKST!

In der Literatur findest Du hinreichend Geschichten zu Glaubenssätzen. Ich beschränke mich hier auf eine aus dem Schulsystem, die bezeichnend ist: Der sogenannte Pygmalion-Effekt[24]. Die Psychologen Rosenthal und Jacobsen gaben im Jahr 1968 Schülern einer Grundschule einen Intelligenztest zur Bearbeitung. Den Lehrern dieser Kinder wurde erklärt, dass mit diesem Test herausgefunden werden kann, wie die intellektuelle Entwicklung des Kindes zukünftig sein wird. Die Lehrer hatten dadurch die Erwartungshaltung, dass sich diese Kinder in Zukunft verbessern würden. Von allen Grundschulkindern wurden nun per Zufallsprinzip 20 % ausgewählt. Den Lehrern wurde zu diesen Kindern mitgeteilt, dass sie wohl im nächsten Jahr außergewöhnliche Zuwächse in ihren Leistungen zeigen würden. Doch tatsächlich waren diese Kinder genauso gut oder schlecht wie alle anderen.

Als nach einem Jahr eine Nachtestung der Kinder stattfand, stellte sich heraus, dass die vorher benannten Kinder signifikant größere Zuwächse beim Intelligenztest aufwiesen, als die anderen Kinder. Die Erwartungshaltung der Lehrer hatte sich offenbar auf die Schüler ausgewirkt. Vielleicht wurden sie von den Lehrern auch unterbewusst anders behandelt, mehr gefördert?

Wie Du schon bemerkt hast, sind Deine Glaubenssätze immer mit Emotionen und emotionalen Reaktionen verbunden. Die meisten Folgen und Reaktionen von Glaubenssätzen lassen sich in diese Kategorien einreihen:

---

[24] Mehr zur Erläuterung findest Du hier
https://de.wikipedia.org/wiki/Pygmalion-Effekt

- Hoffnungslosigkeit: Das gewünschte Ergebnis ist unerreichbar

- Hilflosigkeit: Das gewünschte Ergebnis ist von Dir nicht erreichbar (andere können das)

- Wertlosigkeit: Du hast das gewünschte Ziel nicht verdient

- Bedeutungslosigkeit: Das gewünschte Ziel hat für die anderen keinerlei Bedeutung

- Sinnlosigkeit: Dein Leben ist sinnlos, wieso solltest Du also noch ein Ergebnis anstreben

Deine negativen Glaubenssätze stehen Dir also möglicherweise bei der Erreichung Deines Ziels mächtig im Weg und das Fatale daran ist, dass Du sie möglicherweise gar nicht wirklich kennst, weil sie in Deinem Unterbewusstsein schlummern, während Dein Geist immer schön dafür Sorge trägt, dass diese Glaubenssätze bestätigt werden.

Ich gebe Dir auch hierfür gerne ein kurzes Beispiel: Als Kind hast Du von Deinen Eltern häufig den Spruch gehört „Geld macht nicht glücklich". Über die Jahre ist dieser Satz in Dein Unterbewusstsein gesunken und dort fest verankert. Als Erwachsener versuchst Du nun, mit Deinem neuen Business (erfolg-)reich zu werden und stellst immer wieder fest, dass es nicht funktioniert. Warum ist das so?

Der verankerte Glaubenssatz hindert Dich daran. Er beeinflusst unterbewusst Dein Verhalten. So kommt es beispielsweise vor, dass Du Menschen in Deinem Umfeld hilfst, ohne dafür Geld zu verlangen, Du traust Dich nicht, Deine Dienstleistung hochpreisig zu verkaufen, weil Du aus Deiner unterbewussten Angst heraus, dass „Geld nicht glücklich macht", hohe Preise für Dich und Deine Dienstleistung ablehnst, schließlich möchtest Du nicht unglücklich sein. Du bestätigst also mal wieder Deinen eigenen Glaubenssatz!

Und wenn dann tatsächlich ein hochpreisiger Auftrag reinkommt, dann freust Du Dich nicht darüber, denn Du weißt ja, das Geld nicht glücklich macht, sondern Du hast eher noch ein schlechtes Gewissen. Und schon wieder ist Dein Glaubenssatz „Geld macht nicht glücklich" bestätigt. Dies ist eine immerwährende Schleife, wie die nächste Grafik zeigt, die von Dir durchbrochen werden darf.

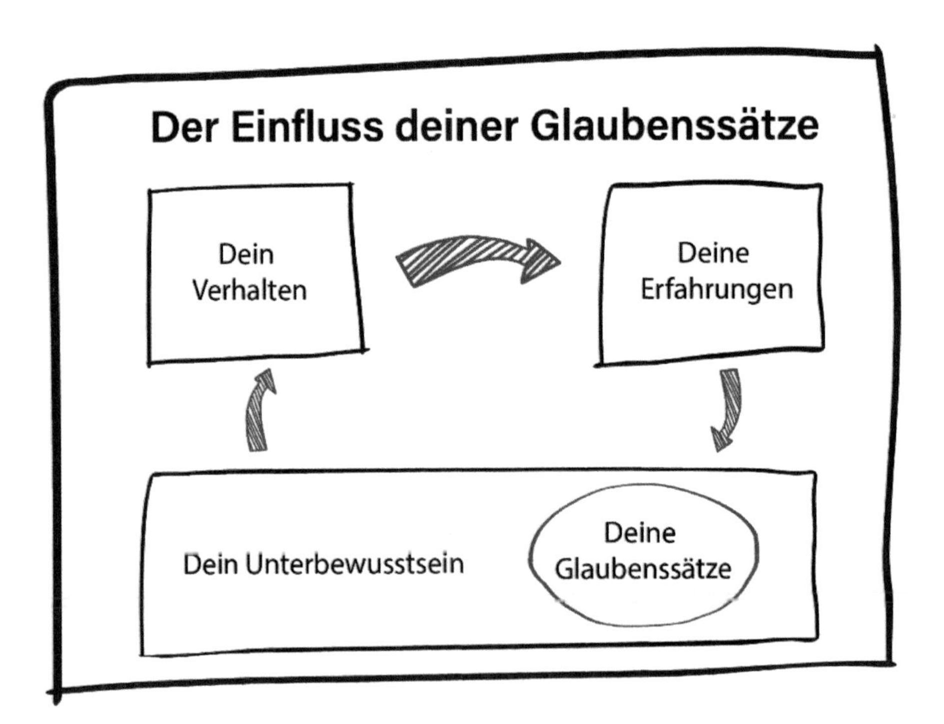

Du kannst Dir sicher vorstellen, was es mit Dir macht, wenn Du mehr als nur einen limitierenden Glaubenssatz in Dir trägst - so, wie die meisten von uns. Da Dein Geist Dir Deinen Glaubenssatz immer wieder beweist, wirst Du immer wieder Gelegenheiten erleben, bei denen Du scheiterst oder nicht vorwärtskommst. Im schlimmsten Fall bist Du versucht aufzugeben. Doch genau das darf nicht passieren!

Du bist auf einem wundervollen Weg. Wäre es nicht lohnenswert, Dich von Deinen alten Überzeugungen zu trennen und limitierende Glaubenssätze in wundervolle neue Sätze zu wandeln, die all Deine Großartigkeit ans Licht bringen?

Doch zurück zu unserem Beispiel „ich bin zu alt". Entscheidend ist herauszufinden, was der tatsächliche Glaubenssatz ist, der hinter dem Satz „ich bin zu alt" steckt. Häufig kommen in meiner Arbeit mit den Coachees noch ganz andere Sätze zutage. Für Dich ist es vielleicht auch eine Herausforderung quasi „hinter die Kulissen" zu blicken und der Einschränkung wirklich auf den Grund zu gehen. Den wahren Glaubenssatz zu finden, und ihn dann auszusprechen, nimmt in der Coaching-Arbeit häufig mehr Zeit ein, als ihn anschließend aufzulösen. Einen Coachee oder Mentee zu motivieren, den Satz „Ich bin ein Looser", der mit hoher Emotion verbunden ist, auszusprechen, ist ein gutes Stück des Weges und schwer für den Coachee. Wenn Du Dir einen solchen tiefgreifenden Satz selbst eingestehen musst und aussprichst, wird er plötzlich Deine Realität. Die ganze Ausweglosigkeit, die damit verbunden ist, und die Einschränkungen, die dieser Satz mit sich bringt, treten plötzlich zutage.

Bisher konntest Du Dich vielleicht immer noch daran vorbeidrücken und pfeifend wegschauen. Das Entdecken eines solchen Glaubenssatzes ist schon einmal der halbe Weg. Einschränkende Glaubenssätze zu finden und herauszuarbeiten bedeutet manchmal jedoch auch, ziemliche Umwege zu gehen. Da ist es für den Coachee leichter, das Erarbeiten nicht direkt aus der eigenen, der Ich-Perspektive aus vorzunehmen, sondern im Gespräch erstmal über eine dritte Person, zum Beispiel die beste Freundin zu sprechen: „Stell Dir vor, Du hättest eine beste Freundin und die würde sich verhalten wie Du, was denkst Du gerade über sie?"

Wenn Du über jemand anderen - auch wenn er fiktiv ist - sprichst, ist es leichter zu sagen „die ist total doof und durchgeknallt".
Danach folgt meistens der Aha-Effekt. Wenn also die fiktive beste Freundin, die sich so verhält wie der Coachee, blöd und durchgeknallt ist, was sagt das dann über den Coachee aus? Und so kann sich der Coachee an seinen wirklich limitierenden Glaubenssatz heranarbeiten.

Bis Du einen solchen einschränkenden Glaubenssatz über die Lippen bringst, braucht es Geschick und Überwindung. Im Grunde Deines Herzens kennst Du den Satz, Dein Unterbewusstsein kennt ihn, Dein verletzliches Seelchen kennt ihn. Aussprechen ist da noch einmal eine besondere Herausforderung. Denn dann müsstest Du ja zugeben, dass Du nicht funktionierst und, dass Du nicht gut genug bist, dass Du nichts wert bist, oder wie auch immer Deine versteckten Glaubenssätze lauten.

Wenn Du alleine Glaubenssätze bearbeitest, kannst Du aus meiner Sicht lediglich die an der Oberfläche eliminieren. Die tiefen inneren Sätze erreichst Du alleine nur selten.
Das liegt daran, dass wir uns oft gar nicht eingestehen wollen, was tief in uns steckt und auf der anderen Seite bohren wir Menschen naturgemäß selbst auch nicht so tief, um den Satz hinter dem Satz, hinter dem Satz - und so weiter - zu erfragen. Denn das verursacht Schmerzen und erschüttert uns in den Grundfesten unserer Persönlichkeit. Immer sind hier auch starke Emotionen im Spiel.

Der oberflächliche Satz heißt zum Beispiel „Wenn ich dieses oder jenes nicht tue, dann hat mich der Andere nicht mehr lieb". Stell Dir selbst einmal die Frage was dahinterstecken könnte, wenn Dich jemand nicht mehr liebhat? Was bist Du dann?
Oftmals ist der tieferliegende Satz so etwas wie „Ich bin wertlos" oder „Ich bin zu nichts nutze".

Wärst Du darauf gekommen? Und mal ehrlich, könntest Du Dir selbst eingestehen, dass tief in Dir ein Glaubenssatz verankert ist, der Deinen Wert in Abrede stellt?
Das Herausfinden eines tief verwurzelten Glaubenssatzes ist manchmal echte Detektivarbeit. Es erfordert Geduld, Empathie und ein Gespür für die richtigen Fragen.

Wie Du an Deine limitierenden Glaubenssätze herankommst

Der allererste Schritt, Deine limitierenden Glaubenssätze zu finden ist:
Hör Dir selber aufmerksam zu, bei dem, was Du aussprichst und auch bei dem, was Du so denkst, über Dich und die Welt.

Überlege auch, welche Sätze Dich vielleicht schon seit Deiner Kindheit begleiten. Schreibe alle diese Sätze einmal auf.

Als Nächstes schaust Du Dir an, wo Du gerade nicht vorwärtskommst. Sieh Dir die Bereiche - privat oder beruflich - an, in denen es gerade nicht gut läuft (Gesundheit, Beruf, Beziehung). Das ist immer ein guter Hinweis darauf, dass hier Glaubenssätze im Unterbewusstsein stecken. Schau, welche Sätze Dir einfallen, wenn Du über den schlecht funktionierenden Bereich nachdenkst. Schreibe auch diese Sätze alle auf.

Ein guter Indikator für einschränkende Glaubenssätze sind schlechte Gefühle. Wenn Du Dich also nicht gut fühlst, dann ist dieser Zustand häufig auch mit schlechten Gedanken begleitet. Frage Dich in solchen Momenten, was Du gerade über Dich denkst und schreibe auch das auf.

Die Liste darf wachsen, weil Dir im Laufe der Zeit sicher immer mal wieder einschränkende Sätze über den Weg laufen.

Wie Du Deine limitierenden Glaubenssätze loswirst

So, jetzt hast Du ein Liste Deiner limitierenden Sätze, die Du am besten ganz schnell verändern solltest. Ich weiß, dass Du Dich hier gerade an einer Stelle befindest, die Dein Gefühlsleben massiv belastet. Lauter schlechtes Zeug, was da jetzt auf dem Zettel steht. Deshalb ist es jetzt besonders wichtig, dem nicht auszuweichen, sondern einmal durch den Prozess zu gehen. Ich verspreche Dir, anschließend fühlst Du Dich definitiv besser.

Es sind Sätze von unterschiedlicher Schwere dabei. Sätze, die leicht verschwinden und Sätze, die ein bisschen hartnäckiger sind. Es können auch Sätze dabei sein, die Du alleine nicht auflösen kannst, weil Du die Tiefe des Satzes möglicherweise nicht erreichen kannst. In einem solchen Fall kannst Du mich gerne kontaktieren und Du kannst mit meiner Unterstützung, in etwa 90 Minuten, Deinen limitierenden Glaubenssatz auflösen[25].

Im Internet findest Du eine Reihe von Lösungen, wie Du die Glaubenssätze loswirst. Ich stelle Dir hier drei vor, die ich selber ausprobiert habe.

- **Vorlesen**

  Nimm Dir den Zettel mit den limitierenden Glaubenssätzen und lies Dir jeden einzelnen Satz vor. Wenn Du jemanden hast, dem Du wirklich vertraust, dann kannst Du Dir die Sätze auch vorlesen lassen. Damit hast Du die volle Konzentration auf Dich, Deine Gedanken und was die einzelnen Sätze mit Dir machen. Achte beim Lesen sehr genau auf Deine Gedanken und vor allem, auf

---

[25] Sende mir gerne eine E-Mail an: buch@kopfarbeit.jetzt

Deine Gefühle. Wenn beim Vorlesen eines Satzes in Dir ein Gefühl von „so ein Blödsinn, wer glaubt denn sowas?" ist, dann kannst Du diesen Satz schon einmal getrost von der Liste streichen.

Die Gefühle, die jetzt in Dir hochkommen, darfst Du einfach zulassen. Es sind Deine Sätze, die Du schon Dein ganzes Leben mit Dir herumträgst, die Dich begleitet haben und die Dich vor allem bis hierhergebracht haben. Du wärst nicht die, die Du bist, ohne diese Sätze. Spüre genau, was der Satz mit Dir macht und welche Einschränkung er mit sich bringt. Sobald Du ein genaues Bild Deiner Gefühle und Einschränkungen hast, kannst Du den Satz würdigen und liebevoll verabschieden. Du könntest beispielsweise so etwas sagen wie: „Ich danke Dir, dass Du mich bis hierher begleitet hast. Jetzt brauche ich Dich nicht mehr und verabschiede mich von Dir!"

Du fühlst Dich sicher auch gleich besser damit.

- **Umwandeln und Affirmationen daraus machen**

Der erste Schritt ist getan und wenn Du nun, beim Umwandeln in positive Affirmationen, die Sätze noch einmal liest, kommt Dir der ein oder andere vielleicht gar nicht mehr so schlimm vor. Gut so, das ist ein erstes Zeichen von Ablösung.

Im nächsten Schritt nimmst Du Dir bitte einen zweiten Zettel und schreibst zu jedem einschränkenden Satz einen positiven Satz auf das neue Blatt. Hierbei beachtest Du bitte, dass Du keine Formulierung mit „nicht" oder „nie" verwendest. Beispielsweise hast Du den Satz „Da bin ich zu alt für". Dann sollte die positive Affirmation lauten „Ich bin jung und kann alles meistern" und nicht „ich bin noch nicht zu alt dafür".

Am Ende der ersten Liste hast Du dann eine zweite Liste mit lauter positiven Sätzen, die Du Dir jetzt einfach immer wieder vorlesen kannst. Damit verankerst Du diese Sätze mehr und mehr in Deinem Unterbewusstsein. Damit es eine Gewohnheit werden kann, lies Dir das Blatt mit den positiven Sätzen mindestens zweimal am Tag laut vor. Wenn Du technik-affin bist, dann spreche Dir die Sätze als Sprachmemo in Dein Mobiltelefon und Du kannst sie Dir jederzeit anhören, in den öffentlichen Nahverkehrsmitteln, im Auto, beim Sport, in der Freizeit, im Bad und so weiter.

- **Verbrennen**

  Klingt banal, hat jedoch Wirkung! Schreibe Deine Glaubenssätze einzeln auf Blätter, vielleicht auch Karteikarten. Bereite im Garten, oder beim nächsten Grillfest, eine Feuerschale vor. Vielleicht bist Du auch glücklicher Besitzer eines Kamins. Zelebriere das Verbrennen Deiner limitierenden Glaubenssätze, indem Du Dir jedes Blatt einzeln nimmst, den Glaubenssatz noch einmal liest, noch einmal wahrnimmst, welche Emotionen der Satz in Dir auslöst. Bedanke Dich innerlich bei dem Glaubenssatz, vielleicht mit den Worten „Danke, dass Du mich begleitet hast und mich bis hierher gebracht hast. Jetzt brauche ich Dich nicht mehr und lasse Dich deshalb gehen!" Abschließend verbrennst Du den Zettel.

Ich habe ein solches Ritual stets als sehr befreiend empfunden.

Limitierung Geld und Erfolg

Auf zwei besondere Hindernisse möchte ich hier noch eingehen. Wenn all die Dinge, die Du bis hierher erfahren hast, Dir (noch) nicht weiterhelfen, Du immer noch auf so viele Widerstände triffst, dass es Dir unmöglich erscheint in Deinem Projekt vorwärtszukommen, dann hilft Dir vielleicht noch einmal zurück zur Standortbestimmung zu gehen. Mache Dir Dein WARUM noch einmal klar.

Manchmal wirst Du von Dingen blockiert, die Du gar nicht im Bewusstsein hast. Häufig geht es hier um Themen wie Geld oder Erfolg. Du wirst beispielsweise niemals Geld anhäufen können, wenn Du unterbewusst einen negativen Glaubenssatz zu Geld in Dir trägst. Hier ein paar Beispiele, von denen Du vielleicht den einen oder anderen in Deiner Kindheit gehört hast:

- Wer reich werden will, muss über Leichen gehen
- Geld macht unglücklich
- Lieber arm und glücklich, als reich und unglücklich
- Geld ist nicht wichtig
- Geld allein macht auch nicht glücklich
- Geld ist die Wurzel allen Übels
- Immer wenn ich Geld bekomme, hat es ein anderer verloren
- Über Geld spricht man nicht
- Wenn ich reich bin, werde ich nur wegen meines Geldes geliebt
- Viel Geld kann man nur mit Rücksichtslosigkeit erhalten

- Wer reich ist, hat Unrechtes getan. Ich verdiene mein Geld hingegen mit ehrlicher Arbeit
- Geld verdirbt den Charakter
- Finanzielle Unabhängigkeit werde ich nie erreichen
- Mehr als 3.000 Euro im Monat werde ich nie verdienen
- Ich werde immer hart für Geld arbeiten müssen
- Geld stinkt
- Geld macht einsam
- Und so weiter ...

Solche Glaubenssysteme müssen gar nicht zwangsläufig aus Deiner unmittelbaren Ursprungsfamilie kommen (Eltern), sondern können schon viel älter sein und Generationen zurückliegen. Diese Glaubenssysteme werden unterbewusst von Generation zu Generation weitergegeben und unsere inneren Bestätiger sorgen dann auch noch für die Erfüllung des Glaubenssystems.

Ein Beispiel einer Coachee soll Dir verdeutlichen, was solche Glaubenssysteme über mehrere Generationen bewirken können. Es geht hier zwar nicht um Geld, sondern um Kinder, doch das ist einerlei!

In einer systemischen Aufstellung[26], in der es um die Fragestellung der Kinderlosigkeit ging, stellte sich heraus, dass die Urgroßmutter ihre Tochter nicht wollte und dass ebenso die Großmutter ihre Tochter nicht wollte. Aus den Erzählungen und auch in der Aufstellung bestätigt, erfuhr die Coachee, dass auch ihre Mutter sie nicht wollte. Und der Bestätiger unseres Unterbewusstseins hat dem Elend dann wohl ein Ende gemacht und dafür gesorgt, dass es nicht noch ein weiteres ungewolltes Kind in der nächsten Generation gibt. Daher blieb sie, trotz aller Anstrengung, kinderlos.

Gerade die Generation, die Eltern oder Großeltern aus den Geburtsjahren 1930 - 1945 haben, also die heute[27] 75- bis 90-Jährigen, die den Zweiten Weltkrieg zumindest als Kind oder Jugendlicher erlebt haben, genau diese Generation hat ja nochmal ganz andere Traumata, die sie unbewusst an uns weitergibt. Zu diesem Thema gibt es zahlreiche Studien, die zeigen, dass etwa 10 % der heutigen Senioren eine posttraumatische Belastungsstörung haben. Weitere 25 % leiden unter einer abgestuften Form. Dies drückt sich durch sonderbare Verhaltensweisen, wie Schwarz-Weiß-Denken, reduzierte Beziehungsfähigkeit, hohes Sicherheitsbedürfnis aus. Die Nachkriegsgeneration wurde mit Sätzen wie „vergiss das alles", „schau

---

[26] **Systemaufstellung** (auch **Systemische Aufstellung**) bezeichnet ein Verfahren der Systemischen Therapie, in dem aus einer vorhandenen Gruppe Personen oder alternativ Figuren stellvertretend für Mitglieder oder Entitäten (Teile, Aspekte) eines (üblicherweise sozialen) Systems gewählt und in einem realen Raum sodann repräsentativ zueinander in Beziehung (auf-)gestellt werden. https://de.wikipedia.org/wiki/Systemaufstellung

[27] Wir schreiben das Jahr 2020.

nach vorne", „sei froh, dass Du lebst" konfrontiert. Sie wurden kinderlandverschickt, sind geflohen, haben vielleicht miterlebt wie Angehörige erschossen oder ihre Mütter vergewaltigt wurden. Diese Generation war verdammt zu funktionieren, das Land wiederaufzubauen, und dafür zu sorgen, nicht zu verhungern (bis heute wird in der Generation nichts Essbares weggeworfen). Auf die Nachkriegsgeneration und die Nachkriegsenkel wurden dann Verhaltensweisen übertragen, die stark geprägt waren von „nicht auffallen", „bloß kein Risiko eingehen", statt Interesse, Ermutigung und Unterstützung bei der Umsetzung der Ideen zu bieten[28].

Die Kriegstraumata haben Deine Eltern und Großeltern geprägt und sie geben es unbewusst an die nächste Generation, also auch an Dich, weiter.

Vielleicht kennst Du eine der folgenden Situationen:

- Du kommst immer wieder an Stellen an, wo Du nicht weiterkommst
- Dir begegnet immer wieder der gleiche einschränkende Glaubenssatz
- Du drehst eine Schleife und Wiederholung nach der andern
- Du stößt immer wieder an Grenzen Deiner Möglichkeiten und Fähigkeiten

---

[28] Sabine Bode „Die vergessene Generation" und „Kriegsenkel"
Artikel aus der Welt „Millionen Deutsche leiden an Weltkriegstraumata" https://bit.ly/2ZPqUkp

Das ist ein gutes Zeichen und bei jedem Mal, wo Dir so etwas passiert, wird Dein Bewusstsein größer, dass hier ein Thema ist, das aufgelöst werden muss, damit Du weitergehen kannst.
Aus meiner eigenen Erfahrung kann ich Dir sagen, immer, wenn Du Dich weiterentwickelst, merkst Du plötzlich, da ist ja noch eine weitere Limitierung.

Als ich meine NLP-Ausbildung machte, glaubte ich, wenn die Ausbildung mit dem Coach abgeschlossen ist, dann habe ich auch alle limitierenden Glaubenssätze abgearbeitet und bin „fertig". Zumal mein Trainer mir versicherte, „wenn Du in der Coach-Ausbildung bist, dann bring die Sonnenbrille mit. Da geht für Dich die Sonne mal so richtig auf!"

Weit gefehlt, auch heute gibt für mich immer wieder Neues zu entdecken. Manche Themen kommen auch wieder. Mittlerweile gehe ich damit sehr entspannt um. Diese Themen sind ja schließlich 40-50 Jahre alt und begleiten mich schon mein ganzes Leben. Ich war naiv zu glauben, dass sie in einer Sitzung aufgelöst sein könnten.

Einen Elefanten isst Du ja auch nicht in einem Bissen und so ein tief verwurzelter alter Glaubenssatz begleitet Dich dann auch noch eine Weile, bis er vollständig aufgearbeitet ist. Wichtig ist, Dir das immer wieder bewusst zu machen. Wenn Du, wie in den Lernstufen beschrieben, schon den Punkt des Erkennens Deines limitierenden Glaubenssatzes erreicht hast, hast Du schon einen guten Teil für Dich gewonnen.

Persönlichkeitsentwicklung ist ein Prozess, ein Weg, der kein End-Ziel hat. Und im Zweifel lohnt es sich immer Hilfe zu holen.

Jeder Glaubenssatz, also auch mein alter Glaubenssatz ("Ich bin die Falsche") ist in meinem Glaubenssystem fest verortet. Das Bewusstsein und das Unterbewusstsein, wissen genau, wo sie den Satz finden. Außerdem hat jeder Glaubenssatz bestimmte Ausprägungen und durch die NLP-Technik, die mein Trainer bei mir anwandte, wurde der neue Glaubenssatz („ich bin das größte Geschenk unter der Sonne") mit den Ausprägungen des alten Glaubenssatzes quasi maskiert und an die Position des alten Glaubenssatzes verschoben, dieser wird damit ersetzt. Wenn jetzt das Unterbewusstsein gemäß dem alten Glaubenssatz handeln will, findet es dort den neuen Glaubenssatz und handelt entsprechend. Klingt vielleicht ein bisschen kompliziert, ist jedoch ein leichter und spielerischer Prozess.

Sei nett zu Dir selbst

Während des gesamten Prozesses ist es wichtig, dass Du, egal was passiert, stets wohlwollend zu Dir selbst bist. Vor allem an den Punkten, wo Du Dich mit Dir selbst - wegen der limitierenden Glaubenssätze - und auch mit dem Verhalten Deiner Eltern, Freunde und Verwandten in Bezug auf Dein neues Projekt auseinandersetzt. Dann, wenn Du von allen Seiten Widerstand erfährst. Hier ist es wichtig, dass Du Dich nicht zusätzlich unter Druck setzt, sondern zunächst bei Deiner Meinung bleibst und nicht Dein Projekt direkt in Frage stellst.

In der Regel gehst Du mit Dir selbst bei weitem nicht so wohlwollend um, wie Du es mit anderen tust. Dir selbst gegenüber bist Du wesentlich gnadenloser und verzeihst Dir selbst keinen Fehler. Du verlangst Dir viel mehr ab, als Du von anderen erwartest. Du möchtest eben perfekt sein.

Gut zu Dir selber sein, ist eine Eigenschaft und ein Verhalten, das Du lernen kannst. Eine Unterstützung bieten Dir die folgenden Ideen:

- **Sieh Dir Deine Erfolge an**

  Immer wieder darfst Du Dir klar machen, was Du in Deinem Leben schon alles erreicht hast, wie weit Du Dein Projekt schon vorangetrieben hast. Und Du darfst Dir vergegenwärtigen, dass Deine Glaubenssätze und Werte, so furchtbar sie sich heute anhören, Dich in Deinem Leben bis hierhergebracht haben. Sie haben Dich im Beruf erfolgreich sein lassen und sie haben Dir auch auf anderen Ebenen Erfolge beschert, die Du immer wieder feiern darfst, und zwar auch gegen all den Widerstand, der Dir jetzt entgegenkommt.

- **Gönne Dir immer wieder Auszeiten**

  Neben Deinen zahlreichen Terminen mit Familie, Freunden und Partner, mit Arbeit und Deinem Ziel brauchst Du Termine, in denen Du durchatmen kannst, die Dich entspannen und die Dir neue Energie geben. An diesen Terminen tust Du etwas, das Dir Spaß macht, vielleicht auch Dinge, die Du länger nicht gemacht hast. Trage Dir diese Termine in Deinen Terminkalender ein und behandle sie wie einen Kundentermin oder einen Termin mit Deinem Chef - unverschiebbar und nicht absagbar.

  In meiner Zeit auf dem Weg in mein Business kannte ich nur arbeiten, arbeiten und arbeiten, entweder in der kleinen IT-Firma oder an meinem Business. Mein Mann kam dabei oft zu kurz und ich erst recht. Ich fühlte mich total zerrissen, hatte das Gefühl, dass ich mir nicht einfach einen halben Tag freinehmen konnte, weil die Firma mich brauchte und wenn ich in der Firma war, hatte ich den Eindruck, mein Mann kommt zu kurz. Das ging so lange, bis ich für mich in den Terminkalender der Firma, und in meinen privaten Kalender, einen regelmäßigen Termin mit dem Titel „TMMS" eintrug. TMMS bedeutete „Termin mit mir selbst". Fortan hatte ich einen freien Nachmittag in der Woche, den ich nach Belieben mit meinem Mann oder auch alleine verbringen konnte.

- **Plane Deinen Urlaub frühzeitig**

  Jetzt denkst Du sicher, wie soll ich an Urlaub denken, wo ich einen Job habe und nebenbei noch mein Business aufbaue? Diese Denkweise hatte ich ebenfalls lange Zeit. Urlaub, das war etwas, das hatten die Anderen. Ich hatte meine Arbeit, ich war doch unersetzlich und unabkömmlich.

Eine solche Einstellung bringt Dich jedoch nicht weiter, sondern hat eher fatale Folgen, zum Beispiel körperliche, geistige und seelische Erschöpfung. Die weiteren Konsequenzen kannst Du Dir sicher ausmalen. Deshalb plane Deine Urlaube frühzeitig.

Sobald ich das neue Jahr überblicken kann, meist Mitte des vierten Quartals, nehme ich mir einen Kalender für das neue Jahr und trage meine Urlaube und langen Wochenenden ein.

Für mich gibt es ein paar lange Wochenenden im Jahr, die von vornherein fix sind. Das sind alle die Wochenenden, an denen der Donnerstag ein Feiertag ist - Christi Himmelfahrt und Fronleichnam. Der Freitag als Urlaubstag ist dann vorprogrammiert, da ich mich hier schon lange nicht mehr mit irgendjemand abstimmen muss. Dazu kommt Karneval von Donnerstag bis Dienstag und ein 14-tägiger Urlaub neben den sowieso langen Wochenenden wie Ostern und Pfingsten. Ich habe in einem sechs bis acht Wochen-Rhythmus immer ein langes Wochenende frei, das bedeutet, ich nehme mir mindestens den Freitag frei. Freizuhaben bedeutet nicht, dass ich jedes Mal irgendwo hinfahre. Es geht darum, Inseln mit Auszeiten zu schaffen, möglicherweise Vorfreude auf das nächste freie Wochenende zu haben und das auch unbedingt als solches zu nutzen. Vielleicht inspirieren Dich meine Urlaubstage für Deine eigene Jahresplanung.

- **Kümmere Dich um Weiterbildung**

  Ebenso frühzeitig wie den Urlaub solltest Du Dich um Weiterbildungen kümmern, soweit das möglich ist. Welche Fortbildungen stehen jetzt schon fest? Kannst Du sie schon buchen und vielleicht noch einen Early-Bird-Preis ergattern? Trage die Fortbildungen ebenfalls in den Terminkalender ein. Möglicherweise muss ein langes Wochenende dafür weichen. Da heißt es dann verschieben der Auszeit, oder, noch besser, die Fortbildung als eine Art Auszeit zu sehen. Regelmäßige Fortbildung ist sehr wichtig, damit Du nicht stehen bleibst oder gar gegenüber Deinem Mitbewerb zurückfällst. Das Wissen der Menschheit verdoppelt sich rasend schnell, also bleib am Ball und informiere Dich zu Deinen Themen. Außerdem schadet auch Auffrischung nichts.

- **Führe ein Erfolgstagebuch**

  Neben dem Dankbarkeitstagebuch ist es zusätzlich hilfreich, ein Erfolgstagebuch oder ein Erledigt-Tagebuch zu schreiben. Nimm Dir jeden Abend zwei bis drei Minuten Zeit und schreibe auf, was Du heute erledigt hast und was Du an Erfolgen zu verbuchen hast. Es ist einfach großartig, am Ende des Tages zu sehen, was alles erledigt wurde, denn häufig hast Du abends das Gefühl nichts geschafft und geleistet zu haben. Doch wenn Du dann die vielen - vielleicht auch kleinen - Dinge siehst, die Dir über den Tag verteilt von der Hand gegangen sind, kannst Du stolz auf Dich sein.

  Für alle Tagebücher, egal ob Dankbarkeits- oder Erfolgstagebuch darf gelten: Führe beides ohne Zwang. Es ist wenig hilfreich, über den Tag darüber nachzudenken, ob diese Aufgabe oder dieses Ereignis würdig ist, in Dein Tagebuch geschrieben zu werden. Das macht Dir nur unnötig Stress und ist auch nicht

Ziel eines solchen Buches. Setze Dich abends einfach ein paar Minuten nach dem Abschluss Deines Arbeitstages oder unmittelbar vor dem Schlafengehen hin und lass den Tag Revue passieren. Dir werden genügend Dinge einfallen, die Du in die Tagebücher eintragen kannst. Und wenn nicht, dann ist es für diesen Tag auch gut.

- **Sprich mit Dir selbst, als wärest Du Deine beste Freundin / Dein bester Freund**

  Wenn Du Dir häufiger bei Deinen Selbstgesprächen oder Gedankenkreisen zuhörst, triffst Du vermutlich häufiger auf Sätze wie “blöde Kuh”, “Du Schussel” oder ähnliches und weit schlimmeres.

  Überlege einmal: Hast Du Deine beste Freundin schon jemals als dumm, als Versager oder als zu dick bezeichnet? Vermutlich nicht!
  Und wieso machst Du das mit Dir?

  Sei Dir selbst gegenüber wertschätzend und wohlwollend. Je mehr Du Dich selbst mit all Deinen Facetten und den positiven und negativen Eigenschaften akzeptieren und schätzen lernst, umso glücklicher wirst Du sein. Studien haben gezeigt, dass mehr Selbstakzeptanz zu einem glücklicheren Leben führt.

- **Schlafe ausreichend**

  Mit ausreichend meine ich nicht, dass es „gerade so ausreicht". Ausreichend Schlaf bedeutet, dass Du wirklich ausgeschlafen bist. Dein Schlaf sollte Dir heilig sein und er soll Dir Energie und Power für den Tag geben.

Wenn Du nicht weißt, wie viel Schlaf Du benötigst, kannst Du das leicht herausfinden. Gehe an mehreren Tagen hintereinander, an denen Du keinen Wecker benötigst, zum Beispiel an einem Wochenende, zu der Zeit schlafen, zu der Du unter der Woche auch schlafen gehst. Die Verdunkelung Deines Schlafraumes sollte sein wie sonst auch. Bitte jetzt auch keine Ablenkung mehr, nur weil Du denkst, es ist ja Wochenende. Schlafe nach Möglichkeit direkt ein und schlafe so lange, bis Du am nächsten Morgen von alleine, ohne Wecker, Partner oder Hund aufwachst. Dann schaust Du, wie viele Stunden Du geschlafen hast. Das solltest Du an mindesten drei hintereinander folgenden Wochenenden tun. Noch besser ist dafür sogar ein Urlaub, denn so wirst Du eine Stundenanzahl ermitteln können, die Du an Schlaf brauchst, um am nächsten Morgen wirklich ausgeruht zu sein.

So bestimmst Du dann Deine „zu-Bett-geh-Zeit", damit die Anzahl Stunden auch unter der Woche mit Weckerklingeln erreicht werden kann.
Eine Coachee fand so heraus, dass sie siebeneinhalb bis acht Stunden Schlaf braucht, um ausreichend erholt für den nächsten Tag zu sein. Das bedeutet für sie, dass sie gegen 21.45 Uhr ins Bett geht und etwa um 05.15 Uhr wach ist ohne Wecker für ihre Morgenroutine.

E wie Entwickeln und einlassen

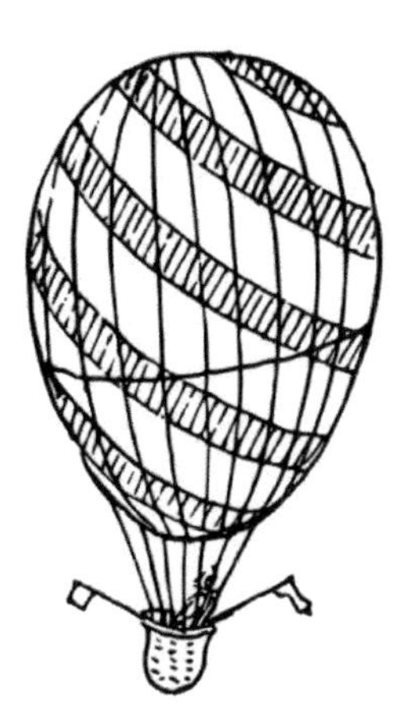

In diesem Kapitel geht es darum, dass sich Dein großes Ziel entwickeln darf, dass Du Dich einfach einmal einlassen darfst und, dass es auch Dinge gibt, die Du loslassen, vielleicht auch weglassen kannst.

Dabei solltest Du Dein Ziel permanent im Auge haben und dennoch immer in der Entscheidung frei sein, einen anderen und neuen Weg einzuschlagen und Dich darauf einlassen das Ziel noch einmal nachzujustieren.

Das hat nichts mit Versagen zu tun.

Manchmal stellt sich das Ziel und der Weg dorthin, im Denkprozess vorher, anders dar, als im wahren Leben und es machen sich im Tun vielleicht Türen auf, wo Du vorher noch eine Wand gesehen hast. Darauf darfst Du Dich einlassen.

Es geht keinesfalls darum, blind und ohne Verstand an einem Ziel festzuhalten. Bewahre Dir die innere Freiheit, Dich immer wieder neu zu entscheiden, ob der nächste Schritt jetzt schon dran ist, ob er überhaupt dran ist, oder ob es einen erneuten Richtungswechsel geben muss. Verwirf jetzt nicht Dein komplettes Ziel, nur weil sich ein anderer Weg auftut, als gedacht. Möglicherweise ist genau dieser Umweg erforderlich. Vielleicht braucht es eine weitere Schleife oder ein Sprungbrett, das zwar wie eine Verzögerung aussieht, rückwärts betrachtet jedoch eine Beschleunigung war.

Vielleicht war es Dein großes Ziel, einen neuen Job zu finden, weil Du mit Deinem Chef nicht (mehr) zurechtkommst. Plötzlich tut sich eine Tür auf und Du kannst im

Unternehmen die Abteilung wechseln, oder es ergeben sich Möglichkeiten zur Selbständigkeit.

Hier gilt der alte Grundsatz, es führen viele Wege nach Rom. Wenn Dein ursprüngliches Ziel war, von Deinem Chef wegzukommen, gibt es eben auch hier verschiedene Möglichkeiten. Wenn eine Möglichkeit nicht funktioniert, dann probiere eine andere und lasse Dich darauf ein. Und wer A gesagt hat, muss noch lange nicht B oder C sagen. Weder Dein Ziel noch die Meilensteine und deren Deadline sind in Stein gemeißelt, sie sind lediglich eine Richtschnur oder Leitlinien, die durchaus überdacht und verändert werden dürfen. Du bist auf dem Weg, das ist das Wichtige!

Du stellst auf Deinem Weg vielleicht auch fest, dass Du bereits von Deiner erdachten Ausrichtung abgewichen bist. Du hast Dein Ziel noch vor Augen, was Deine Meilensteine Dir allerdings vorgeben, passt zeitlich nicht (mehr) oder die Richtung stimmt nicht mehr. Du hast das Gefühl, die Richtung hat sich unbemerkt verändert oder der Weg hat sich plötzlich geändert. Du hattest als ursprüngliches Ziel vielleicht vor, Dich selbständig zu machen, damit Du weg von Deinem Chef kommst, es war also ein großes Ziel. Doch die tausend Herausforderungen, die die Selbständigkeit mit sich bringt, bekommst Du auf dem Weg dorthin schon nicht vernünftig abgearbeitet.

Das merkst Du vielleicht daran, dass die Steuererklärung, die jetzt fällig ist, immer und immer wieder von Dir verschoben wird. Du stellst vielleicht fest, dass Du alleine nicht gut arbeiten kannst und Dir ein Team und der damit verbundene Austausch fehlt. Oder Dir ist unbedingt eine feste Struktur wichtig. Dann ist das erwartete Ergebnis - weg von Deinem jetzigen Chef - immer noch da, nur das Ziel verändert sich möglicherweise. Es ist vielleicht nicht mehr die Selbständigkeit, sondern ein Angestellten-Verhältnis in einer neuen Firma mit einem Job und einer Stellenbeschreibung, die Deinen Wünschen mehr entspricht und Dir vielleicht schon mehr Freiraum bietet, als bisher.

Ich empfehle Dir hier an dieser Stelle, die beiden Optionen nochmal gegeneinander abzuwägen und Dich auch noch einmal damit auseinanderzusetzen, ob es vielleicht noch eine dritte Option gibt[29]. Die Versetzung in eine andere Abteilung oder an einen anderen Standort wären eventuell auch möglich. Wenn Du aus Deiner Sicht alle Optionen gefunden hast, dann lade ich Dich zu einer kleinen Übung ein, die Dich unterstützt alle Optionen zu gewichten. Du benötigst einen Stift und für jede Option, die Du gefunden hast, ein Blatt Papier.

Auf jedes Blatt schreibst Du als Überschrift eine der Optionen und ziehst einen senkrechten Strich, sodass Du 2 Spalten erhältst. In die linke Spalte schreibst Du zu jeder Option die Vorteile und in die rechte Spalte schreibst Du alle Nachteile.

[29] Lies bitte hierzu auch das nächste kurze Unterkapitel "Münze werfen oder - es gibt immer mindestens drei Möglichkeiten"

Nachfolgend ein paar Beispiele zur Option „Selbständigkeit":

Selbständigkeit	
Vorteil	**Nachteil**
keine Fahrtzeit	kein Team
mein eigener Herr	Kollegen fehlen
Selbstbestimmt	Unsicherheit
selbstverantwortlich	keine Anlaufstellen bei Entscheidungen
von zu Hause arbeiten	Trennung Arbeit / Privat
flexible Arbeitszeit	keine vorgegebene Struktur
Chance auf gutes Einkommen	keine Lohnfortzahlung im Krankheits-fall
Urlaub, wann ich will	kein Urlaub, bis die Selbständigkeit steht
gegebenenfalls ortsungebunden	Verantwortungsträger
unabhängig	Möglichkeit des Scheiterns
...	...

Wenn Du alle Punkte zusammengetragen hast, - und Dir fallen sicher noch ein paar Weitere ein - dann beginne damit, jeden einzelnen Punkt zu gewichten. Gewichte jeden Punkt auf einer Skala von 1 bis 10. Entscheide, wie wichtig Dir jeder einzelne Punkt ist.

Wie wichtig ist es Dir, ein Team um Dich zu haben für den regelmäßigen Austausch? Eher nicht so wichtig, dann vergib eine zwei. Sehr wichtig? Dann vergib eine acht oder neun. Absolut notwendig, dann bewerte es mit zehn.

Die Gewichtung schreibst Du neben den jeweiligen Punkt und rechnest alle Zahlen am Schluss zusammen. Daraus ergibt sich dann vielleicht ein Verhältnis von 120 zu 96 Punkten für oder gegen die Selbständigkeit (oder Dein jeweiliges Thema) und Du hast ein Gespür dafür bekommen, wo die Reise für Dich hingeht.

Vielleicht hilft ja auch der folgende Vorschlag im nachfolgenden Kurzkapitel bei Deiner Entscheidungsfindung.

Entscheidend ist, nicht aufzugeben, sondern Dich in jedem Moment Wert zu schätzen, Dich selbst zu lieben und zu wissen, warum und wofür Du diese Veränderung, dieses Ziel erreichen willst.

Wenn Du allerdings schon mehrfach die Schleife gedreht hast, hier nicht mehr weiterkommst und plötzlich keine Idee mehr dazu hast, wie es weitergehen soll oder kann, dann lade ich Dich erneut herzlich ein, Kontakt mit mir aufzunehmen und wir schauen uns an, ob ein Glaubenssatz Dich hindert oder ob möglicherweise eine systemische Blockade aus Deiner Familie dahintersteckt. Ein solches Thema kannst Du mit maximal zwei Sitzungen auflösen.

Münze werfen oder - es gibt immer mindestens drei Möglichkeiten

Du wirst auf Deinem Weg zum Ziel häufiger in Situationen geraten, in denen es gilt, eine Entscheidung zu treffen. Und offensichtlich liegen auch nur zwei Möglichkeiten auf der Hand, rechts oder links, schwarz oder weiß, selbstständig oder angestellt. Wenn Du so vor die Wahl gestellt wirst, fällt es manchmal schwer zu entscheiden, was die richtige Möglichkeit ist. Und wenn Du Dich für eins von Beidem entscheiden musst, dann liegt auch immer ein bisschen Angst mit in der Entscheidung. Außerdem liegt schon im Wort Entscheidung, dass Du Dich jetzt von einer Möglichkeit „scheiden", also trennen, musst. Hier stelle ich Dir zwei Varianten vor, eine Entscheidung zu treffen. Wobei die zweite Variante im eigentlichen Sinn keine Entscheidung mehr ist, sondern eine Wahl.

Der Klassiker für das Treffen einer Entscheidung ist das Werfen einer Münze. Das bedeutet nicht, dass Du Dich nicht im Vorfeld mit beiden Möglichkeiten auseinandergesetzt hast und alle notwendigen Informationen gesammelt haben solltest.

Wenn Du also zwei Auswahlmöglichkeiten hast, dann bestimme, welche dieser Möglichkeiten bei der Münze auf Kopf oder Zahl liegt. Wirf nun die Münze und schau Dir das Ergebnis an.

Wenn Du jetzt in Deinem Inneren denkst „oh Mist, ich hätte lieber das Andere gehabt", dann nimm das Andere. Denkst Du „oh prima, das ist genau richtig!", ja, dann ist es genau richtig.
Unser Unterbewusstsein kennt längst die richtige Lösung. Wir tendieren dann auch zu dieser Lösung, wollen die Entscheidung dazu jedoch (noch) nicht treffen.

Die Münze dient lediglich dazu, den Prozess für die Entscheidung voranzutreiben, statt noch weitere Tage und Nächte über der Entscheidung zu brüten. Wichtig ist, wie Du Dich nach dem Münzwurf fühlst und dass Du aus diesem Gefühl die richtige Entscheidung ableitest.

Häufig stellt sich bei längerem Nachdenken heraus, dass es nicht nur zwei Möglichkeiten gibt, zwischen denen Du Dich entscheiden darfst. In den meisten Fällen gibt es auch immer noch eine dritte Möglichkeit und, wenn die erst gefunden ist, dann stellt sich auch oft noch eine vierte oder fünfte Möglichkeit ein. Und schon ist es keine Entscheidung mehr, sondern eine Auswahl zwischen mindestens drei Möglichkeiten. Um Zugang zu einer dritten, vierten und fünften Möglichkeit zu bekommen, kannst Du entweder mit jemanden sprechen und ihm oder ihr von Deiner Entscheidungsnot erzählen. Am besten ohne, dass diese Person das kommentiert. Sie soll Dir einfach nur zuhören.

Wenn Du darauf konzentriert bist, die verschiedenen Wahlmöglichkeiten zu entdecken und sie für Dich und Dein Gegenüber zu formulieren, sortieren sich Deine Gedanken. Während Du Deine Gedanken aussprichst, entdeckst Du die Lösung oft von ganz alleine. Jede Anmerkung oder Intervention durch Dein Gegenüber unterbricht Deinen Gedankenfluss, lenkt Dich eventuell ab und verhindert damit vielleicht auch die Lösungsfindung.
Ich bin schon sehr oft aus solchen Monologen heraus gegangen mit dem Satz: „Schön, dass wir darüber gesprochen haben!", obwohl der Andere gar nichts gesagt hat.

Trotzdem lag die Lösung plötzlich auf der Hand. Oder, und das funktioniert bei mir sehr gut, ich nehme diese Fragestellung entweder mit in eine Meditation, oder in meine Sporteinheit. Vielleicht auch in meine nächste Nacht (das bedeutet dann manchmal, dass mein Unterbewusstsein so stark arbeitet, dass die Nacht kurz und schlaflos wird). In der Regel komme ich jedoch zumindest zu einer dritten oder gar vierten Möglichkeit. Und dann heißt es eine Auswahl zu treffen.

Wem all das noch nicht zur Entscheidungsfindung reicht, der erhält nachfolgend noch weitere Tipps:

- **Erstelle eine Entscheidungsmatrix**

  Wenn Du mehrere Alternativen gefunden hast, Dich jedoch einfach nicht entscheiden kannst, welche für Dich die Beste ist, dann kannst Du Dich dem Thema rational nähern, indem Du alle Kriterien, die für die Entscheidung

Alternativen	Alternative 1	Alternative 2	Alternative 3
Kriterium 1	1	5	3
Kriterium 2	2	1	2
Kriterium 3	1	4	4
Durchschnitt	1,3	3,3	3,0

wichtig sind, den verschiedenen Möglichkeiten gegenüberstellst. Anschließend vergibst Du bis zu fünf Punkte (0 = gar nicht wichtig, 5 = ganz besonders wichtig). Im Anschluss addierst Du alle Punkte je Auswahlmöglichkeit und ziehst den Durchschnitt. Die Möglichkeit mit dem höchsten Durchschnittswert ist dann die, die Du umsetzen solltest.

- **Es gibt immer einen Weg zurück**

  Keine Deiner Entscheidungen ist endgültig. Leider ist es ein großer Irrglaube, dass wir glauben, Entscheidungen, oder auch der Weg in eine andere Richtung, sind generell unwiderruflich. Wenn Du Dir jedoch bei Deinen Entscheidungen bewusst machst, dass Du sie jederzeit ändern kannst, nimmt das eine Menge Druck und Last von Deinen Schultern.

- **Gewinner-Matrix**

  Diese Matrix kennst Du von großen Fußball- oder Tennisturnieren in der K.O.-Runde. Es treten immer zwei Mannschaften oder Einzelspieler gegeneinander an - in Deinem Fall jeweils zwei Alternativen. Du, als Schiedsrichter, entscheidest jeweils über den Gewinner. Am Ende bleibt eine Alternative übrig.
  In der nachfolgenden Matrix geht es um vier Alternativen.

  Du schaust zunächst, was ist besser: A oder B, dann B oder C und dann C oder D und trägst die jeweilige Alternative in das Zwischenfeld ein (hier die Spalte A-C-D)

Dann entscheidest Du weiter. Was ist besser: A oder C, C oder D und trägst auch hier wieder die Alternative in die nächste Spalte ein (hier A-D). Die letzte Frage ist dann: Was ist besser A oder D? in diesem Beispiel ist die Entscheidung für A gefallen.

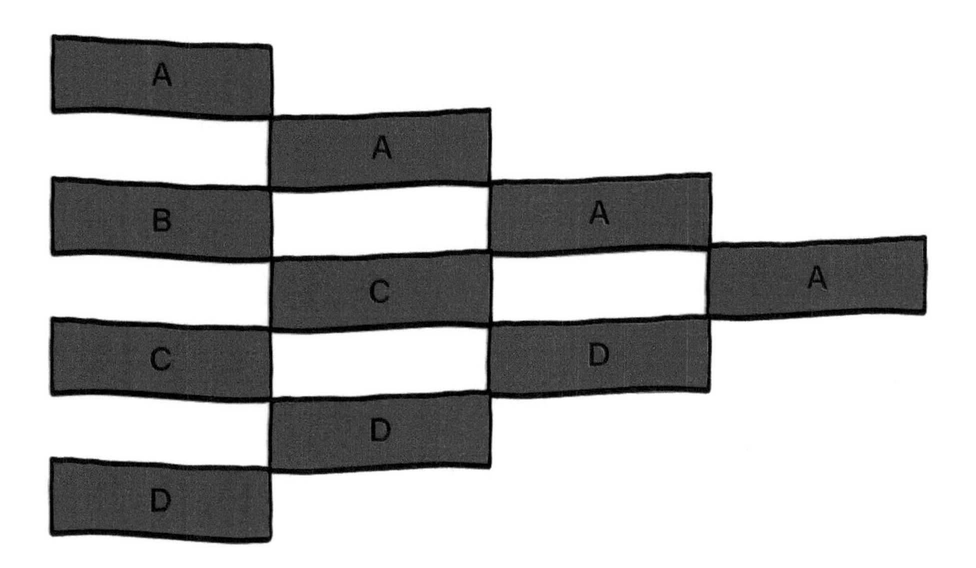

- **Worst-Case**

  Überlege Dir, was ist das Schlimmste, was Dir passieren kann, wenn Du eine der Alternativen auswählst? Vielleicht verlierst Du ein bisschen Geld, möglicherweise auch nur Zeit. Jedenfalls wirst Du kaum ab dem nächsten Tag unter der Brücke schlafen müssen. Mit der Worst-Case-Methode erkennst Du, dass es halb so schlimm ist, selbst wenn der Worst-Case eintreten sollte. Und weil Dir das die Angst vor einer Entscheidung nimmt, treibt es Deine Projekte voran.

Sag einfach öfter „Nein"

Wie ist das bei Dir mit dem Nein-Sagen? Kannst Du schlecht „Nein" sagen, wenn ein Familienessen ansteht, Du jedoch darauf keine Lust hast? Wenn jemand sich zum wiederholten Mal Geld bei Dir borgt und Du weißt, dass er es wieder nicht zurückzahlen wird? Wenn andere für Dich eine Entscheidung treffen wollen? Wenn Deine Kinder zum wiederholten Mal einen Vorschuss auf ihr Taschengeld wollen? Und so weiter und so weiter.

Wenn Du Dich Deinem großen Ziel verschrieben hast, dann ist es jetzt an der Zeit an verschiedenen Stellen und zu verschiedenen Menschen öfter auch mal „Nein" zu sagen.
Ich weiß, das ist keine leichte Aufgabe für Dich.

Denke immer daran: ein Ja, dass Du damit den anderen gibst, ist immer auch ein Nein an Dich und Deine eigenen Bedürfnisse, wenn Deine Wünsche und die eines Anderen nicht konform sind. Willst Du das?

Finde heraus, warum Du so schlecht „Nein" sagen kannst. Vielleicht sagst Du nur deshalb nicht nein, wenn Dich jemand um Hilfe bittet, weil Du Angst hast, der- oder diejenige hat Dich dann nicht mehr lieb oder findet Dich blöd.

Vielleicht liegt es auch daran, dass Du Angst vor irgendwelchen Konsequenzen hast, möglicherweise einem Konflikt aus dem Weg gehen willst. Vielleicht willst Du auch einfach nicht herzlos oder egoistisch wirken. Häufig sagst Du vielleicht einfach „Ja" aus dem Bedürfnis heraus, gebraucht zu werden oder aus der Angst heraus, etwas zu versäumen. Da kann ich Dich beruhigen, das sind in der Regel Sorgen, die Du Dir machst, die es jedoch nicht gibt. Wichtig ist herauszufinden, welche Strategie Deines Gegenübers dahinter liegt. Löst Dein Gegenüber Schuldgefühle bei Dir aus, fühlst Du Dich erpresst, unter Druck gesetzt oder überrumpelt. Oder Dein Gegenüber schmeichelt Dir oder wendet die Mitleidstour an, um zum Ziel zu kommen.

Wenn Du die Strategie erkannt hast, kannst Du diese auch gut in Deine Antwort mit einbauen. Vielleicht helfen Dir die folgenden Tipps leichter - oder zumindest anders – „Nein" zu sagen.

Wenn Dich jemand um einen Gefallen oder um Hilfe bittet, dann sage weder vorschnell „Ja", noch stoße ihn oder ihr mit einem sofortigen „Nein" vor den Kopf. Bitte Dir lieber Bedenkzeit aus. Bitte Dein Gegenüber darum, sich fünf oder zehn Minuten zu gedulden, Du sagst dann Bescheid. Nutze diese wenigen Minuten, um Dir darüber klar zu werden, ob Du das Zeitfenster für die Hilfeleistung hast, ob Du das angetragene Anliegen erfüllen kannst und vor allem willst. Wie viel Energie, Kraft und Lust es Dich kosten wird, und nicht zuletzt auch, wer fragt Dich um einen Gefallen oder Hilfe? Wie agiert diese Person normalerweise, wenn Du um Hilfe bittest? Und dann erst entscheide, ob Du wieder einmal „Ja" zu jemand anderem sagst und damit vielleicht „Nein" zu Dir.

Ich wende auch gerne folgende Maßnahme an: Wenn ich um einen Gefallen, Hilfe oder Unterstützung gebeten werden und ich bin gerade in eine andere Sache vertieft, dann teile ich entweder mit, dass ich gerne helfe, jedoch erst, wenn ich meine Sache abgeschlossen habe, oder ich frage nach, ob das Anliegen einige Minuten oder auch Stunden warten kann, weil ich meine Sache, an der ich gerade arbeite, erst fertigstellen möchte.

Mache Dir auch klar, welchen Preis Du letztendlich bezahlst, wenn Du vorschnell „Ja" sagst. Denke an die Zeit, die Kraft und Energie, die Du aufwenden musst, um Deine eigenen Vorhaben und Projekte dann noch fertig zu stellen. Vielleicht macht es Dir auch einfach nur Stress, weil Du jetzt völlig aus dem Zeitplan gerätst. Nicht zuletzt ärgerst Du Dich vielleicht auch einfach über Dich selbst, weil Du schon wieder nachgegeben hast. Gib Dir also die innere Erlaubnis, „Nein" sagen zu dürfen und das auch zu können. Das hat nichts mit Egoismus zu tun, sondern ist häufig die pure Selbsterhaltung. Wenn Du Dich nicht selbst um Dich kümmerst, wer soll es dann tun?

Wie sagst Du jetzt am geschicktesten „Nein", ohne den Anderen zu verprellen oder zu beleidigen?
Hier ein paar Tipps:

- **„Nein" sagen und konsequent bleiben**

  z.B. „Vielen Dank für Dein / Ihr Vertrauen, die Wochenenden gehören meiner Familie."

  oder

„Ich habe meine Hilfe schon der Kollegin zugesagt. Ich bitte um Verständnis, dass ich nicht noch eine weitere Aufgabe übernehmen kann."

- **„Nein" sagen und Dein Gegenüber spiegeln**

  „Ich kann verstehen, dass Du glaubst der Aufgabe nicht gewachsen zu sein. Dennoch bin ich der Überzeugung, dass Du das schaffst. Bitte probiere es erst einmal aus, später kann ich Dir immer noch helfen."

  oder

  „Ich bin mir sicher, der Chef hat sich etwas dabei gedacht, Dir diese Aufgabe zu übertragen. Ich kann Dir hier im Augenblick wirklich nicht helfen."

- **„Nein" sagen und übertreiben**

  „Tut mir leid, ich fühle mich dieser Aufgabe nicht gewachsen."

  Oder

  „Ich kann das nicht guten Gewissens tun."

- **„Nein" sagen - kurz und knapp**

  „Nein!"

  Denn „Nein" ist ein ganzer Satz und benötigt weder Rechtfertigung noch Erklärung!

Not-Todo-Liste

Was eine To-Do-Liste ist, weißt Du sicher. Aufgaben aufschreiben, Prioritäten vergeben, abarbeiten, abhaken und abends hoffen, dass nichts übriggeblieben ist.

Die Not-Todo-Liste ist noch weitestgehend unbekannt, obwohl sie ein sehr effektives Instrument zum Finden und Ausblenden von Zeitfressern ist. Auf die Not-Todo-Liste kommen alle Tätigkeiten, die Du heute nicht erledigen willst, weil sie unwichtig sind, oder für den heutigen Tag noch nicht wichtig oder dringend genug. Schon mit dem Aufschreiben der Aktivität setzt Du Deinen Fokus für den Tag neu, sparst Kraft, Zeit und Energie.

Mit einer Not-Todo-Liste kannst Du Wichtiges von Unwichtigem trennen, möglicherweise auch Aktivitäten aufdecken, die Du delegieren kannst. Damit wirst Du für den Tag produktiver und verbesserst insgesamt Dein Zeitmanagement.

Du kannst Dir die Not-Todo-Liste für unterschiedliche Dinge nutzbar machen. Auf der Liste können zum Beispiel auch allgemeingültige Verhaltensweisen stehen, die Du nicht mehr machen möchtest, zum Beispiel „ständig Emails checken" oder „zwischendurch naschen".

Du kannst die Liste auch nutzen, um kleinere Aufgaben festzuhalten, die Dir gerade einfallen, die jedoch heute noch keine Priorität haben, zum Beispiel „die Geburtstagskarte für Tante Trudi schreiben". Alles was Du (heute) nicht tun willst, kommt auf diese Liste.

Angst zu versagen

Jedes neue Projekt, jede neue Aufgabe, die Du startest, birgt auch immer die Gefahr des Scheiterns. Leidest Du unter Versagensangst, beraubst Du Dich der Möglichkeit, klare Entscheidungen zu treffen und Du hast eine enorme Belastung, die Dich permanent runterzieht. Das Schlimmste an dieser Angst ist, dass sie Dich Deines vollen Potentials beraubt.

Hier kommt unser altes Gehirn zum Tragen. Schon vor Urzeiten, als die Säbelzahntiger noch unseren Planeten bewohnten, gab es für die Spezies Mensch bei Bedrohung - und Angst ist eine Bedrohung - nur drei Dinge zu tun: kämpfen, weglaufen oder totstellen. Für alle drei Optionen wurden entsprechende Ressourcen von unserem Hirn zur Verfügung gestellt: Hohe Durchblutung der Muskeln zum Kämpfen und Weglaufen, Herunterfahren der Atmung und des Pulses zum Totstellen. Was sicher nicht zur Verfügung gestellt wurde, ist Energie zum Nachdenken. Und daran hat sich bis heute nichts geändert. Wenn Du unter Stress oder Angst stehst, bist Du nicht mehr in der Lage, klare und notwendige Entscheidungen zu treffen und Dein Potential voll auszuschöpfen.

Versagensangst führt auch oft dazu, dass Du im Vorfeld aufgibst, weil Du Sorge davor hast, es nicht zu schaffen, kritisiert oder abgelehnt zu werden. Du hast die Befürchtung, die (eigenen) Erwartungen nicht erfüllen zu können und gerätst in eine Art Schockstarre. Und damit nimmt die Angstspirale Fahrt auf und füttert sich quasi selbst.

Was also kannst Du tun, um diese Spirale gar nicht erst aufzubauen oder ihr zu gegebener Zeit entgegenzuwirken? Und vor allem woran erkennst du, dass Du unter Versagensangst leidest?

Die Symptome von Versagensangst sind sehr vielschichtig, hierzu gehören Anspannung und Nervosität, zittern, erhöhtes Schwitzen, Magen-Darm-Beschwerden und Durchfall, Schlafstörungen (sowohl Einschlaf- als auch Durchschlafstörungen), Appetitlosigkeit, Panikattacken und der Gedanke an Flucht, um die Situation zu verlassen. All dies führt, wie oben beschrieben, zu Denkblockaden und Konzentrationsschwäche.

Manchmal verfallen Menschen auch in einen übertriebenen Perfektionismus und wollen alles mehr als gut machen, bekommen ein hohes Kontrollbedürfnis und sabotieren sich letztendlich selbst, weil nichts gut genug ist. Vielleicht kennst Du den Perfektionismus in Deiner jetzigen Situation auch schon. Die Folgen liegen auf der Hand: Stress, Burnout und möglicherweise sogar Kompensation mit Alkohol oder Drogen.

Versagensangst hat häufig ihren Ursprung in der Kindheit und geht zurück auf mangelnde Anerkennung oder Missachtung durch die Eltern / Erziehungsberechtigten. Du wirst zum Beispiel aus dem Zimmer geschickt oder mit Stubenarrest bestraft, weil Du den Erwartungen nicht entsprichst. Ein Elternteil ignoriert Dich für mehrere Tage völlig, weil Du etwas in ihren Augen Ungehöriges getan hast. Mit anderen Worten, Du fühlst Dich plötzlich nicht mehr geliebt und liebenswert.

Auch im weiteren Verlauf Deines Lebens kann es noch zu einer Ausprägung von Versagensangst kommen. Du wirst schon in der Schule damit groß, dass vor allem Fehler und Misserfolge benannt werden. Fehler werden rot angestrichen, schlechte Noten werden hochgespielt. Und wer hierzulande sein Studium nicht abschließt oder mit seinem Unternehmen in die Insolvenz geht, wird schnell als Versager abgestempelt.

Damit das alles nur ja nicht passiert, ziehst Du in Dir selbst den schärfsten Kritiker groß. Du kannst es Dir selbst kaum recht machen. Du musst Deine, sowieso schon viel zu hohen, Erwartungen noch übertreffen.

Dabei vergisst Du eins: Ein Misserfolg, ein Fehler oder ein Reinfall ist doch nichts anderes als ein Resultat, ein Feedback auf Dein Handeln. Es zeigt Dir, dass die Art und Weise, wie Du etwas getan hast, genau dieses Resultat erzeugt hat. Nun sollte es an Dir sein, darüber nachzudenken, was Du demnächst besser oder anders machst.

Versagensangst hat auch noch eine andere Facette. Denn all das, was ich im Absatz darüber beschrieben habe, würde Dich nur halb so viel angehen, wenn Du ein gut ausgeprägtes Selbstwertgefühl hättest. Deine Versagensangst ist nur an der Oberfläche Deine Angst zu versagen. Wenn Du ein paar Schichten tiefer schaust, dann verbirgt sich hinter Deiner offensichtlichen Versagensangst eher die Sorge, Dir nahestehende Menschen zu enttäuschen oder deren Ansprüchen nicht zu genügen. Vielleicht auch die Angst, Menschen zu verlieren oder gesellschaftlich und Deinem eigenen Selbstbild nicht mehr zu entsprechen.

Stelle Dir doch tatsächlich einmal folgende Fragen, wenn Du Dich gerade in so einer Angstphase wiederfindest:

- Wieso ist Dir die Meinung der anderen wirklich so wichtig?
- Bin ich für meine Freunde und Verwandten wirklich ein Versager, wenn ich ein Ziel nicht erreiche?
- Wie groß ist das Interesse der Anderen überhaupt an meinen Fehlschlägen?

Wenn Du wirklich ehrlich mit Dir bist, wirst Du hier möglicherweise wieder auf ein paar alte Bekannte treffen, nämlich Deine einschränkenden Glaubenssätze, die Dich ein ganzes Leben lang begleiten. Vielleicht wieder ein guter Zeitpunkt noch mal mit den Glaubenssätzen zu arbeiten (siehe Unterkapitel „

Einschränkende Glaubenssätze"), um sie irgendwann völlig aus dem Leben zu verbannen und durch wundervolle neue Sätze zu ersetzen.

Zusätzlich wirst Du bemerken, dass Deine Befürchtungen völlig unrealistisch sind und Deiner eigenen - im Augenblick sehr verzerrten - Wahrnehmung entspringen. Wenn Du das erkannt hast, bist Du bereits auf einem sehr guten Weg. Denn Misserfolge und Fehlschläge sind Bestandteile unseres Lebens. Lass Dich nicht blenden von all den Super-Men und Super-Women, die uns vorgaukeln, sie hätten keine Misserfolge hingelegt und alles würde immer glattlaufen.
Die nachfolgenden Tipps, die ich Dir geben kann, um Deine Versagensangst zu bezwingen, kann ich nur aus früheren Kapiteln wiederholen:

- Blicke auf Deine Erfolge zurück, die Du alle schon erreicht hast
- Feiere Deine Erfolge und schreibe ein Erfolgstagebuch
- Visualisiere Deinen Erfolg
- Entspanne Dich und löse Dich aus der Lähmung
- Erde Dich, indem Du vielleicht im Wald spazieren gehst oder Gartenarbeit verrichtest
- Meditiere

Mache Dir auch bewusst, zu was Du fähig wärest, wenn Du keine Angst hättest. Wir machen uns unsere eigenen Grenzen in unserem Kopf. Löse Dich von der Angst und starte voller Energie in die Aufgabe, die jetzt gerade ansteht.
Denn wenn Du nicht startest, bist Du schon gescheitert.

Niederlagen bewältigen

Mache Dir nichts vor. Auf dem Weg zu Deinem Ziel wirst Du Rückschläge und Niederlagen erleben. Wieso sollte es Dir bessergehen, als so manchem Prominenten? Ein paar Beispiele gefällig?

Joanne K. Rowling zum Beispiel fand für ihre Harry-Potter-Romane zunächst keinen Verlag, bis sich letztendlich einer erbarmte und das nur, weil die Tochter des Verlegers ein Kapitel aus dem Manuskript gelesen hatte.
Gleiches passierte Astrid Lindgren mit Pippi Langstrumpf.

Aus der Geschichte sei der amerikanische Präsident Lincoln genannt, der zahlreiche Wahlkämpfe verlor, bevor er Präsident wurde.
Steve Jobs ist aus der Firma, die er selbst gegründet hat, nach 30 Jahren rausgeflogen.

Wenn Du genau hinguckst, dann findet sich in nahezu jeder Biographie eine oder gar mehrere schwere Niederlagen.
Wenn Du Dich an meine Geschichte erinnerst, habe auch ich mit der Insolvenz und dem Verlust von viel Geld sicher eine grandiose Niederlage hingelegt, und trotzdem kann ich morgens in den Spiegel gucken und sage heute, es war das Beste, was mir passieren konnte.

Aus jeder Deiner Niederlagen und Rückschläge gibt es etwas zu lernen, deshalb heißt es aufstehen, Krönchen richten und weitermachen, Lehren daraus ziehen und Vorgehensweisen verändern.

Oder wie eine meiner Coachees formuliert:
Hinsetzen, annehmen was ist, weinen!
Aufstehen, Pläne schmieden, starten!

Natürlich ist eine Niederlage schmerzhaft, Du wolltest hoch hinaus und stellst nun fest, erst einmal wieder unten am Boden zu sein. Und wie bei der Angst zu versagen, machst Du Dir, neben Deinen eigenen Gefühlen zur Niederlage, auch noch Gedanken darüber, was denn wohl die anderen dazu sagen. Bemitleiden sie Dich, beschimpfen sie Dich oder grenzen Dich vielleicht sogar aus? Kein guter Nährstoff für Dein Selbstbewusstsein.

Spannend dabei ist, dass verschiedene Forscher herausgefunden haben, dass wir im Vorfeld die Gefühle zu einer zukünftigen Niederlage weit schlimmer und bedeutender einschätzen, als wir sie dann im eingetretenen Fall tatsächlich empfinden.

So, jetzt ist es vielleicht doch passiert, Du hast einen Fehlschlag erlitten.
Du hast das Gefühl, der Erdboden müsse sich jetzt auftun und Dich in diesem Loch bitte, bitte verschwinden lassen. Dein Umfeld kommt mit den Ratschlägen „das Leben geht weiter" um die Ecke, doch damit kannst Du, obwohl der Satz natürlich wahr ist, einfach (noch) nichts anfangen.
Deine Gefühle zu überspielen ist jetzt auch der schlechteste Rat, den ich geben könnte. Setze Dich also zuallererst mit den Emotionen auseinander, die die Niederlage mit sich bringt. Sei wütend, traurig, enttäuscht, vielleicht auch verletzt.

Lass Dich von einer guten Freundin, einem guten Freund oder einem Deiner Mentoren trösten und dann ziehe die richtigen Schlüsse. Ergründe die Ursachen für Dein Scheitern und suche nicht nach Schuldigen. Analysiere, was passiert ist und halte Dich nicht mit Vorwürfen auf.

Damit Du Dich nicht im Kreis drehst, hilft auch an dieser Stelle, sich einen Gesprächspartner zu suchen, mit dem Du objektiv über die Dinge sprechen kannst. Und dann gehe weiter in Richtung Ziel. Sei stolz darauf, diesen Weg gegangen zu sein, und wenn dieser nicht zum Ziel führte, dann ist vielleicht die andere Abzweigung die Richtige. Gewiss ist auch, dass die Niederlage ein temporärer Zustand ist und hinter der finsteren Wolke, die sich gerade über Dein Gemüt gelegt hat, definitiv die Sonne scheint. Hole Dir Inspiration bei Menschen, die den Punkt, an dem Du gerade stehst, bereits überwunden haben. Diese Menschen unterstützen Dich und zeigen Dir vielleicht auch eine Abkürzung. Überlege Dir, ob Dein Ziel noch das Richtige ist, oder ob es hier eine Nachjustierung braucht - und dann gehe mit frischem Mut weiter.

Vergleiche Dich nicht mit anderen

Kennst Du solche Gedanken wie „Die ist viel besser als ich, die Haare sind schöner, die Beine sind länger und schlanker als ich ist sie auch!" oder „Wo hat die nur die Ideen für ihre Postings her, die kann viel besser schreiben als ich, die ist viel erfolgreicher". Herzlich willkommen im „Club der Unglücklichen", denn vergleichen macht unglücklich.

Im Grunde weißt und kennst Du sie ja, all die klugen Sprüche „Du sollst Dich auf Dich konzentrieren", „Jeder Mensch ist einzigartig", ...

Komisch daran ist, dass Du Dich in der Regel nur mit Menschen vergleichst, die in Deinen Augen besser sind als Du, selten sagen wir „ich bin besser, schöner, ... als die / der andere".

Was hast Du davon, Dich mit anderen zu vergleichen? Ich sage: Nichts!
Denn statt die vermeintlich besseren zum Vorbild zu nehmen und anzustreben, genauso zu werden, lässt Du Dich von den Vergleichen eher runterziehen, machst Dein Selbstbewusstsein wieder klein und bekommst Minderwertigkeitskomplexe.

Warum vergleichst Du Dich überhaupt?
Du hast das Vergleichen schon als Kind gelernt und da war es ein wichtiger Prozess, weil mit dem kindlichen Vergleichen auch immer ein Abschauen und Lernen einherging.

Deine Freundin kann schon Fahrrad fahren? Das willst Du auch! In der Schule ging es dann weiter mit dem Vergleichen. Neben Deinen Schulnoten gab es auch immer eine Durchschnittsnote über alle Schüler und schon konntest Du vergleichen, ob Du besser oder schlechter als der „Durchschnitt" warst. In der Erwachsenenwelt vergleichst Du Dein Auto mit dem Deines Nachbarn, Kleidung, Beruf, Einkommen, Figur, et cetera. Von den Vergleichen auf Facebook und Instagram ganz zu schweigen. Dein heutiges Vergleichen läuft an vielen Stellen völlig unterbewusst ab. Im Laufe des Tages nimmst Du die eine oder andere Information auf und vergleichst Dich mit einer Person oder einer Situation. Du siehst, was der oder die Andere vermeintlich mehr hat oder besser tut. Häufig entsteht daraus miese Laune und Du weißt gar nicht, wo die gerade herkommt.

Bei genauerer Überlegung weißt Du allerdings, dass es wenig hilfreich ist, sich in Vergleichen zu ertränken, denn Du kannst Dich gar nicht mit anderen vergleichen und es hilft Dir keinesfalls weiter.

Du bist eine einzigartige Persönlichkeit mit einer ganz speziellen Lebensgeschichte, die es kein zweites Mal auf dieser Erde gibt. Du hast besondere Fähigkeiten und Ressourcen zur Verfügung, wie kein anderer Mensch.

Ein Vergleich mit jemand anderem ist also in jedem Fall der sprichwörtliche Vergleich von Äpfeln und Birnen - also sinnlos.

Sich mit anderen zu vergleichen ist sinnlose Zeitverschwendung, denn an Deiner Situation verbessert es schlichtweg nichts. Also kannst Du die Zeit auch sinnvoll einsetzen.

Das Fatale beim Vergleichen ist, dass Du immer nur den einen Aspekt herausgreifst.

Wenn Du Dich zum Beispiel mit jemandem vergleichst, der deutlich sportlicher ist als Du, dann hast Du eines dabei vermutlich übersehen: Zu dieser Sportlichkeit gehört ein intensives, eventuell mehrstündiges Training, fünf- bis sechsmal pro Woche und damit verbunden frühes Aufstehen, damit das Training noch in den Tag passt. Außerdem eine spezielle Ernährung und Verzicht auf viele Dinge, die Du wirklich gerne isst oder tust.

Und, bist Du immer noch neidisch?

Frage Dich also immer, wenn solche Vergleiche in Dir aufkommen, was muss diese Person wohl dafür tun oder getan haben, um so zu sein oder diese Fähigkeit zu haben.

Wenn Du Dich schon unbedingt vergleichen musst, dann stelle Dir demnächst die Fragen:

- Will ich auch so sein oder will ich das auch haben?

- Was kann ich tun, damit ich das bekomme oder werde?

Wenn Du dann feststellst, dass Dir das Thema wirklich wichtig ist, dann nutze den Vergleich als Ansporn, Dich weiterzuentwickeln und noch besser zu werden.

Reframing oder wozu ist es noch gut

Ein Zitat von Marc Aurel gibt den Sinn des Reframings sehr gut wieder:

"Nicht die Dinge an sich sind es, die uns beunruhigen, sondern vielmehr ist es unsere Interpretation der Bedeutung dieser Ereignisse, die unsere Reaktion bestimmt."

Reframing beinhaltet das englische Wort „frame" für Rahmen. Wenn Du Situationen, Ereignisse oder Verhalten bei Dir selbst und bei anderen in einen anderen Rahmen setzt, kannst Du dieser Situation, dem Ereignis oder dem Verhalten eine andere Bedeutung geben. Eine Technik aus der Systemischen Familientherapie, die auf Virginia Satir[30] zurückgeführt wird. Beim Reframing werden drei Vorannahmen angelegt:

- Jedes Verhalten ist in irgendeinem Kontext sinnvoll
- Hinter jedem Verhalten steckt eine positive Absicht
- Jedes Verhalten hat eine Bedeutung

---

[30] Virgina Satir *26.06.1916 +10.09.1988 war eine US-amerikanische Psychotherapeutin sowie eine der bedeutendsten Familientherapeutinnen. Oft wird sie auch als *Mutter der Familientherapie* bezeichnet. https://de.wikipedia.org/wiki/Virginia_Satir

Hierzu möchte ich Dir eine kleine Geschichte erzählen:

Der Bauer und das Pferd[31]

Eine sehr alte chinesische Taogeschichte erzählt von einem Bauern in einer armen Dorfgemeinschaft. Man hielt ihn für gut gestellt, denn er besaß ein Pferd, mit dem er pflügte und Lasten beförderte.
Eines Tages lief sein Pferd davon. All seine Nachbarn riefen, wie schrecklich das sei, doch der Bauer meinte nur: „Wer weiß, wozu es gut ist".

Ein paar Tage später kehrte das Pferd zurück und brachte zwei Wildpferde mit. Die Nachbarn freuten sich alle über sein günstiges Geschick, doch der Bauer sagte nur: „Wer weiß, wozu es gut ist".

Am nächsten Tag versuchte der Sohn des Bauern, eines der Wildpferde zu reiten, das Pferd warf ihn ab und er brach sich ein Bein. Die Nachbarn übermittelten ihm alle ihr Mitgefühl für dieses Missgeschick, doch der Bauer sagte wieder: „Wer weiß, wozu es gut ist".

In der nächsten Woche kamen Rekrutierungsoffiziere ins Dorf, um die jungen Männer zur Armee zu holen. Den Sohn des Bauern wollten sie nicht, weil sein Bein gebrochen war. Als die Nachbarn ihm sagten, was für ein Glück er hat, antwortete der Bauer: „Wer weiß, wozu es gut ist...".

---

[31] entnommen aus dem Buch "Reframing" von Richard Bandler / John Grinder

Es geht also darum, dem Erlebten eine neue Bedeutung und damit Dir einen Perspektivwechsel zu ermöglichen. Wenn Dich also eine Eigenschaft oder ein Verhalten an Dir oder jemand anderem stört, stelle Dir die Frage: „In welchem anderen Zusammenhang könnte dieses Verhalten hilfreich sein?"

Ich gebe Dir ein Beispiel: Dein Kollege ist in den Meetings immer besonders laut und Dir geht das auf die Nerven. Ist es nicht gut zu wissen, dass ein Kollege eine laute Stimme hat, die Dich warnen kann, wenn es eine Gefahr gibt und Du sie dann auch sicher hörst?

Das oben genannte Beispiel ist ein Kontext-Reframing, also suche einen Kontext in dem X - in unserem Falle „laut sein" - hilfreich ist.

Eine andere Variante von Reframing ist das sogenannte Bedeutungs-Reframing. Hier gilt es, für ein Ereignis oder ein als problematisch empfundenes Verhalten eine passendere Bedeutung zu finden.

Ich habe mich in meiner Zeit als Außendienstlerin zum Beispiel über jeden Stau auf der Autobahn aufgeregt, weil mich das Zeit kostete, die vergeudet war, weil ich möglicherweise zu spät kommen würde und so weiter. Heute stehe ich sehr gelassen im Stau, informiere meinen Gesprächspartner darüber, dass ich mich möglicherweise verspäte und genieße die Zeit zur Weiterbildung, höre Podcasts oder Hörbücher.

Wenn Dich also Dein Vater besorgt fragt, wieso Du Dich selbständig machen möchtest, dann finde heraus, in welchem Zusammenhang seine Besorgnis durchaus sinnvoll ist und wozu seine Besorgnis gut ist.

Der Satz „wer weiß, wofür es gut ist", den Du in der kleinen Geschichte mehrfach gelesen hast, ist ein Ausdruck für die Gelassenheit, mit der Du eine Situation bewältigen kannst. Das hilft Dir auch in schwierigen Situationen, Dein Selbstwertgefühl zu behalten und rückt die Dinge wieder ins rechte Licht. Weg von der Verzweiflung, den Minderwertigkeitsgefühlen oder der Verärgerung, die Du im ersten Augenblick verspürst.

Vielleicht ein praktisches Beispiel: Du erhältst die Kündigung, weil Dein Platz durch jemand jüngeren, vielleicht besser ausgebildeten, ersetzt werden soll. Neben der Enttäuschung, die Du jetzt sicher fühlst, denkst Du vor allem an die fehlende Arbeit und an die finanziellen Einbußen, die Deine Kündigung mit sich bringt. Mit einem gesunden Reframing könntest Du auch sehen:

- Jetzt kannst Du Dich endlich neu aufstellen und wirklich das tun, was Du immer schon tun wolltest (Selbstverwirklichung)

- Jetzt kannst Du Dir eine neue Stelle suchen mit besserer Bezahlung, mehr Wertschätzung und kürzerem Arbeitsweg

- Jetzt kannst Du Dich auch wieder um Menschen kümmern, die Dir wichtig sind, vor allem mal wieder um Dich selbst

Und schon ist das schlechte Gefühl mindestens deutlich abgeschwächt, wenn nicht verschwunden. Und Du bist entspannter. Mit dem Tool des Reframings kannst Du also für Dich die Perspektive wechseln, neue Sichtweisen erkennen und damit deutlich gelassener mit Verhaltensweisen und Situationen umgehen. Vor allem kann Reframing Dich auch auf neue Ideen bringen, die Du vorher einfach nicht gesehen hast.

Trainiere Deine Selbstwirksamkeit

Wie Du zu Deinen eigenen Fähigkeiten und Deinem Handeln stehst, ist ein entscheidender Faktor dafür, ob Dir Vorhaben gelingen oder nicht. Wenn Du selbst nicht an Dich glaubst und Dir Deine Fähigkeiten kleinredest, dann ist der Weg zum Scheitern quasi vorprogrammiert.

Deine Selbstwirksamkeit zu trainieren hat weder etwas mit Selbstbeweihräucherung zu tun, noch mit „Tschakka-Tschakka-Rufen".

Bereits vor etwa 40 Jahren entwickelte der kanadische Psychologe Albert Bandura das Konzept der Selbstwirksamkeit. Es geht darum, mit welcher persönlichen Überzeugung Du an die Erreichung neuer Ziele und die Durchführung und Beendigung neuer Projekte herangehst. Selbstwirksamkeit bedeutet, dass Du ein hohes Vertrauen in Dich und Deine Fähigkeiten hast, die Herausforderung meistern zu können.

Damit ist die Selbstwirksamkeit sehr eng mit dem Selbstbewusstsein verbunden. Selbstwirksamkeit ist eine wichtige Eigenschaft in Bezug auf Deine Selbstbestimmung. Denn, wenn Du nicht selbstwirksam bist, sondern glaubst, ein Spielball der äußeren Umstände zu sein, bist Du alles andere als selbstbestimmt.
Aus dieser Situation möchtest Du Dich jedoch lösen!

Konfrontiere Dich also regelmäßig mit der Frage: „Kann ich das wirklich schaffen?" Besinne Dich auf Deine Fähigkeiten, die es dafür benötigt. Deine Selbstwirksamkeit kann in unterschiedlichen Lebensbereichen unterschiedlich ausgeprägt sein.

Du kennst Dich in Deinem Berufsfeld perfekt aus, bildest Dich regelmäßig weiter und bist quasi „mit allen Wassern gewaschen". Dann hast Du vermutlich im beruflichen Bereich eine hohe Selbstwirksamkeit.

Wenn eine neue Herausforderung auf Dich zukommt, vielleicht auch völlig abseits Deines Berufsfeldes, glaubst Du vielleicht nicht mehr so stark an Dich. Albert Bandura kam zu dem Ergebnis, dass es ein gewisses Maß an Selbstwirksamkeit braucht, um überhaupt ein neues Projekt zu beginnen. Denn, wenn Du von Anfang an der Meinung bist, das sowieso nicht zu schaffen, wirst Du damit gar nicht erst anfangen.

Ein Beispiel mag Dir das verdeutlichen: Wenn Du Deiner Gesundheit zuliebe ein paar Kilos abnehmen solltest, jedoch nicht daran glaubst, dafür auf Süßigkeiten und das Gläschen Wein am Abend verzichten zu können, wirst Du es kaum in Angriff nehmen. Bist Du hingegen überzeugt davon, Durchhaltevermögen und Willensstärke aufbringen zu können, startest Du die Abnehm-Challenge.
Selbstwirksamkeit hat eine Reihe von positiven Effekten:

- Du hast mehr Erfolg
  Einfach schon dadurch, dass Du an Dich und den Erfolg glaubst

- Du gibst nicht so schnell auf
  Weil Du weißt, dass Du die Fähigkeiten hast, bist Du ausdauernder und beweist mehr Durchhaltevermögen

- Du hast keine oder weniger Angst
  Weil Du von dem Ergebnis und dem Erfolg überzeugt bist, hast Du auch keine Angst, die Herausforderung anzunehmen

Wie kannst Du nun eine höhere Selbstwirksamkeit erlangen?

Unser Verhalten und unser Denken beruhen auf unseren Erfahrungen. Wenn wir positive Erfahrungen machen, glauben wir mehr und mehr an uns. Deshalb ist es auch so wichtig, die Erfolge zu feiern, um die daraus resultierende Erfahrung in Deinem Unterbewusstsein zu verankern. Je mehr, desto besser.

Auch Menschen, die eine Herausforderung, die ähnlich derjenigen ist, vor der Du auch stehst, bereits gemeistert haben, haben Einfluss auf Deine Selbstwirksamkeit. Sie können Dich beflügeln, es zu schaffen. Eine gleichermaßen verstärkende Kraft ist der Zuspruch Deiner Mentoren, Deiner guten Freunde und der Familienmitglieder, die Du für Dein Vorhaben gewinnen konntest.
Abschließend sei in diesem Kapitel gesagt, dass Dein Ziel sich entwickeln darf und Du darfst Dich auch darauf einlassen, dass sich Dein Ziel verändert. Vor allem darfst Du annehmen, dass Du Dich selbst am meisten veränderst und weiterentwickelst und dass das gleichermaßen mit Deinem Umfeld auch passiert.

All diese Aspekte darfst Du zulassen. Du darfst akzeptieren, dass beispielsweise Menschen aus Deinem Leben gehen. Das magst Du jetzt noch für schwierig bis schier unmöglich halten. Doch auch das ist ein Prozess, der sich entwickelt und manchmal völlig verselbständigt.

Es beginnt vielleicht damit, dass der Kontakt weniger wird. Du gehst nicht mit ins Kino, weil Du noch an Deinem Businessplan schreibst. Du triffst Dich nicht mit Freunden auf ein Glas Wein oder Bier, weil Du einfach keine Lust hast. Du magst nicht mehr hören, was sie so erzählen. Oder Deine Freunde und Bekannte kommen Dir plötzlich sehr anstrengend vor. Übrigens ein Phänomen, das die anderen gerade auch von Dir denken. Anfangs werden sie sicher versuchen Dich von Deinem Vorhaben abzuhalten. Irgendwann stellen sie fest, dass sie Dein Vorhaben nicht unterminieren können und werden ebenfalls den Kontakt reduzieren. Die einen werden denken „was stellst Du da bloß an" und die anderen ziehen möglicherweise sogar den Hut und bewundern Dich für Deinen Mut und Dein Durchhaltevermögen. Lass es zu, auch wenn es anfänglich vielleicht schmerzt.

Stelle Dir Dein Leben wie eine Zugfahrt vor: An den verschiedenen Bahnhöfen ist für den ein oder anderen Mitreisenden in Deinem Leben Endstation und damit Zeit, auszusteigen. Doch, sei Dir gewiss, es steigen auch immer wieder Menschen in den Zug ein, die Dich ein Stück des Weges begleiten und Dir möglicherweise hilfreiche und nützliche Reisebegleiter sind. Sie bringen Dich weiter.

In manchen Situationen lässt sich das erst viel später begreifen, da stellen sich Rückschläge als größtes Geschenk heraus. Bei mir war es die Insolvenz und alles, was in diesem Jahr passiert ist. Während ich in der Situation steckte, war es ein Drama voller Ängste, Vorwürfe und Unsicherheiten. Heute, rückwärts betrachtet, war es ein unglaubliches Geschenk. Wenn das alles nicht passiert wäre, säße ich heute noch in der Firma und würde Software von Ärzten betreuen und verkaufen. Trotzdem ging es weiter und am Ende wurde alles gut.

Die Rückschläge, die Dir passieren, werden ebenfalls rückwirkend ein Geschenk sein. Darauf darfst Du Dich einlassen.

Und mache die Tür hinter einer Geschichte oder einem Menschen auch wirklich zu, damit sich eine neue Tür öffnen kann.
Wenn Du alle Türen offenlässt und sei es auch nur einen Spalt, verbringst Du Dein Leben auf dem Flur.
Also schließe mit den Geschichten vollständig ab.

Gerade, wenn Du Dich entscheidest, etwas anders oder etwas anderes zu machen, holst Du Dir automatisch und zwangsläufig Menschen in Dein Leben, die Dich ein Stück des Weges begleiten und Dich zur richtigen Zeit auch weiterbringen. Wenn die Zeit vorbei ist, dürfen sie wieder aus Deinem Leben gehen, um neuen Menschen Platz zu machen.

Die Kunst dabei ist, den Moment nicht zu verpassen und Deiner Intuition und Deinem Bauchgefühl zu vertrauen. Du kannst sicher davon ausgehen, dass es Dein Leben gut mit Dir meint.

Du bist nicht auf der Welt, weil Dir Böses widerfahren soll. Das Leben ist immer für Dich. Du bist Schöpfer Deines Lebens.

Wie Du mit Frustration umgehst

Du wirst auf Deinem Weg zum Ziel auch Phasen von Frustration erleben. Ich darf Dich beruhigen, das ist normal. Dein Projekt bewegt sich vielleicht gerade nicht vorwärts, Du hast das Gefühl alle sind gegen Dich, die ein oder andere Aktion läuft völlig schief. Gerade, wenn Du Dir Deine Messlatte, also Deine Erwartungen, besonders hochlegst, dann ist die Frustration umso größer, wenn sich Dein Wunsch nicht erfüllt. Das Gefühl Frustration kennst Du sicher schon aus der Kindheit. Entscheidend ist, wie Du nun damit umgehst.

Der Begriff „Frustration" kommt aus dem Lateinischen von „Frustra"=vergeblich oder „Frustratio"=Täuschung einer Erwartung. Das Wörterbuch[32] sagt zu Frustration: „Gefühl der Enttäuschung und der Machtlosigkeit (das eintritt, wenn ein erwartetes, geplantes oder erhofftes Geschehen, Ereignis oder ähnliches ausbleibt oder völlig anders als vorgesehen verläuft). Frustration heißt auf gar keinen Fall Niederlage, sondern benennt nur die dahinterliegenden Gefühle wie Ablehnung, Kränkung, Groll, Verärgerung und Enttäuschung. Hier hilft es Dir jetzt nicht, die Schuld bei den anderen oder den Umständen zu suchen, sondern für Dich und Dein Handeln ganz klar die Verantwortung zu übernehmen, die Zusammenhänge zu erkennen und die richtigen Schlüsse daraus ziehen.

Beobachte bitte bei Dir, ob Du die Frustration kompensierst, zum Beispiel mit Essen oder Alkoholkonsum oder mit einem Shopping-Ausflug. Das alles sind leider

---

[32]https://universal_lexikon.deacademic.com/34185/Frustration

nur kurzfristige Pflaster für den Frust, den Du gerade schiebst und deshalb auch nicht hilfreich.

Je höher Deine Frustrationstoleranz ist, umso leichter kannst Du mit der Frustration und der damit verbunden Enttäuschung umgehen. Wenn Du eine hohe Resilienz[33] im Umgang mit Deiner Frustration hast, dann ist auch das ein wertvoller Erfolgsfaktor.

Du kannst sicher sein, dass Deine Frustration in Kürze verschwindet wie Regenwolken am Himmel und Du wirst merken, wie großartig es ist, nach einer gefühlten Frustrationsstrecke wieder erste Erfolge feiern zu können. So und jetzt raus aus dem Frust mit folgenden Tipps:

- Gehe raus an die frische Luft und bewege Dich, mache einen Spaziergang auf Deiner Lieblingsstrecke oder entdecke völlig neue Wege. Wenn Du regelmäßig läufst oder walkst, dann pustet Dir die frische Luft den Kopf wieder richtiggehend frei.

---

[33]**Resilienz** (von lateinisch *resilire* ‚zurückspringen' ‚abprallen') oder **psychische Widerstandsfähigkeit** ist die Fähigkeit, Krisen zu bewältigen und sie durch Rückgriff auf persönliche und sozial vermittelte Ressourcen als Anlass für Entwicklungen zu nutzen. In der Medizin bezeichnet Resilienz auch die Aufrechterhaltung bzw. rasche Wiederherstellung der psychischen Gesundheit während oder nach stressvollen Lebensumständen und wird als Ergebnis der Anpassung an Stressoren definiert. Mehr dazu findest Du hier: https://de.wikipedia.org/wiki/Resilienz_(Psychologie)

- Überlege Dir, was Du aus dieser Enttäuschung lernen kannst. Und wenn Du die Perspektive einmal wechselst und eine andere Blickrichtung einnimmst, dann hat auch diese Enttäuschung vielleicht etwas Gutes.

- Manchmal kann etwas, das misslungen ist, auch ein Ansporn für Dich sein, getreu dem Motto "jetzt erst recht". Doch bitte aufgepasst. Es hilft Dir nicht, wenn Du es wieder und wieder auf die gleiche Weise versuchst. Hier hat Albert Einstein[34] schon beschrieben:

  Die Definition von Wahnsinn ist, immer wieder das Gleiche zu tun und andere Ergebnisse zu erwarten.

  Überlege Dir also, was Du anders oder besser machen kannst und dann versuche es neu.

- Komm schnell wieder ins Handeln, sonst läufst Du Gefahr, mehr und mehr in die Opferrolle zu rutschen und dann kommen schnell Gedanken von Scheitern auf. Deshalb beginne innerhalb von 24 Stunden, wieder an Deinem Projekt zu arbeiten.

[34] Albert Einstein *14.03.1879, +18.04.1955, deutscher Physiker mit Schweizer und US-amerikanischer Staatsangehörigkeit.

- Akzeptiere, dass etwas nicht geklappt oder, dass Du vielleicht zur falschen Zeit am falschen Ort warst. Auch wenn Dich das jetzt ärgert, bringt es Dich doch keinen Schritt weiter. Konzentriere Dich lieber auf eine neue Möglichkeit.

Du bekommst, was Du denkst

Hierzu möchte ich Dir eine kleine Geschichte erzählen, die deutlich macht, was ich mit diesem Satz meine:

Ein Mann hatte am Straßenrand einen Stand und verkaufte dort Würstchen. Die waren einfach köstlich und die Brötchen dazu knusprig. Weil er schon etwas älter war, hörte er nicht mehr so gut und hatte deshalb auch kein Radio. Und, weil seine Augen mit zunehmendem Alter auch immer schlechter wurden, las er schon lange keine Tageszeitung mehr. Es sprach sich in der ganzen Gegend herum, dass die Würstchen so lecker sind und so verkaufte er jeden Tag mehr davon. Weil er den Ansturm alleine nicht mehr bewältigen konnte, holte er nach dem abgeschlossenen Studium seinen Sohn herbei, damit er ihm helfen und den Stand vergrößern und einen größeren Ofen kaufen könne. Als sein Sohn kam, schüttelte er nur so mit dem Kopf und sagte zu seinem Vater: „Hast Du es denn noch nicht gehört? Du solltest nicht mehr investieren, es steht eine große Rezension bevor. Dein Umsatz wird zurückgehen." Und der Vater dachte: „Ich habe einen studierten Sohn, der sich regelmäßig informiert. Der wird das schon wissen."

Und so begann der alte Mann zu sparen. Er sparte an der Menge, die er einkaufte und er sparte an der Qualität. Er sparte an der Werbung. Und weil er so große Angst hatte, wurde er unfreundlich zu seinen Kunden. Es folgte, was folgen musste: Die Umsätze gingen zurück, keiner wollte mehr seine Würstchen. Er sagte zu seinem Sohn: „Du hattest völlig recht, eine schwere Rezession steht uns bevor."

Eine interessante Geschichte wie ich finde.

Was wäre wohl passiert, wenn der Vater ohne seinen Sohn weitergemacht hätte, den Stand vergrößert und einen größeren Ofen gekauft hätte?

Alles, was Du um Dich herum besitzt, hast Du Dir vorher in Gedanken ausgemalt. War es nicht schon als Kind so, dass Du, wenn Du etwas unbedingt haben wolltest, mit allen Mitteln versucht hast, es zu bekommen? Dass Du permanent an das heißersehnte Fahrrad, das Du Dir so sehr zu Weihnachten gewünscht hast, gedacht hast? Dass Du kaum schlafen konntest in der Nacht vor Heiligabend, weil Du schon so aufgeregt warst? Dass Du Dich schon mit dem Fahrrad durch die Straßen flitzen sehen konntest?
Es fängt also alles mit unseren Gedanken an. Denke also immer wieder daran, was Du wirklich möchtest, wie es aussieht, sich anhört und anfühlt. Die Dinge, die dann zu tun sind, kommen in Dein Leben.

Selbst die Krise, die viele von uns im 1. Quartal 2020 kalt erwischt hat, hatte etwas Gutes. Ja, auch mir sind die Umsätze meines Coachings weggebrochen und ich stand kurzzeitig mit Null Euro Umsatz da. Doch Du würdest dieses Buch nicht in der Hand halten, wenn es die Krise nicht gegeben hätte. Über ein Buchprojekt[35], in dem ich Mitautorin bin und das während der Krise binnen zehn Wochen entstanden ist, habe ich die Verlegerin kennengelernt und mich entschieden, mein eigenes erstes Buch zu schreiben. Ich hatte die Zeit dazu und auch die Motivation.

---

[35] „Chancenerkenner statt Krisentaucher" von Mirjam Saeger
(ISBN 978-3-347-05983-2)

Worauf ich hinaus will: Du erlebst das, worauf Dein Fokus liegt und Dein Unterbewusstsein wird alles dafür tun, Dir das zu erfüllen. Wenn Du morgens schon aufstehst und denkst *„was für ein mieser Tag"*, dann wird Dein Unterbewusstsein nichts Besseres zu tun haben, als Dir den ganzen Tag miese Dinge zu sagen und Dich auf miese Dinge aufmerksam zu machen, damit Du abends tatsächlich ins Bett gehst und mit Fug und Recht behaupten kannst, was für ein mieser Tag das war.

Also stelle Dir jeden Tag neu die Frage: Was willst Du erleben? Worauf schaust Du? Welches Gedankengut hast Du? Denkst Du jeden Tag an Deinen Erfolg oder eher an Dein Scheitern?

Achtung aufgepasst: Dein Unterbewusstsein ist immer bei Dir und zeigt Dir, was Du sehen willst, sprich, was Du denkst. Du kannst nicht den ganzen Tag denken „das schaffe ich sowieso nicht" und erwarten, dass Dein Ziel in angegebener Zeit erreicht wird.
Wie wäre es, wenn Du eine Woche lang nur auf die positiven Dinge schaust? Auf all den Erfolg, den Du schon hattest, auf alle die Liebe und den Wohlstand, die Dich umgeben. Auf die Freude, die Du dabei hast an Deinem neuen Ziel zu arbeiten. An die Vorfreude, wenn Dein Ziel endlich erreicht ist. Beobachte, was das mit Dir und Deiner Umgebung und vor allem mit Deinen Ergebnissen macht. Und dann entscheide Dich dafür, Deine Ergebnisse durch positive Gedanken zu unterstützen.

R wie Resultate

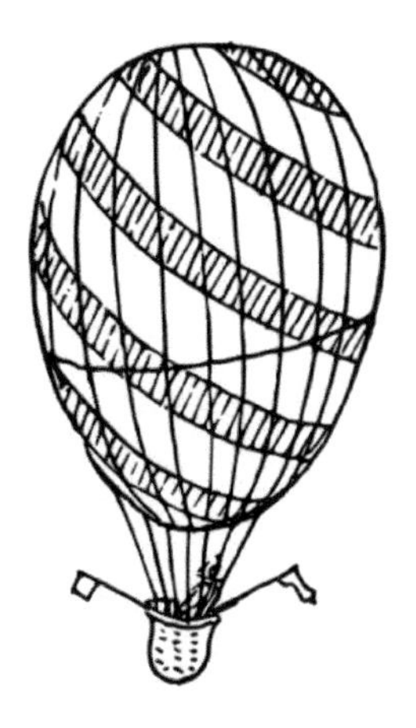

So, jetzt gibt es was zu feiern. Wenn Du das Buch bis hierher nicht nur gelesen, sondern vielmehr auch damit gearbeitet hast, solltest Du mindestens auf dem Weg zu Deinem großen Ziel sein, wenn Du es nicht vielleicht sogar schon erreicht hast.

Jeder Schritt, den Du bis hierher erfolgreich gegangen bist, ist ein Grund zu feiern. Alles, was Dir gelungen ist, das erste Gespräch mit Deinem eigenen Kunden, die Tipps und Tricks, die Du erfahren hast im Gespräch mit einem Freund / einer Freundin und die Dich auf Deinem Weg weiter gebracht haben, die erste Rechnung, die Du für Dein Herzensbusiness stellen durftest, all das darfst Du feiern.

Das gilt übrigens ganz generell und nicht nur für Dich. Wenn Du Kinder hast, dann feiere auch mit ihnen die tollen Erlebnisse, die gute Note, das erste Schwimmabzeichen, die erste Reitstunde. Die positive Energie, die dabei entsteht, motiviert alle Beteiligten gleichermaßen und sorgt dafür, dass positive Stimmung um sie herum ist, und positive Stimmung zieht positive Stimmung an.

Du darfst lernen, auch die Note „befriedigend" mit Deinen Kindern zu feiern, vielleicht nicht so großartig wie eine zwei oder eins. Wichtig ist, dass eine positive Stimmung in Deinem Alltag entsteht und aufrechterhalten wird. Neben dem Feiern von Erfolgen, gehört Belohnen auch immer dazu. Wenn Du vor der Aufgabe stehst, beispielsweise diese Woche noch drei Bewerbungen schreiben zu müssen, dann darfst Du Dir nach der Fertigstellung der dritten Bewerbung die Kinokarte, den Theaterbesuch oder etwas anderes gönnen, woran Du Freude hast.

Du fragst Dich vielleicht was das soll? Ist doch total normal, dass die drei Bewerbungen geschrieben werden, wenn das sein muss...
Ist doch logisch, dass das Kind das Seepferdchen besteht, das habt ihr ja lange geübt...

Ja, mag sein, dass das für Dich im ersten Moment logisch ist. Dennoch, die positive Stimmung, die durch Belohnen und Feiern erreicht werden kann, verändert genauso wie das regelmäßige Lesen der Erfolgs- und Fähigkeitenliste und das Führen eines Dankbarkeitstagebuchs Dein Mindset und vor allem das Mindset Deiner Kinder (siehe auch Kapitel „Trainiere Deine Selbstwirksamkeit").

Damit erlangst Du eine generelle positive Grundeinstellung zu Deinem Leben und Positives zieht Positives an.

Ein hilfreiches Tool um die positiven und schönen Momente auch im Rückblick noch einmal zu würdigen, stelle ich Dir nachfolgend vor.

Glas mit schönen Momenten füllen

Ich habe für mich festgestellt, dass die positiven Erinnerungen, wie der Kurzurlaub oder das Essen mit Freunden oder die Erfolge, die gefeiert werden können (sofern sie nicht im Erfolgstagebuch landen), viel zu schnell in Vergessenheit geraten und ich mich manchmal nicht mehr an alles, was ich als feierwürdig oder bemerkenswert erachtet habe, erinnern kann. Ein einfaches großes Glas - das kann ein großes Einmachglas sein oder ein Vorratsglas - schafft mir da Abhilfe.

Ich nehme dieses leere Glas am Anfang des Jahres, stelle es an einen exponierten Platz in der Wohnung. Immer dann, wenn ich ein bemerkenswertes Ereignis erlebt habe, zum Beispiel einen Theaterbesuch oder einen Ausflug oder ein anderes schönes Erlebnis, schreibe ich einen kleinen Zettel dazu. Auf diesen Zettel kommt das Datum und in Stichworten das Ereignis. Dann wird der Zettel zusammengefaltet und kommt in das Glas.

In der Woche zwischen Weihnachten und Neujahr wird das Glas ausgeschüttet und die Zettel einer nach dem anderen gemeinsam mit meinem Partner angeschaut und vorgelesen. Ein wundervolles Ritual, dass gut und gerne mehrere Stunden einnimmt, weil dazu noch die ein oder andere Geschichte erzählt wird.

Ich erwarte dieses Ereignis stets mit großer Vorfreude. Wir machen es uns gemütlich, vielleicht öffnen wir auch eine Flasche Wein. Und dann ziehen wir abwechselnd einen Zettel aus diesem Glas und lesen vor, was darauf steht. Ich bin immer wieder erstaunt, was wir alles erlebt haben und vor allem kann ich oft nicht glauben, dass es entweder schon so lange her ist, oder ja gerade erst letzten Monat war. Wenn das Glas vollständig geleert ist, sind wir einfach glücklich und sehr dankbar, all das erleben zu dürfen. Es ist euphorisierend und stärkt unsere Lebensfreude.

Selbstverständlich steht es Dir frei, jederzeit im Jahr mit dem Glas zu beginnen, vielleicht ist der Start Deines Projektes ein guter Anfang. Und selbstverständlich kannst Du es auch jederzeit öffnen und Deine schönen Momente nochmals Revue passieren lassen - einmal in der Woche, einmal im Monat, oder einfach, weil Dir gerade danach ist. Vielleicht auch in Situationen, wenn es Dir gerade nicht so gut geht. Wo Du das Gefühl hast, zu stocken, wo Dinge schiefgehen, oder es gerade besonders mies läuft. Anschließend wirfst Du die Zettel wieder in das Glas und hast dann beim nächsten Mal gleich doppelte Freude.

Es wird auf Deinem Weg Rückschläge geben, das werde ich hier nicht schönreden, es wird tiefe Täler und Tränen geben (Siehe auch Kapitel „Niederlagen bewältigen"). Denke bitte in solchen Situationen immer daran, dass Du Mentoren an Deiner Seite hast, die Du zu Beginn Deiner Reise ausgewählt hast, die Dir wohlwollend zur Seite stehen.

Mentoren, die Dein Vorhaben nicht nur gutheißen, sondern auch unterstützen. Diese Mentoren sind in den Tälern ganz besonders wichtige Menschen.

Und es ergibt keinen Sinn „auf starke Frau / starken Mann" zu markieren, wenn es gerade darum geht, aus einem Loch oder Tal wieder herauszukommen.

Die Mentoren bringen Dich auf den richtigen Pfad und stehen sicher auch zur Verfügung, um Dich einfach einmal in den Arm zu nehmen.

Steht jetzt etwas auf Deiner Stirn wie: „Ich kenne niemanden, der mein Mentor sein kann oder will"? Ich versichere Dir, diese Menschen kommen in Dein Leben. Neben den wohlwollenden Mentoren treten vielleicht auch Menschen in Dein Leben, die dazu da sind, Dir einen Tritt in den Allerwertesten zu verpassen oder dir eine Lektion zu erteilen, getreu dem Motto „wenn er oder sie nicht Dein Freund ist, dann ist er wenigstens Dein Lehrer".

Du hast nichts davon, wenn Du Dich nur mit Menschen umgibst, die Dich über den grünen Klee loben und Dir bestätigen, wie toll Du bist. Menschen, die das eventuell nur tun, um Dich zu beruhigen, um sich nicht mit Dir streiten zu müssen und um Dein kleines EGO aufzurichten. An diesen Menschen kannst Du nicht wachsen.

Nimm sie trotzdem mit Dankbarkeit an!
Du findest Mentoren in der näheren und weiteren Verwandtschaft - zum Beispiel die Schwägerin oder der Schwager, die Patentante oder der Patenonkel.

Deine Eltern sind nicht unbedingt die richtigen Ansprechpartner für Dein Vorhaben. Die Kontaktaufnahme innerhalb der Verwandtschaft ergibt - und da stimmst Du mir sicher zu - nur dann Sinn, wenn die Verbindung zwischen euch schon auf sicheren Füßen steht. Wenn Du seit 15 Jahren keinen Kontakt zur Patentante hast, dann ist eine Kontaktaufnahme, um sie zu Deiner Mentorin zu machen und sie in Dein Vorhaben einzuweihen, vielleicht nicht der richtige Zeitpunkt.

Verbinde Dich mit Menschen, die schon dort sind, wo Du noch hinwillst. Menschen, die das, was Du vorhast, schon erreicht haben.

Als ich mit meinem Coaching-Business begann, habe ich mich mit ganz vielen Coaches und Trainern auf Social Media verbunden und bin ihnen gefolgt. Ich habe mir angeschaut, was sie so machen. Dadurch schwappte die Energie ihrer Person und ihrer Arbeit auf mich über. Das hat mich beflügelt, auch genau dorthin zu wollen und Dinge zu tun, die meine Kontakte tun.

Dazu kommt noch folgendes: Wir Menschen sind soziale Wesen und wenn uns jemand um Hilfe fragt, können wir selten „nein" sagen (siehe Unterkapitel „Sag einfach öfter „Nein""). Die Sätze „Kannst Du mir bitte helfen?" und „Ich brauche Deine Hilfe" sind wahre Türöffner.

So bittest Du erfolgreich um Hilfe

Ich weiß, um Hilfe zu bitten ist vermutlich auch nicht Deine Stärke. Ich habe mich am Anfang ebenfalls schwer damit getan, andere um Hilfe zu bitten. Heute weiß ich, dass ich nicht alles können kann. Und zu glauben, der andere hält Dich für unfähig oder inkompetent ist eine nicht bestätigte Vorannahme und außerdem meist auch noch falsch.

Wenn Du das denkst, dann bist Du mal wieder getrieben von alten Glaubenssätzen wie „das schaffe ich auch alleine". Manchmal bist Du vielleicht auch einfach zu stolz und hast im Hinterkopf solche Sätze wie „was sollen denn die anderen denken".

Kannst Du Dich noch an Deine Kindheit erinnern?

Da war es völlig natürlich, dass Du andere Menschen um Hilfe gebeten hast. Du hattest kein Problem damit, nein, es war sogar wichtig für Deine Weiterentwicklung, dass andere etwas gemeinsam mit Dir tun oder Dir etwas erklären. Was ist also passiert, dass Du diesen natürlichen Reflex verloren hast? Vielleicht gab es einen Moment, in dem Du um Hilfe gefragt hast, jedoch abgelehnt wurdest, vielleicht sogar belächelt oder ausgelacht. Ein prägendes Ereignis. Leider trägt auch unsere Gesellschaft dazu bei, dass Du immer weniger um Hilfe fragst, denn Du sollst ja, und das hast Du auch schon als Kind und Jugendliche(r) gelernt, ohne Fehl und Tadel sein. Zu einer solchen Person passt es natürlich nicht, um Hilfe zu bitten. Lieber quälst Du Dich alleine durch die Aufgabe, die Dir schier unlösbar erscheint. Dabei könnte sie womöglich im Nullkommanichts gelöst sein, wenn Du die richtige Frage an den richtigen Menschen stellst.

Wenn Du jemanden um Hilfe bittest, macht das gleich zweimal glücklich. Dich, weil Du in Deinem Projekt schneller vorankommst und den anderen auch!

Der andere ist glücklich, weil Du ihn um seine Expertise gebeten hast, also seine Fähigkeiten wertschätzt und an ihn glaubst. Außerdem ist es ein angenehmes Gefühl, jemanden unterstützen zu können.
Was macht es jetzt also so schwer, um Hilfe zu bitten?

Da ist zum einen Dein angekratztes Selbstwertgefühl. Zugeben zu müssen, dass Du etwas nicht kannst oder weißt, dazu gehört Mut. Selbstzweifel regen sich in Dir, die völlig unbegründet sind. Denn wenn Du weißt, dass Du um Hilfe bitten musst, zeigt das eher, dass Du ein klares Bild von Dir und Deinen Fähigkeiten hast. Außerdem schützen Dich Hilfestellungen, die Du Dir holst vor schweren Fehlern. Zum anderen glaubst Du, Schwäche zu zeigen und Dich damit angreifbar zu machen. Ist es nicht sinnvoller zu glauben, dass Du durch Hilfe schneller lernen kannst und damit auch die Wiederholung von Fehlern vermeidest?

Manchmal glaubst Du vielleicht auch, wenn Du um Hilfe bittest, danach in der Schuld des anderen zu stehen. Und demzufolge nicht ablehnen zu können oder zu dürfen, wenn der andere Dich demnächst um einen Gefallen bittet. Was ist daran so verkehrt, die Geste zu erwidern?

Und hier gilt ebenso, wenn die Anfrage des anderen gerade nicht in Deinen Plan passt, darfst Du liebevoll und wertschätzend „Nein“ sagen oder verschieben.

Auch Du darfst im Gegenzug nicht erwarten, dass Dein Gegenüber sofort aufspringt und Dir zu Hilfe eilt. Es ist durchaus möglich, dass der andere Dir die Hilfe zusagt, jedoch den Zeitpunkt bestimmt.

Folgende Tricks können Dir helfen, leichter um Hilfe zu bitten:

- Mache den Gefragten zum Experten und erkläre bei Deiner Bitte, warum Du ihn, oder sie, ausgewählt hast, um Dir zu helfen. Welches Expertenwissen schätzt Du an ihm, oder ihr? Dein Gegenüber wird Dir gerne Unterstützung geben, wenn Du ihm, oder ihr, zusätzlich erklärst, woran Du gerade arbeitest und wieso seine / ihre Hilfe so wichtig ist.

- Stelle Deine Hilfeanfrage in einer positiven Grundstimmung. Vermittle, dass Du für Dein Projekt brennst. Übertreibe dabei jedoch nicht.

- Stelle Deine Frage positiv formuliert und lasse dem anderen Zeit, darauf zu reagieren. Nach ein paar Tagen darfst Du gerne noch einmal nachhaken.

- Ganz wichtig: Wenn Dir die Hilfe zuteil wurde, dann bedanke Dich, vielleicht sogar mit einer kleinen Aufmerksamkeit. Damit schätzt Du die Hilfestellung wert.

Es wird kaum Ablehner geben, die Dir die Hilfe verweigern.

Wenn das passiert, hast Du vielleicht einfach den Falschen gefragt. Dann frag den Nächsten. Was Dir schlimmstenfalls passieren kann ist, dass der Gefragte sagt, dass es jetzt gerade nicht passt und Du später nochmals kommen darfst.

Schutz vor Überlastung

Du bist jetzt in Deinem Projekt gut vorangeschritten und hast schon eine Menge erreicht. Die neue Tätigkeit, sei es im Angestelltenverhältnis oder als Selbständige(r) macht Dir im Großen und Ganzen sehr viel Spaß. Vielleicht merkst Du gar nicht, dass Du schon wieder zu viel und zu lange arbeitest, weil Du es gar nicht als „zu viel" empfindest.

Gleichwohl bist Du möglicherweise auf dem besten Wege, Deine Belastungsgrenze zu überschreiten. Du glaubst, alles schaffen zu müssen und setzt Dich permanent unter Druck. Bei aller Freude an der Tätigkeit ist es immens wichtig, dass Du Deine eigene Regenerationsfähigkeit aufrechterhältst, hinreichend Pausen machst und auch einfach mal einen freien Tag oder Nachmittag einplanst, bevor Du wieder dem Gefühl erliegst, völlig überfordert und überlastet zu sein.

Beobachte Dich genau und achte auf Signale wie Kopfschmerzen oder Mattigkeit. Achte auch auf Situationen, in denen Du vielleicht unwirsch bist oder fahrig reagierst. Dann ist Zeit für eine Aus-Zeit!

Wenn Du das Gefühl hast, erschöpft zu sein, dann brauchst Du Zeit, Dich wieder zu regenerieren. Mache bitte nicht den Fehler und ignoriere diese Signale, sonst tauschst Du Dein Hamsterrad, aus dem Du gerade ausgestiegen bist, direkt wieder gegen ein neues - von Dir selbst kreiertes.

Zusammenfassung Resümee

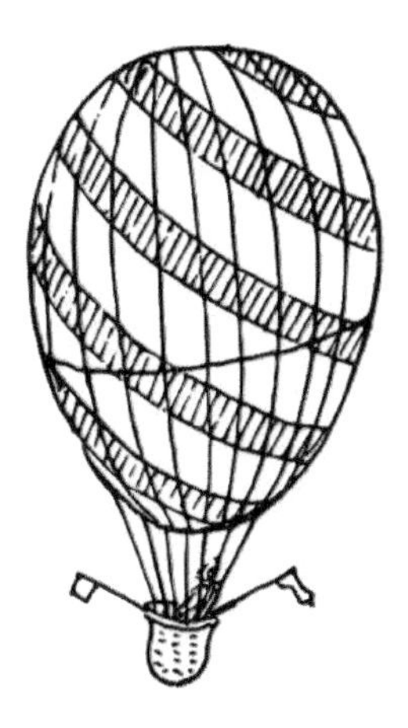

Mit dem Kauf dieses Buches und dem späteren Lesen und damit Arbeiten, hast Du den ersten Schritt auf einer Reise in ein selbstbestimmteres (Beruf-)Leben mit mehr persönlicher Freiheit gestartet.

Wenn Du alle Kapitel bearbeitet hast, dann hast Du zwischenzeitlich Deinen Standort genau beschrieben und herausgefunden, wie sich Deine Situation im Ist-Zustand darstellt.

Du hast Dein Ziel definiert und Dich mit einer Fähigkeiten- und Erfolgsliste bestärkt. Dein Zielzustand ist genau ausgemalt und groß.

Du hast im nächsten Schritt eine Entscheidung getroffen, dafür Dein Ziel zu verfolgen und umzusetzen oder schon jetzt damit aufzuhören.

Wenn Deine Entscheidung für Dein großes Ziel gefallen ist, dann hast Du Methoden kennengelernt, wie Du ins Tun kommst und gleichsam auch hilfreiche Tipps an die Hand bekommen, was Du tun kannst, wenn Du ins Stolpern gerätst.

Im Kapitel „Ganz oder gar nicht" habe ich Dir gezeigt, wie Du an der Verfolgung Deines Ziels oder Projektes dranbleiben kannst. Wie Du durchhältst und was Du gegen einschränkende Glaubenssätze machst, die Dich am Boden halten.

Du weißt, dass sich Dein Ziel entwickeln, vielleicht sogar ändern darf. Dass Du etwas zulassen und auch das ein oder andere weglassen darfst. So bist Du Schritt für Schritt Deinem Ziel nähergekommen, wenn Du es nicht gar schon erreicht hast.

Sollte das so sein, oder sich in den nächsten Wochen anbahnen, dann freue ich mich sehr darüber, wenn Du mir davon erzählst.

Wenn Du das Buch nun an jemanden weitergibst, der es auch brauchen kann, dann umso besser. Du kannst es natürlich auch als Nachschlagewerk und Erinnerung für Dein nächstes großes Projekt immer wieder nutzen. Ganz wie Du möchtest.

Zu guter Letzt hast Du mit Kapitel „R wie Resultate" Deine Erfolge gefeiert und Deine schönen Momente festgehalten.

Mir bleibt jetzt nichts anderes, als Abschied zu nehmen. Ich freue mich, dass ich Dich bis hierhin begleiten durfte, dass ich Reisebegleiterin an Deiner Seite war und Dir mit nützlichen Tipps Schritte in Dein selbstbestimmtes Leben gezeigt habe.

Ich habe mit den beschriebenen Strategien mein Leben komplett verändert. Menschen, die mich längere Zeit nicht gesehen haben, erkennen mich heute kaum wieder.

Ich blicke mit Wohlwollen und Dankbarkeit auf mein Leben zurück. Alles, was passiert ist, geschah im Nachhinein zur rechten Zeit. Heute bin ich viel selbstbewusster kann vor Menschen frei reden ohne mir vor Angst „in die Hose zu machen". Ich habe gelernt, meine Bedürfnisse zu äußern und Psychohygiene zu betreiben. Ich entscheide, was ich will und was ich nicht will, darüber was ich tue oder lasse und habe damit ein hohes Maß an persönlicher Freiheit.

Nun wünsche ich auch Dir, dass Du in Deine Selbstbestimmung kommst und Deine persönliche Freiheit lebst. Kappe die Taue, die Dich am Boden halten. Sprenge alles, was Deinen inneren Diamanten davon abhält zu strahlen!

Tue es jetzt und sei gespannt, was alles in Dir steckt. Wenn Du dabei Unterstützung brauchst, bin ich gerne für Dich da.

Auf den nachfolgenden Seiten erfährst Du, was ich außerhalb dieses Buchs für Dich tun kann und im Anschluss erhältst Du zwei Bonuskapitel zu den Themen „Authentizität" und „Kommunikation".

Alles Liebe

Anna Katharina Steiger

Was ich für Dich tun kann

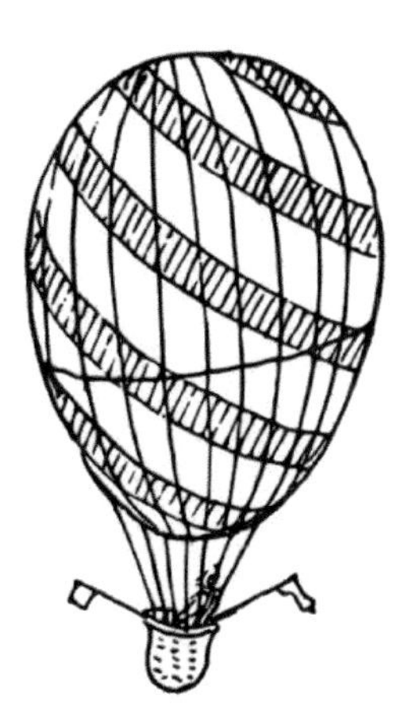

Zunächst ein herzliches Dankeschön an Dich, dass Du dieses Buch bis hier gelesen hast.
Wenn Du Fragen zum Buch, zu einzelnen Übungen oder Themen aus dem Buch hast, dann nimm gerne Kontakt mit mir auf.
Der schnellste Weg ist per Mail: buch@kopfarbeit.jetzt

Wie Du mich sonst noch erreichen kannst, findest Du ein paar Seiten weiter.

Als Trainerin, Hypnose-Coach, Reiki-Meisterin und Dozentin für Bewerbungsmanagement und Kommunikation bin ich Geburtshelferin für Veränderungsprozesse und Potential-STEIGERin. so habe ich schon mehrere hundert Menschen in meinem Coaching und Mentoring auf ihrem Weg in ihr (Berufs-Leben) 2.0 unterstützt.

Ich wünsche mir, dass auch Du ein Leben nach Deinen Maßstäben lebst, das Dich mit Spaß und Freude erfüllt.

Wenn Du magst, dann bin ich Dein Dynamit, das mit Dir Deine Ketten sprengt.
Wann lässt Du es also so richtig krachen?

Meine Philosophie

Meine Trainer- und Coachingtätigkeit wird von folgenden Grundannahmen bestimmt:

- Mein Kunde/Coachee/Mentee ist einzigartig und trägt bereits alle Lösungen in sich

- Die Zusammenarbeit zwischen meinen Kunden und mir ist stets von Sympathie und Vertrauen geprägt, die Arbeit erfolgt auf Augenhöhe in partnerschaftlicher Akzeptanz

Coaching ist immer „Hilfe zu Selbsthilfe".
Wir tragen alle Ressourcen in uns und sind somit in der Lage, alle unsere Fragestellungen zu lösen. Der „innere Diamant" eines jeden Menschen beinhaltet sein individuelles und einzigartiges Ich.

Genauso, wie dieses Buch Dich dabei unterstützt hat, Dir selbst zu helfen, hast Du in der Arbeit mit mir die Möglichkeit, Deine Lösung selbst zu entdecken. Denn nur der selbst entdeckte Lösungsweg gibt Kraft zur Ausführung und nur Du selbst weißt, was gut für Dich ist und welcher Weg der gerade passende für Dich ist.

Meine Schwerpunkte

- Standortbestimmung und Karriereplanung

- Arbeit an persönlichen und beruflichen Zielen

- Vorbereitung und Begleitung in Umbruchsituationen
  Das können Veränderungen aller Art sein, Job-Wechsel, neuer Chef, Trennung vom Partner, Veränderung der Lebenssituation durch Umzug, Verlust eines geliebten Menschen, etc.)

- Verbesserung der Lebens- und / oder Arbeitsqualität

- Konfliktlösung

- Rollenklärung / Rollenverständnis
  Wenn Du beispielsweise beruflich in eine neue Position kommst, dann verändert sich Deine Rolle. Du bist beispielsweise nicht mehr Team-Mitglied, sondern plötzlich Vorgesetzte. Das bedeutet für Dich eine andere Aufgabenstellung, vor allem einen anderen Umgang mit Dir selbst, Deinen ehemaligen und neuen Kollegen, die auf der gleichen Ebene stehen wie Du. Um Deine Fähigkeiten optimal nutzen zu können, darfst Du Dir Deiner neuen Rolle bewusst sein, um sie voll und ganz für Dich einzunehmen. Dies kann bedeuten, dass Du neue Verhaltensweisen benötigst und alte ablegen darfst.

- Wirkungsvolle Kommunikationsstrategien für Beruf- und Privatleben

Was ich unter Coaching und Mentoring verstehe

Unter Coaching / Mentoring verstehe ich eine lösungsorientierte, zeitlich begrenzte Begleitung, die Menschen in Veränderungsprozessen unterstützt und ihre individuelle Entwicklung anstößt. Innerhalb des Coachings / Mentorings entwickelst Du eigene Lösungen, ich begleite Dich ohne Vorgabe von Lösungsmöglichkeiten. Als Trainerin und Coach ermögliche ich Dir unterschiedliche Erfahrungen zum Beispiel über neue Informationen und Deutungsmuster.

Ziel meines Coachings oder Mentorings ist es, Menschen weiterzuentwickeln und sie bei individuellen Lern- und Leistungsprozessen im beruflichen wie privaten Umfeld zu begleiten. Die Entwicklung der eigenen Fähigkeiten, Erhöhung der Arbeitszufriedenheit und Verbesserung des Teamklimas sind weitere zentrale Zielsetzungen meines Coachings.

Ausgeschlossen ist Coaching bei akuten psychischen Erkrankungen. Coaching ist weder Therapie, noch Therapieersatz, sondern dient der gezielten Entwicklung von Menschen.

Und zum weiteren Verständnis: Coaching ist kein „Kaugummi-Automat“ getreu der Devise „Geld rein, Kaugummi (Lösung) raus“, sondern ein Entwicklungsprozess, welcher von Dir selbst initiiert und dann umgesetzt wird.

Die zeitliche Dauer bestimmen immer meine Kunden. Hierbei kann es sich um eine einmalige Intervention bei akuten Situationen handeln, oder um mehrwöchige oder mehrmonatige Mentoringprogramme.

Das AK-STEIGER-Prinzip, welches in diesem Buch in Auszügen beschrieben ist, ist für ein 8-Wochen- oder 6-Monate-Mentoring konzipiert und kann individuell angepasst werden. Hier werden selbstverständlich noch weitere Tools genutzt, die Dich unterstützen, schnell und sicher in Dein selbstbestimmtes Leben zu gelangen.

Meine Erreichbarkeit

Du möchtest mehr über mich erfahren? Dann sieh Dich gerne hier um oder kontaktiere mich direkt:

- Über meine Homepage: https://kopfarbeit.jetzt
- Per E-Mail: anna.katharina.steiger@kopfarbeit.jetzt
- Auf Facebook mit meinem privaten Profil: https://www.facebook.com/annakatharina.steiger
- Auf Facebook mit meiner Gruppe: "Führungskräfte in Sandwichposition: mehr Selbstbestimmung u. pers. Freiheit" https://www.facebook.com/groups/1130615963959224
- Auf LinkedIn: linkedin.com/in/anna-katharina-steiger-1ab080129
- Auf Xing: https://www.xing.com/profile/AnnaKatharina_Steiger/cv
- per WhatsApp oder telefonisch: 0171 622 36 03
- mein Telegram-Kanal: https://t.me/Potential_STEIGERin

Ich freue mich darauf, von Dir zu hören. Lass mich gerne wissen, wie Dir dieses Buch gefallen hat und ob es Dich Deinem Ziel nähergebracht hat.

Gutschein

... damit Du weiter

in Deine Selbstbestimmung und

Deine persönliche Freiheit

kommst.

Mit dem Gutschein-Code

SELBSTBESTIMMT

erhältst Du kostenlos ein **1:1-Gespräch** von 35 Minuten mit mir.

Sende eine E-Mail an buch@kopfarbeit.jetzt und nenne den Code in der Betreff-Zeile. Nenne zusätzlich Deinen Namen und eine Telefonnummer, unter der ich Dich erreichen kann.

Ich freue mich auf Dich!

Anna Katharina Steiger

Bonus Kapitel - A wie Authentizität

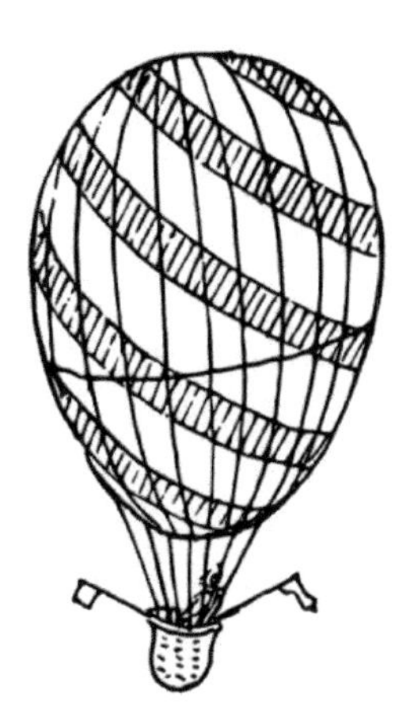

Es ist wichtig, dass Du während der Prozesse, die durch das AK-STEIGER-Prinzip angestoßen worden sind, authentisch bleibst. Es hilft weder Dir noch Deinem Gegenüber, wenn Du beginnst Dich zu verstellen. Das führt sogar eher dazu, dass Du Dich in Deiner Haut nicht wohlfühlst, weil dieses Verstellen ein Verstoß gegen Deine neuen Werte ist.

Was genau ist Authentizität?
Wenn Du in Google nach Authentizität suchst, wirst Du schier erschlagen von der Vielzahl der Einträge.

Ich verbinde mit Authentizität Klarheit und Ehrlichkeit und das bitte, ohne Dich zu verstellen. Die häufigste Übersetzung von Authentizität ist Echtheit.

Das bedeutet, wenn jemand oder etwas authentisch ist, wird er oder es auf seine Echtheit geprüft und als „Original" empfunden. Da Menschen schwerlich auf Originalität geprüft werden können, achten wir eher darauf, ob die Körpersprache mit dem, was dieser Mensch sagt und ausdrückt, übereinstimmt. Ob das Gefühl, das er vermittelt, echt ist. Unser Bauchgefühl ist hier ein sehr guter Indikator.

Du bist sicher schon einmal Menschen begegnet, die Dir ein ungutes Gefühl beschert haben. Du konntest dieses Gefühl weder sachlich begründen noch genau definieren. Und dennoch warst Du Dir sicher, irgendetwas stimmt hier nicht.

Wenn Du Dich dem Wort Authentizität von seiner sprachlichen Herkunft näherst, dann kommt es vom griechischen „Authentikós". Zusammengesetzt aus den Worten „autos", was so viel wie „selbst" bedeutet und „ontos", was „sein" bedeutet, also übersetzt „man selbst sein".

Wenn Du einem authentischen Menschen begegnest, dann zeichnet er sich durch Offenheit und Wahrhaftigkeit aus. Diese Menschen sind ungekünstelt und in der Regel sehr entspannt.

Für mich gehört es auch dazu, sich nicht verbiegen lassen, zuverlässig und aufrecht zu sein, und sich nicht auf faule Kompromisse einzulassen.

In unserer Welt von Social Media, in der wir alle versuchen, gut dazustehen und eine Menge Selbstmarketing betreiben, stellt sich nun die Frage:
Ist das noch authentisch, wahr und real?

Wie „echt" bist Du noch, wenn auf Facebook nur die besten Erlebnisse geteilt werden, auf Instagram die schönsten Fotos und in Xing und LinkedIn ausschließlich die Business-Seite Deiner Persönlichkeit gezeigt ist?

Zahlreiche Wissenschaftler haben sich mit diesem Thema beschäftigt. Die Sozialpsychologen Michael Kernis und Brian Goldman[36] von der Universität in Georgia

[36] Michael H. Kernis, Brian M. Goldman: A multicomponent conceptualization of authenticity. Theory and research, 2006

haben vier Kategorien festgelegt, die erfüllt sein müssen, damit wir uns und andere als authentisch erleben:

- Bewusstsein
- Ehrlichkeit
- Konsequenz
- Aufrichtigkeit

Was bedeutet das nun für Dich und Deine Authentizität?
Wenn Du Dir Deiner bewusst bist, dann kennst Du Deine Stärken und Deine Schwächen und Du weißt um Deine Gefühle und Deine Motive. Das bedeutet, Du betreibst regelmäßig Selbstreflexion und kannst Dein Denken und Handeln zum einen bewusst erleben und zum anderen bewusst beeinflussen.

Als Beispiel erkennst Du, wenn Du schlechter Laune bist und kannst auf der einen Seite für Dich erkennen, was Dich schlecht gelaunt macht und auf der anderen Seite bist Du in der Lage, Dich mit guter Musik oder einem Spaziergang, oder was auch immer für Dich hilfreich ist, in gute Laune zu versetzen.

Ehrlich zu sein, vor allem Dir selbst gegenüber, ist eine weitere Ausprägung für Authentizität. Das bedeutet im Umkehrschluss auch, dass Du die weniger schönen Dinge an Dir selbst ebenfalls annehmen darfst. Hierzu gibt es einen Versuch von Nicholas Epley und Erin Whitchurch, der im Buch von William von Hippel[37] ausführlich beschrieben ist.

---

[37] Die Evolution des Miteinander, William von Hippel

Den Probanden werden Fotos von sich selbst vorgelegt, die einmal aufgehübscht und einmal Original sind. In allen Fällen wählten die Probanden die aufgehübschten Fotos bei der Frage, welches Foto sie selbst zeige. Bei der Wahl der Porträts für andere Teilnehmer wählten sie dagegen häufig das unbehandelte, authentische Porträt. Also akzeptiere auch Deine unangenehmen oder nicht so „hübschen" Seiten, wenn Du sie nicht verändern kannst oder willst.
Die dritte Ausprägung - Konsequenz - spielt vor allem für Dein jetziges Vorhaben eine große Rolle. Wenn Du die Entscheidung getroffen hast, Deine berufliche Ausrichtung drastisch zu verändern, dann verfolge Deine Ziele auch konsequent und handle nach Deinen Werten. Auch dann, wenn Du Dir Nachteile einhandelst. Das bedeutet nicht, dass Du den Weg zu Deinem Ziel nicht immer wieder überprüfen sollst und gegebenenfalls auch korrigieren. Wichtig ist es, am Ziel dran und Deinen Werten treu zu bleiben.

Aufrichtigkeit, als letzte der vier Säulen zur Authentizität bedeutet, vor allem ehrlich sich selbst gegenüber und auch den anderen gegenüber zu sein. Sich Fehler eingestehen zu können und zu seinen Fehlern zu stehen, auch, wenn es schmerzt. Nur wer aufrichtig ist, redet und handelt ohne jede Falschheit und ist ohne versteckte Nebengedanken und Täuschungen.

Was bedeutet das nun für Dich?
Erkenne Deine wirklichen Werte und bewahre und lebe sie. Ziel ist nicht zu bleiben wie Du bist, sondern zu werden, die / der Du sein möchtest und dabei diese Version stetig zu verbessern. Du darfst ~~Fehler machen~~ Resultate erzeugen, und diese

sooft variieren, bis das richtige Ergebnis erzeugt wird (siehe Unterkapitel „Es gibt keine Fehler, nur Resultate“).

Die Veränderung des Denkens und Handelns ist ein wesentlicher Zug der Authentizität. Auf der anderen Seite bedeutet Authentizität für Dich auch, dass Du Deine Ecken und Kanten aus Sicht des Gegenübers hast. Das darfst Du aushalten, genauso wie Dein Gegenüber. Auch, wenn Dein Gegenüber seine Ecken und Kanten zeigt, musst Du bereit sein, damit zu leben und sie zu ertragen und vor allem wertzuschätzen. Bleib Dir selber treu!

Denn dann wirst Du

- Mehr Spaß im Leben haben, weil Du es nicht mehr allen rechtmachen musst oder das Gefühl hast, Dich zu verbiegen.

- Leichter Entscheidungen treffen, weil Du Dir keine Gedanken mehr darüber machst, was andere über Dich und Deine Entscheidung denken.

- Dich selbst mehr respektieren, weil Du Dich nicht mehr verstellen musst. Du brauchst mit Deiner Meinung nicht mehr hinter dem Berg zu halten. Du kannst zu Deinen Werten und Einstellungen stehen.

- Mehr Respekt von anderen erfahren, weil Du von den anderen als jemand mit stabiler Meinung wahrgenommen wirst. Auch wenn Du dann nicht von allen gemocht wirst, erhältst Du von denen, die Dich mögen, Achtung und Anerkennung.

- Entspannter sein, weil Du das ewige Verstellen und eine Rolle spielen aufgeben kannst. Sich nicht mehr zu verstellen ist eine enorme Erleichterung.

- Erfolgreicher sein, weil Du mit Deinen Werten lebst, und damit im Flow bist. Das macht Dich krisenresilient. Authentische Menschen sind beliebt und in der Regel hoch angesehen. Der Erfolg stellt sich dann auch häufig ein.

Wenn Du wirklich authentisch bist, dann bist Du auch in der Lage, Deinem Umfeld zu kommunizieren, dass es Dir nicht gut geht. Sei ehrlich mit Dir selbst und nimm einen Zustand der Unpässlichkeit einfach an.

Allerdings - Du kannst von Deinem Umfeld und Deinen Mitmenschen nicht erwarten, dass sie Dir an der Nasenspitze ansehen, was gerade mit Dir los ist. Also stehe zu Deinem Gemütszustand und sprich ihn aus.

Wie es Dir geht, was Du möchtest und vor allem auch, was Du nicht möchtest, darfst Du klar mit Deiner Umwelt kommunizieren. Dein Gegenüber bekommt damit ein viel klareres Bild von Dir und kann Dich besser einschätzen. Wenn Du mit Dir im Reinen bist und Dir Deine Gefühle wirklich eingestehst, dann brauchst Du auch keine Ablenkungsmanöver wie einen Shoppingtrip, Alkohol, Nikotin oder ähnliches.

Du bist authentisch, wenn Du Dir selbst gegenüber absolut ehrlich bist. Wenn die Ziele, die Du Dir setzt, Deine eigenen sind und nicht irgendwelche Ziele, von denen Dein Umfeld meint, dass sie gut für Dich sind. Ebenso sollten Deine Ziele immer für Dich selbst erreichbar sein.

Nach dem eher theoretischen Teil am Anfang des Kapitels erhältst Du nun nachfolgend ein paar Ausführungen, wie ich Authentizität verstehe und wie ich glaube, dass Du es schaffst, authentisch zu sein.

Wenn Du in Deinem Leben an einer Stelle angekommen bist, an der Du feststellst, dass Dein Job der falsche ist, dann ist das Gefühl, Dir morgens im Spiegel nicht mehr in die Augen schauen zu können nicht mehr weit. Wenn Du dann auch noch mit dem, was Dir tagtäglich im Job widerfährt, nicht einverstanden bist, ist es an der Zeit, es auch zu kommunizieren, anstatt es in Dich hineinzufressen. Je deutlicher Du kommunizierst, umso weniger musst Du Dich verstellen und damit wirst Du automatisch authentischer.

Auch Deinem Umfeld wird auffallen, dass Du plötzlich nicht mehr den Mund hältst oder gute Miene zum bösen Spiel machst, sondern stattdessen in Worte fasst, was Du gerade davon hältst. Dein Umfeld wird sich wundern und es hat dabei die Wahl, ob es mitzieht oder ob es plötzlich mit Dir nichts mehr anfangen kann. Beachte immer wieder, Du kannst Dein Umfeld nicht verändern, alleine nur Du veränderst Dich und Deine Sichtweise auf Deine Mitmenschen. Der ein oder andere zieht da nicht mit. Wenn das so ist, dann lasse ihn oder sie gehen.

Warum glaubst Du, ist Authentizität so wichtig für Deine Zielerreichung?

Ich habe Dir schon eine Menge über Dein Mindset erzählt, darüber, dass „Du bekommst, was Du denkst" und genau so ist es. Du hast vielleicht auch schon vom Gesetz der Anziehung gehört, auch Resonanzgesetz genannt. Dieses Gesetz besagt, einfach ausgedrückt „Gleiches zieht Gleiches an" und ist mittlerweile sogar wissenschaftlich fundiert. Wenn Du jetzt also nicht authentisch bist, also Dich verstellst und ein „Spielchen spielst", wird das Gesetz der Anziehung nicht positiv wirken können. Wenn Du nur so tust als ob, Deine wahren Gedanken jedoch eher an Scheitern und Aufgeben denken, so wirst Du Dein Ziel nicht erreichen. Denn das Universum kann Dich dann nicht unterstützen, es weiß ja nicht, was Du wirklich willst.

Im Gegenteil, es kann Dir sogar passieren, dass es vermeintlich „gegen" Dich arbeitet.

Wenn Du zudem denkst, dass Du Dein Ziel nicht erreichen kannst, reagiert das Gesetz der Resonanz darauf und schickt Dir noch mehr von dem, woran Du glaubst. Also Dinge, die Dich daran hindern, Dein Ziel zu erreichen. Deshalb ist es wichtig, völlig klar mit Deinem Zielbild zu sein und wahrhaftig daran zu glauben, dass es funktionieren und Du Dein Ziel erreichen wirst. Nur so zu tun, als würdest Du wollen, wird nicht funktionieren und das ist möglicherweise der Grund, warum Du eine Schleife nach der nächsten drehst.

Wenn Du meinst, oder wenn Du gerade das Gefühl hast, Du tust nur so „als ob", vielleicht, weil Du irgendjemandem - oder auch Dir selbst - nicht eingestehen willst, dass Du auf dem Holzweg bist, dann darfst Du Dir jetzt die Frage stellen: Wer sagt das, dass Du dieses oder jenes jetzt alles tun müsstest?

Gibt es vielleicht noch eine dritte Person in Deinem Umfeld, Deinen Partner, Deinen Vater, Deine Mutter, die Dich gerade - bewusst oder unterbewusst - antreiben? Vielleicht ist es auch nur Dein kleiner innerer Kritiker, der da gerade die Oberhand gewinnt und Dir einredet, dass Du es sowieso nicht schaffen kannst?
Hier darfst Du Dich nochmals fragen: ist es wirklich **DEIN** Ziel, Dein ureigenstes Ziel, zu dem Du Dich aufmachst oder ist da jemand Drittes, von dem das Ziel in Wirklichkeit kommt?

Ich gebe Dir gerne ein Beispiel: Du hast Dich entschieden, Dich selbständig zu machen und stellst auf dem Weg dorthin fest, dass die Selbständigkeit für Dich nicht geeignet ist und Du doch lieber wieder in ein Angestelltenverhältnis möchtest. Und während Du über Deinen Richtungswechsel nachdenkst, stellst Du plötzlich fest, dass im tiefsten Inneren nicht Du es bist, der nicht selbständig werden will, sondern dass Dein Vater Dir - mal wieder - hereingeredet hat, weil ihm Selbständigkeit generell irgendwie suspekt ist. Vielleicht tut er das gar nicht leibhaftig, sondern es ist nur eine innere Stimme, die sich anhört wie Dein Vater.

Hier bist Du jetzt an einem Punkt angelangt, der einen schmerzhaften und schwierigen Prozess nach sich ziehen kann, die Ablösung von den inneren Stimmen, die immer noch über Dich bestimmen wollen. Manchmal ist das ein Prozess, der nicht ohne äußere Hilfe durch einen Coach oder Mentor möglich ist. Schließlich hörst Du die Stimme Deines Vaters schon Dein ganzes Leben lang, entweder leibhaftig oder in Dir selbst. Ich stehe Dir als Mentor und Coach auch in dieser Situation gerne zur Verfügung.

Wenn Du beginnst, Dich mit Dir selbst zu beschäftigen und Deine Persönlichkeit zu entdecken, dann ist das häufig ein schmerzhafter Prozess. Rüttelst Du an Deinen Grundfesten, oder um im Bild des Heißluftballons zu bleiben, zerrst und ziehst Du an den Tauen, die Dich bisher festgehalten haben?

Vielleicht fragst Du Dich auf diesem Weg auch manchmal „Wieso habe ich das nicht schon viel früher angefangen?". Das ist eine Erkenntnis, die häufig im Alter zwischen 40 und 50 Jahren auftritt. Das war bei mir genauso. Als ich mit Persönlichkeitsentwicklung begann, war ich 47 Jahre jung und stellte fest, dass mein Leben eine völlig andere Richtung hätte nehmen können.

Bis Du dieses Alter erreicht hast, hast Du einfach nur funktioniert: Schule, Abitur, Studium oder Ausbildung, erster Job, erster Karriereschritt und rein in das Hamsterrad, ohne es zu merken. Wenn Du Kinder hast, dann gehörte die Kindererziehung einfach neben der Arbeit auch noch dazu. Im privaten Bereich kamen vielleicht noch das Eigenheim und die ständigen Gedanken an die nächste fällige Rate dazu.

Deine Generation ist zusätzlich eine der ersten, die sich überhaupt um das Thema Persönlichkeitsentwicklung kümmert, oder sich Gedanken über sich selbst macht. Die beiden Generationen vor Dir, also Deine Eltern und Großeltern, haben an so etwas nicht gedacht. Diese Generationen kämpften im Krieg um ihr Überleben, im

Anschluss waren sie mit dem Aufbau beschäftigt. Sie haben viel und hart gearbeitet und versucht, ein bisschen auf die hohe Kante zu legen. Wenn in der Generation jemand zu einem Psychiater überwiesen wurde, dann galt er als verrückt.

Psychologische Betreuung war beispielsweise nach dem Unfalltod meines Bruders zum damaligen Zeitpunkt nahezu unbekannt. Ich kann mich gut daran erinnern, wie meine Mutter reagierte, als sie wenige Jahre später den Vorschlag unseres Hausarztes doch eine Therapie zu beginnen, vehement ausschlug mit den Worten: „Ich bin doch nicht verrückt, ich habe doch keinen Knall!"

Das ist sicher der damaligen Zeit geschuldet. Menschen aus der Kriegs- und Nachkriegsgeneration, die sich damals an einen Psychiater wandten, wurden immer gleich als „verrückt" abgestempelt, weil sie zu einem „Seelenklempner" gingen. Mit sich selbst und seinen Gefühlen nicht zurecht zu kommen, galt damals als verpönt. Die Generation war geprägt von Sätzen wie „Da musst Du halt durch" oder „So ist das Leben halt".

Verständlich, dass die Sicht dieser Generation auf Begriffe wie „Persönlichkeitsentwicklung" oder „Selbstverwirklichung" eine andere ist, wie Du sie hast.

Ein wesentlicher Bestandteil der Authentizität ist aus meiner Sicht unbedingte Ehrlichkeit. Ehrlichkeit mit sich selbst und gegenüber den anderen. Auch völlige Ehrlichkeit ist etwas, das am Anfang durchaus auch Schmerzen bereiten kann. Der besten Freundin oder dem besten Freund zu sagen, dass Du nicht mit ins Kino gehst, weil Du an Deinem Projekt arbeiten möchtest, ist das eine. Die vielleicht abweisende Reaktion der besten Freundin oder des besten Freundes zu ertragen, ist dann noch einmal eine andere Sache. Wichtig ist auch, Dir in der Partnerschaft ehrlich Deine Freiräume zu schaffen. Dem Partner mitzuteilen, dass Du gerne alleine spazieren gehen möchtest, weil Du die Ruhe brauchst, um Deine Gedanken zu sortieren und ihn nicht vor den Kopf zu stoßen, ist eine Herausforderung, die klare Absprachen benötigt. Gerade jetzt, wo Du Dein großes Ziel vor Augen hast, ist es so wichtig Deine eigenen Bedürfnisse zu erkennen und ehrlich zu Dir selbst zu sein. Du darfst Deine Energie und Kraftaufwendungen einteilen und daher auch kommunizieren, wenn etwas Dir gerade nicht guttut oder schlicht nicht geht.

Zum Beispiel, der anstehende Verwandtschaftsbesuch, der momentan einfach zu anstrengend, zu langwierig oder zu zeitaufwändig ist mit An- und Abfahrt. Achte also auf Dich, denn klare Kommunikation Deiner Bedürfnisse hat auch etwas mit Selbstachtung zu tun.

Authentizität zeigt sich auch in Äußerlichkeiten. Im beruflichen Kontext haben viele Firmen einen Dresscode. So gehört es zum guten Ton, dass die Assistenz der Geschäftsleitung oder die Vertriebsassistentin in Business-Kostüm und Bluse oder Twinset oder allenfalls noch im Hosenanzug zu erscheinen hat.

Kleidung beeinflusst Dich, Deine Gedanken, wie Du Dich fühlst und wie Du Dich bewegst und sendet ebenfalls Signale an Dein Umfeld. Nicht umsonst kennen wir den Satz: „Kleider machen Leute".

Wenn Du Dich in dieser Büro-Kleidung nicht wohlfühlst, dann kann Dich dies und Deine Arbeitsleistung durchaus beeinträchtigen. Wenn Du Dich unwohl fühlst, dann reagierst Du entsprechend. Vielleicht schmerzen Dir nachmittags die Füße von den hohen Schuhen und Du lässt Deinen Unmut an Deinen Kollegen aus.

Wenn Kleidung für Dich Verkleidung ist, dann hat dies Auswirkungen nicht nur auf Dein Verhalten und Deine Emotionen, sondern auch auf Deinen Geist.

Wie im Innen so im Außen.

Kybalion[38]

Wenn es einen Dresscode in Deiner Firma gibt, und Du magst oder kannst Dich nicht daranhalten, weil Du Dich verkleidet fühlst, dann ist das sicher schon ein erstes Signal für Dich, hier an der falschen Stelle zu sein. Wenn dann auch noch Dein Chef anfängt, Deinen Kleidungsstil zu kommentieren, bist Du definitiv falsch. Weil Du Dich permanent verbiegen musst und gegen Deine Werte verstößt.

So wie die Kleidung Dich beeinflusst, können das gleichermaßen auch Farben. Diese haben eine Wirkung auf Dich und auf Dein Gegenüber. Ich bin vom Farbtyp[39] ein „Sommer" und kann gut alle Pink- und Magenta-Töne tragen. Ich liebe diese Farben.

---

[38] Das Kybalion beinhaltet die sieben hermetischen Prinzipien; https://de.wikipedia.org/wiki/Kybalion
[39] Mehr zur Farbtypenlehre findest Du hier: https://bit.ly/35XZQmA

Wenn ich einen wichtigen Termin habe, zum Beispiel ein Verkaufsgespräch oder einen Termin bei der Verwaltung trage ich sehr gerne einen magentafarbenen Blazer. Mit diesem Blazer strahle ich eine hohe Präsenz aus und werde sofort wahrgenommen.
Bei Terminen, in denen ich mir für mich mehr Zurückhaltung wünsche, trage ich dann lieber dunkles Blau oder Anthrazit. Wenn Du mehr über Farben und Deine Ausstrahlung wissen möchtest, empfehle ich Dir eine Farbberatung - eine absolut lohnenswerte Investition.

Sprache ist ebenfalls ein Mittel für Authentizität.
Menschen, die sich betont jugendlich geben möchten und dann in Teenie-Sprache verfallen, um mit ihren Kindern zu kommunizieren, sind für mich nur dann authentisch, wenn sie sich damit wohlfühlen. Wenn die Übernahme der Teenie-Sprache hingegen nur ein Verstellen ist, um vermeintlich besser mit der jungen Generation klar zu kommen, dann ist auch das wieder ein Verstoß gegen ihr wahres Ich.

Du wirst nicht glaubwürdiger, nur weil Du den Jargon einer Gruppe - hier Teenies - aufnimmst.

Das Gleiche gilt auch für die Sprache im Büro. Wenn Dein Sprachgebrauch in den Meetings kritisiert wird und Du permanent während Deiner Arbeitszeit darauf achten musst „gestelztes" Hochdeutsch zu sprechen, dann verstellst Du Dich auch hier. Das ist nicht mehr authentisch, weil Du tatsächlich gar nicht so sprichst. Diese permanenten Verstöße gegen Deine eigene Authentizität und damit gegen Dein Wesen werden Dich zunehmend belasten.

Nicht selten manifestieren sich solche Verstöße gegen Dein Selbst und Deine Werte über kurz oder lang in Erkrankungen, seien es Magen- oder Rückenbeschwerden, vielleicht auch Kopf- oder Halsschmerzen.

Authentisch ist für mich generell, wer sich nicht verbiegt.
Wer sich eingestehen kann, dass er keine Lust hat, die Wohnung zu putzen oder Unkraut zu jäten. Wer Dinge sein lassen kann, weil ihm / ihr nicht danach ist.

Du magst jetzt denken, dass es ganz schön egoistisch ist, nur auf Dich zu schauen. Vielleicht bekommst Du, wenn Du so agierst, von Deinem Umfeld auch Sätze zu hören, die in diese Richtung abzielen, etwa „Du bist ganz schön egoistisch und kümmerst Dich nur noch um Dich selbst".

Jetzt heißt es für Dich im wahrsten Sinn des Wortes „den Rücken geradezumachen" und zu Deinem Verhalten zu stehen. Ja, Du bist egoistisch, und das ist gut so. Denke bitte an den Satz:

„Wenn es mir gut geht, kann ich auch dafür sorgen, dass es anderen gut geht-"

Das wird übrigens auch in Flugzeugen so gehandhabt. Du sollst erst Dir die Sauerstoffmaske aufziehen, bevor Du Dich um Deine Sitznachbarn kümmerst. Wenn Du auf Deinem Sitz zusammenklappst, dann kannst Du auch niemandem mehr helfen. Sätzen, die auf Deinen Egoismus abzielen, kannst Du vielleicht mit einem eindeutigen „Ja, bin ich!" begegnen, denn mit einer solchen Antwort wird Dein Gegenüber nicht rechnen.

Diese Vorgehensweise mag komisch klingen und vielleicht kannst Du Dir im Augenblick noch nicht vorstellen, wie es sein wird, so zu agieren. Das kenne ich gut. Den Weg zu ein bisschen Egoismus habe ich mir freigeräumt durch die Auflösung verschiedener Glaubenssätze wie, „wenn Du dieses oder jenes nicht tust, dann habe ich Dich nicht mehr lieb" oder „Liebe nur gegen Leistung" oder, „wenn Du nichts leistest, bist Du nichts wert".

Wenn auch Du die Ablösung von solchen Sätzen erst einmal geschafft hast, dann können Dich Bemerkungen, die auf Deinen Egoismus abzielen, nicht mehr triggern und Du kannst gelassen darauf reagieren. Vielleicht ist Dein Gegenüber auch nur neidisch, weil Du es geschafft hast, Dich erst um Dich zu kümmern und dann um die anderen. Weil Du die Verantwortung für Dich selbst voll und ganz übernommen hast und fortan selbstbestimmt lebst.

Wie Dein Gegenüber mit Dir umgeht, sagt mehr über Dein Gegenüber aus als über Dich.
Das ist eine sehr wertvolle Erkenntnis, wie ich finde, die Dich Angriffen von außen gegenüber deutlich leichter gegenübertreten lässt als bisher.

Wenn Du von etwas, das Dir gesagt wird, stark angetriggert wirst, vielleicht sogar verletzt oder verärgert bist, dann stelle Dir zusätzlich zwei Fragen:

- Was hat der- oder diejenige für eine Eigenschaft gerade gezeigt, von der Du gerne etwas mehr hättest?

- Was hat der- oder diejenige für eine Eigenschaft gerade gezeigt, die Du von Dir ebenfalls kennst, jedoch an Dir selbst nicht leiden kannst?

Eine meiner Mentees berichtete mir von einem Arbeitskollegen, über den sie sich ständig ärgerte, weil er sie und ihre Arbeitskolleginnen immer ansprach, um sich mit ihnen außerhalb der Arbeit zu treffen. Und egal wie oft er zurückgewiesen wurde, er hat es wieder und wieder versucht. Nachdem ich ihr die beiden Fragen mit auf den Weg gegeben hatte, war schnell klar, was sie so verärgert hatte. Sie durfte sich eingestehen, dass sie auch gerne mehr von dem Mut des Kollegen hätte, öfter den Mund aufzumachen und ihrerseits Kollegen anzusprechen. Mit dieser Erkenntnis konnte sie zum einen gelassener mit dem Arbeitskollegen umgehen und zum anderen haben wir in einem kleinen NLP-Prozess dafür gesorgt, dass sie zukünftig schnell und sicher wieder auf ihre Ressource Mut zugreifen kann.

Wenn Du mehr zu Deinen eigenen Werten und Glaubenssätzen erfahren möchtest, wenn Du genau wissen möchtest, was Deine drei Top-Werte sind, nach denen Du vermutlich intuitiv schon lebst oder es wenigstens anstrebst, dann kontaktiere mich gerne per E-Mail: buch@kopfarbeit.jetzt.

Bonus Kapitel - K wie Kommunikation

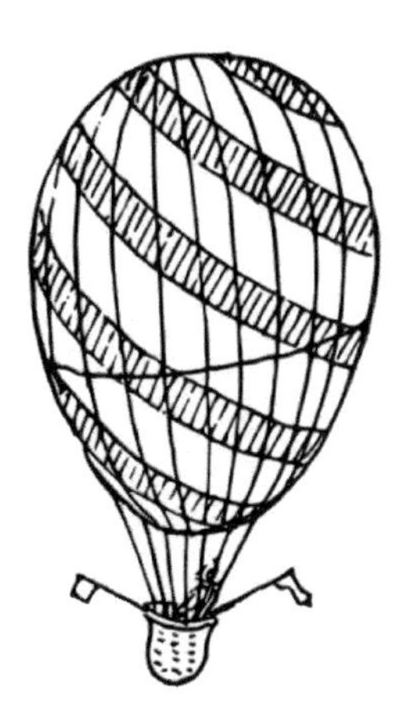

Kommunikation ist für mich ein unglaublich wichtiges Thema geworden, seit ich mit meiner NLP-Ausbildung begonnen habe und lernen durfte, wie gelungene Kommunikation funktioniert. Früher war Deutsch für mich ein ganz furchtbares Fach und wenn meine Deutschlehrerin wüsste, dass ich heute zum Teil wortklauberisch penetrant sein kann, dann würde sie das nicht glauben.

Kommunikation an sich ist ein Prozess, an dem immer mindestens zwei Parteien beteiligt sind. Auf die einfachste Form heruntergebrochen werden Informationen ausgetauscht und alle Beteiligten erwarten ein Ergebnis.

So einfach, wie es sich hier anhört, ist es dann jedoch nicht. Du kennst bestimmt eine Reihe von Beispielen, in denen „simpler" Informationsaustausch ergebnislos endet, oder gar in Streit oder mindestens mit schlechten Gefühlen.

Ein Beispiel aus dem Arbeitsalltag und immer wieder ein Klassiker: Dein Chef legt Dir Arbeit auf den Schreibtisch mit den Worten: „Können Sie das bitte erledigen, Sie wissen schon ... ".

Dein Chef hat hier eine klare Vorstellung, was er wie von Dir erwartet.
Bei wirklich klarer Kommunikation werfen sich hier jedoch gleich mehrere Fragen auf:

- Was ist das (was da erledigt werden soll)?
- Bis wann ist es zu erledigen?
- Wenn es eilig ist: Welche meiner anderen Aufgaben kann ich liegenlassen, um sie später zu erledigen?
- Wie genau soll die Arbeit erledigt werden?
- Welche Erwartung an das Ergebnis hat der Chef?

Wie es ausgeht, wenn nicht klar und eindeutig kommuniziert wird, kannst Du Dir gerne ausmalen. Vielleicht ist Dir eine solche oder ähnliche Situation bekannt.

Sicher hat der Chef eine genaue Vorstellung von dem, wie er die Aufgabe gerne erledigt hätte und auch bis wann. Und manche Chefs, oder auch unser Partner, unsere Kinder, Familie und Freunde glauben tatsächlich, wir könnten Gedankenlesen.

„Sage, was Du meinst und meine, was Du sagst!"
Die typischen Teamsitzungen sind für wenig gelungene Kommunikation auch ein klassisches Beispiel. Da wird der Satz „der Drucker hat kein Papier mehr" eher nebenbei eingeworfen. Und wenig überraschend, meist steht diejenige mit dem größten Helfersyndrom auf, keinesfalls jedoch der- oder diejenige, der zuletzt am Drucker war und aus Nachlässigkeit kein Papier aufgefüllt hat.

„Der Drucker hat kein Papier mehr", ist dabei lediglich eine Tatsache. Durch diese Tatsache wird weder jemand aufgefordert Papier nachzufüllen, noch irgendjemandem die Verantwortung dafür gegeben. Besser könnte der Satz lauten: „Wer zuletzt am Drucker war, füllt bitte Papier nach" oder noch besser „Frau/Herr XY, füllen Sie bitte Papier im Drucker auf, wenn das Meeting zu Ende ist".

Grundannahmen für gelungene Kommunikation

Im Rahmen meiner Trainerausbildung habe ich Leitsätze oder Grundannahmen der Kommunikation kennengelernt, die mich seither durch mein Leben begleiten und viele Situationen völlig anders aussehen lassen, als das vorher der Fall war. Damit habe ich eine andere Perspektive auf die Situation und das hat meine Reaktion in oder auf das Erlebnis deutlich verändert.

Einige dieser Leitsätze machen mir auch den Umgang mit mir selbst und mit meinem Gegenüber leichter und lassen mich gelassener und ausgeglichener agieren.

Diese Grundannahmen sind hilfreiche Glaubenssätze, die keinen Anspruch auf Wahrheit haben, dennoch ausgesprochen nützlich sind.
Einige dieser Grundannahmen möchte ich Dir deshalb hier vorstellen.

Die Landkarte ist nicht das Gebiet

Wir alle haben eine bestimmte Vorstellung, wie die Dinge sich gerade darstellen, im Kopf. Unsere Vorstellung resultiert aus unserer Vergangenheit, Erlebnissen, unserem Verhalten, Werten und Glaubenssätzen und ist zusätzlich geprägt von den Dingen, die uns gerade beschäftigen. Davon ist dann auch gleich unsere ganze Wahrnehmung beeinflusst.

Wenn wir uns beispielsweise für ein neues Auto interessieren und wir wissen, welche Marke und welche Farbe oder welche Ausstattung uns gefällt oder nicht gefällt, dann begegnen uns plötzlich auf der Straße gehäuft genau diese Autos.

Diese Wahrnehmungsfilter helfen uns, die Umwelt mit all ihren Eindrücken wahrzunehmen und uns in ihr zurechtzufinden. Jeder Mensch hat einen anderen Blick auf die Welt und damit hat auch jeder Mensch eine einzigartige Landkarte seiner Welt im Kopf. Jede dieser Landkarten ist gut und richtig und hat ihre Daseinsberechtigung.

Für eine gelungene Kommunikation bedeutet das allerdings, dass Du davon ausgehen darfst, dass Dein Gegenüber möglicherweise eine völlig andere Landkarte im Kopf hat als Du. Denn er hat völlig andere Erfahrungen gemacht, hat andere Werte und Glaubenssätze und ist vielleicht sogar in einer anderen Kultur aufgewachsen.

Begriffe wie Freiheit, Harmonie, Angst, Ruhe, Streit, Zufriedenheit, Selbstbestimmung oder Flexibilität haben häufig völlig unterschiedliche Bedeutungen für unterschiedliche Menschen.

Wenn Du zum Beispiel in Deinem Freundes- oder Verwandtenkreis einmal nachfragst, was Freiheit bedeutet, wirst Du vielerlei Meinungen hören.
Es ist deshalb nützlich, festzustellen, wie die Landkarte Deines Gegenübers aussieht. Durch Fragen und Nachfragen kannst Du sie zunächst einmal kennenzulernen und vor allem ihre Andersartigkeit respektieren. Hier gibt es kein gut oder schlecht, kein richtig oder falsch.

Die Bedeutung Deiner Kommunikation zeigt sich in der Reaktion Deines Gegenübers

Für das, was Du sagst und wie es bei Deinem Gegenüber ankommt, bist alleine Du verantwortlich.

Das ist für viele Menschen zunächst einmal eine ungewohnte Sichtweise. Nicht nur der Inhalt der Kommunikation ist wichtig, sondern auch, die Verantwortung dafür zu tragen, dass der andere es auch versteht.

Es kommt nicht darauf an, was oder wie Du es gemeint hast, sondern wie es von Deinem Gegenüber verstanden wird. Das ist ein sehr großer Unterschied, denn nun wirst Du mit dem, was Du sagst, auch achtsamer umgehen.

Das braucht ein bisschen Übung, macht viele Sachverhalte jedoch klar und verständlich. Wenn Du in den nächsten Tagen einfach darauf achtest, was von dem, was Du sagst, bei Deinem Gegenüber tatsächlich ankommt, dann wirst Du die unterschiedlichsten Erfahrungen machen. Am einfachsten kannst Du es austesten, wenn Du Fragen stellst. Achte darauf, ob Du eine Antwort bekommst auf das, was Du gefragt hast, oder antwortet Dein Gegenüber irgendetwas.
Du wirst feststellen, dass viele Menschen einfach irgendetwas antworten. In der Regel, weil sie Dir nicht zuhören.

So, was bedeutet das nun? Du kannst davon ausgehen, dass diese Prozesse bei Dir ähnlich ablaufen und auch Du manchmal komische Antworten gibst.

Ein kleiner Trick, mit dem Du die Kommunikation präziser gestalten kannst, ist die Nachfrage an Dein Gegenüber „habe ich Dich richtig verstanden, dass ..." Wenn Du jetzt eine merkwürdige Antwort erhältst, dann frage so lange weiter, bis Du eine präzise Antwort hast.

Es gibt keine Fehler, nur Resultate

Diese Grundannahme gibt Gelassenheit. Denn alles, was Du tust, ist ein Resultat und diese Erkenntnis ist besonders hilfreich in Deinem Veränderungsprozess.

Wenn Du also nicht das gewünschte Ergebnis erzielt hast, dann ist dies lediglich eine Rückmeldung oder Feedback an Dich, etwas Neues oder anderes zu tun. Das bedeutet, verändere Dein Verhalten so oft, bis Du das gewünschte Ergebnis erzielst.

Auf dem Weg dorthin wirst Du viele Resultate produzieren und vor allem jede Menge lernen. Gehe wohlwollend mit Dir um und sage in solchen Fällen häufiger „Hmm, interessant!", anstatt „Verdammt, schon wieder einen Fehler gemacht!"

Auch hier noch mal die Erinnerung an Thomas A. Edison, dem Erfinder des elektrischen Lichts, der - so sagt die Geschichte - 12.000 Versuche benötigte, bis die Glühbirne endlich brannte. Aus jedem dieser Versuche hat er seine Schlüsse gezogen und den Prozess oder Ansatz verändert.

Was für ein Glück, sonst säßen wir vermutlich heute noch im Dunkeln!

Jedes Verhalten hat eine positive Absicht

Diese Grundannahme ist für mich eine der zentralsten für gelungene Kommunikation. Wenn wir davon ausgehen, dass jedes und wirklich jedes Verhalten eine positive Absicht hat, dann stellt dies zunächst unsere Welt ein Stück weit auf den Kopf. Was bitte soll denn die positive Absicht daran sein, dass der Autofahrer hinter Dir Dich mit Lichthupe und Hupe auf die rechte Spur drängelt, oder welche positive Absicht verfolgt Dein Chef, wenn er laut wird, weil Du eine Aufgabe noch nicht erledigt hast?

Im Beispiel eins besteht gegebenenfalls die Möglichkeit, dass neben ihm auf dem Beifahrersitz seine schwangere Frau sitzt und das Kind in die Welt will, oder er dringend ins Krankenhaus will, weil ein Elternteil mit akutem Herzinfarkt eingeliefert wurde.

Im Beispiel zwei ist Dein Chef vielleicht in Sorge, nicht fristgerecht alle Unterlagen für sein wichtiges Meeting zusammenzuhaben und hat vielleicht Angst davor, den wichtigen Auftrag nicht zu erhalten.

Wenn Deine Mutter Dich mit Liebesentzug straft oder als Kind gestraft hat, dann hatte sie für sich vielleicht die positive Absicht, dass sie Dich nicht schlagen wollte oder konnte. Statt Dich körperlich zu bestrafen, hat sie lieber den Rückzug angetreten, weil sie in der augenblicklichen Situation damit besser umgehen konnte.

Es lohnt sich, mit dieser Annahme durch die Welt zu gehen und öfter den Fokus auf die positive Absicht Deines Gegenübers zu lenken.

Jeder handelt in der augenblicklichen Situation mit seiner besten Option

Es ist vielleicht schwer vorstellbar, dass jemand, der Dich verärgert hat, dies nicht getan hat, um Dich zu ärgern. Dennoch, wenn Du alle Aspekte und Informationen zusammenträgst, die als Motivation Deines Gegenübers vorliegen, wirst Du in den meisten Fällen feststellen, dass das Verhalten, das bei Dir so negativ ankommt, gar nicht so negativ gemeint war, leider jedoch „schlecht" ausgedrückt war.

In meiner Geschichte hast Du gelesen, dass ich nach dem Tod meines Bruders ziemlich fremdbestimmt war. Meine Eltern schlossen mein Fahrrad weg, sie bestimmten, was ich zu tun und zu lassen hatte. Damals empfand ich das als sehr einengend, später als bevormundend und als fremdbestimmend.

Mit dem Leitsatz „Jeder handelt in der Situation in seiner besten Option" weiß ich heute, dass in dieser Verhaltensweise nicht nur die positive Absicht für meinen Schutz dahintersteckte, sondern, dass jede andere Möglichkeit vermutlich an mir abgeprallt wäre. Hätte das Diskutieren mit einer Achtjährigen um ihr Fahrrad geholfen? Vermutlich nicht, zumindest damals in den Augen meiner Eltern nicht. Hätte es geholfen, mich zu bitten, nicht mehr auf das Fahrrad zu steigen? Vermutlich auch nicht. Meine Eltern waren in der Zeit mit dem Tod, der Trauer und dem daran hängenden Rechtsstreit maßlos überfordert und die für sie beste Option war: Fahrrad wegschließen, Ende der Diskussion!

Wenn ich heute denkwürdige Situationen erlebe, Situationen, bei denen ich im ersten Augenblick denke „so geht das nicht, das kann der / die doch nicht machen", sei es im Supermarkt an der Kasse oder sonst irgendwo, betrachte ich die

Situation sehr schnell unter der Maßgabe, der besten Option und zusätzlich noch mit der Frage: „Was ist oder war die positive Absicht?"

Insgesamt lässt mich dieser Gedanke dann ein erhebliches Stück gelassener werden. Ich verurteile nicht mehr.

Probiere es selber aus und sieh, welche Wirkung dieses Verhalten hat!

Wenn etwas (nicht) funktioniert, dann mache etwas anderes

Ja, genau! Diesen Satz gibt es in zwei Ausprägungen:
„Wenn etwas (nicht) funktioniert, dann mache etwas anderes!" und
„Wenn etwas funktioniert, dann mache etwas anderes!"

Die meisten Menschen haben für sich die Strategie entwickelt, die gleichen Dinge immer wieder zu tun, selbst, wenn sie nicht funktioniert, statt die eigene Strategie zu verändern, um dann auch andere Ergebnisse zu erzielen.

Ein Beispiel aus dem Alltag mag das verdeutlichen: Ein Familienmitglied räumt sein Geschirr nicht in die Spülmaschine, sondern stellt es obendrauf. Du als treusorgende Partnerin und vielleicht Mutter räumst das Geschirr in die Spülmaschine. Das machst Du einmal, zweimal, dreimal, ... und jedes Mal wird dein Ärger größer!

Du fragst Dich, warum das besagte Familienmitglied die Sachen nicht in die Spülmaschine räumt. Dennoch, Du räumst sie immer und immer wieder in die Spülmaschine ein. Wenn etwas - so wie das Einräumen des Geschirrs durch das Familienmitglied - nicht funktioniert, dann mache etwas anderes - anstatt ständig die Spülmaschine zu befüllen - Denn es wird sonst nichts anderes passieren. Das Familienmitglied, weiß nicht, dass Du Dich aufregst, oder versteht nicht, was das soll, wenn Du plötzlich - für das Familienmitglied völlig unerwartet - explodierst.
Verändere frühzeitig Dein Verhalten. Wenn Du feststellst, dass Du durch Dein nachträgliches Einräumen in die Spülmaschine nichts erreichst, dann gibt es hier mehrere Möglichkeiten: Du kannst mit dem Familienmitglied sprechen und darauf hinweisen, dass jeder seine Sachen in die Maschine einräumt oder Du kannst das Geschirr auch einfach oben auf der Maschine stehen lassen.

OK, ich gebe zu, das braucht Durchhaltevermögen und das Vermögen, darüber hinwegzusehen. Das bedeutet vielleicht auch mal zwei Tage Chaos in der Küche. Wenn Du konsequent dranbleibst, ist irgendwann kein Glas mehr im Schrank und vielleicht ändert diese Situation das Verhalten. Wenn nicht, hast Du ein Resultat erzeugt und kannst Deine Strategie weiter verändern, bis sie funktioniert.

Nun zur zweiten Ausprägung des Leitsatzes - Wenn etwas funktioniert, dann mache etwas anderes.

Ja, ich habe auch gedacht, wie Du jetzt gerade, wieso soll ich etwas anders machen, wenn es doch funktioniert? Klingt auf den ersten Blick total unlogisch. In der Tat auf den ersten Blick ist es unlogisch, verschafft Dir jedoch bei der Durchführung eine deutliche Flexibilität, weil Du plötzlich bei Aufgaben, die zu erledigen sind, mehrere Möglichkeiten hast.

Auch hier wieder ein praktisches Beispiel: Wie viele Wege kennst Du, um von zu Hause aus zur Arbeit zu fahren? Einen, zwei, vielleicht drei. Wie viele davon nutzt Du tatsächlich? Vermutlich fährst Du jeden Morgen denselben Weg.
Eine kleine Aufgabe für Dich: Versuche, weitere Wege zum Arbeitsplatz zu finden und fahre diese doch einfach mal ab. Wenn die nächste Vollsperrung auf Deinem eingefahrenen Weg kommt, bist Du bestens gerüstet, schnell und flexibel die Route zu wechseln und eine andere Fahrtstrecke zu wählen.

Und genau das ist es, was diese Leitsätze Dir in Deiner Kommunikation bieten:

- mehr Flexibilität
- mehr Gelassenheit
- mehr Verständnis

für Dein Gegenüber. Und in Situationen, die Du zuvor als ärgerlich empfunden hast, kannst Du nun auch anders reagieren. Vielleicht sogar die anderen in Erstaunen über Deine Reaktion versetzen.

Gesprächsvorbereitung

Im Rahmen Deines Weges in Dein Herzensbusiness steht wahrscheinlich das ein oder andere Gespräch im Raum. Vielleicht ein Gespräch mit Deinem Chef, weil Du die Stunden reduzieren möchtest, oder ein Gespräch mit Deinen Eltern oder Deinem Partner über Deine weiteren Pläne. Am liebsten möchtest Du davor davonlaufen, weil Du nicht weißt, wie um Himmel willen Du Deinem Chef sagen sollst, dass Du Deinen Vollzeitjob auf 30 oder noch weniger Stunden reduzieren möchtest. Ein einfaches Modell aus der Kommunikation bietet hier sehr hilfreiche Unterstützung. Das Modell ist von Friedemann Schulz von Thun und bekannt als Vier-Ohren-Modell oder Kommunikationsquadrat[40].

Dieses Modell beschreibt vier Seiten der Kommunikation, die bei jeder Gesprächsvorbereitung und Gesprächsführung berücksichtigt sein sollten.

- die Appellseite (Was möchte der Sprechende erreichen?)
- die Sachebene (Daten, Zahlen, Fakten, Sachverhalt)
- die Selbstaussage (Preisgabe über mich selbst)
- die Beziehungsebene (Aussage darüber, was ich von Dir halte und wie ich zu Dir stehe, also welche Beziehung wir zueinander haben)

---

[40] Friedemann Schulz von Thun geboren 1944; mehr dazu findest Du auf seiner Homepage https://bit.ly/2HmW6Re

Wir alle sprechen permanent mit diesen vier „Zungen" und hören mit den vier „Ohren", mit dem einen mehr und mit dem anderen weniger.

Ein Beispiel aus dem Alltag mag das verdeutlichen: Ein Haushaltsmitglied, meistens die Ehefrau und Mutter sagt am Frühstückstisch: „Der Mülleimer ist voll".
Die eher sachorientiert denkenden Männer und Söhne am Tisch nehmen den Tatbestand zur Kenntnis (Sachebene).

Die hilfsbereite, achtjährige Tochter steht auf und bringt den Mülleimer runter (Appellebene).

Die Ehefrau und Mutter signalisiert mit dem Satz, dass sie selber gerade keine Lust oder Zeit hat (Selbstauskunft) und erwartet von den Haushaltsmitgliedern, dass einer den Müll herunterbringt, weil es ein so gutes Familiengefüge ist, dass sie sich erlauben kann, es selbst nicht zu tun (Beziehungsebene).

Du siehst, wie ein Satz unterschiedliche Aktionen auslöst und verschieden interpretiert werden kann, weil Menschen unterschiedlich mit den vier Seiten der Kommunikation sprechen oder hören.

Eine gute Gesprächsvorbereitung ist die halbe Miete und erhöht Deinen Gesprächserfolg immens.

Für die Vorbereitung eines Gesprächs sollen alle vier Aspekte in der Reihenfolge wie nachfolgend aufgeführt berücksichtigt werden.

Stell Dir in der Vorbereitung die folgenden Fragen:

1. **Appell**: Was möchte ich mit dem Gespräch erreichen? Welches Ziel verfolge ich?
   Mache Dir Gedanken darüber, wie Dein Minimal-Ziel und Dein Maximal-Ziel aussehen sollen. Was willst Du unbedingt erreichen? An welcher Stelle bist Du bereit, Kompromisse zu machen?
   Was wünschst Du Dir von Deinem Gesprächspartner, welche Erwartung hast Du an ihn?

2. **Sachebene**: Was genau möchtest Du mit Deinem Gesprächspartner besprechen? Formuliere Deine Themen so konkret wie möglich und vermeide den Konjunktiv. Gibt es mehrere Dinge, die Du gerne ansprechen möchtest? Priorisiere Deine Themen und lege eine Reihenfolge fest.

3. **Selbstaussage**: Wie erlebst Du Deine derzeitige Situation? Welche Gefühle spielen eine Rolle? Und überlege Dir genau, wie viel und was Du aus Deiner Gefühlswelt preisgeben möchtest. Formuliere hier unbedingt in der Ich-Form („Ich fühle mich ungerecht behandelt" statt „Sie behandeln mich ungerecht"), sonst verläuft das Gespräch schnell kontraproduktiv, weil Schuldzuweisungen ausgetauscht werden.

4. **Beziehungsebene**: Mach Dir unbedingt Gedanken darüber, wie Dein Gesprächspartner die Situation sieht und erlebt. Dazu kann es hilfreich sein, sich einen zweiten Stuhl ins Zimmer zu holen, einen Zettel draufzulegen, auf dem

der Name des Gesprächspartners steht. Versetze Dich einmal ganz und gar in die Rolle hinein, indem Du den Stuhl wechselst und so tust, als seist Du Dein Gegenüber.

Für die Beziehungsebene ist es auch wichtig, für ein gutes Gesprächsklima zu sorgen. Das kannst Du beispielsweise dadurch erreichen, dass Du Dir Gedanken über die Terminlage machst. Wäre ein Termin vormittags oder nachmittags besser? Wann haben alle Gesprächspartner die Möglichkeit, sich hinreichend Zeit für das Gespräch zu nehmen? Mache Dir auch Gedanken über einen geeigneten Raum. Was eignet sich besser, das große Konferenzzimmer oder lieber das Büro Deines Chefs, vielleicht auch neutrales Terrain?

Schreibe Dir zu allen Punkten Stichworte auf. Auch hier gilt wieder: am besten handschriftlich, weil dies Deine Merkfähigkeit erhöht. Deine Notizen oder Teile daraus dürfen dann auch mit in das Gespräch genommen werden. So stellst Du sicher, dass Du gut vorbereitet bist und nichts vergisst.

Im tatsächlichen Gesprächsaufbau ist die Reihenfolge dann genau umgekehrt. Hier ist es wichtig, für das Gespräch eine geeignete Atmosphäre und ein gutes Gesprächsklima zu schaffen. Vermeide in diesem Zusammenhang unbedingt Gespräche zwischen Tür und Angel, unter Termindruck oder unter Stress. Sorge eventuell auch für Getränke. (Beziehungsebene)

Nenne dann Deine Themen, über die Du gerne sprechen möchtest und erkläre sie mit Beispielen. Unterlege sie mit Argumenten, mit Informationen, wie Du sie erlebt hast und wie es Dir damit geht. (Sachebene und Selbstauskunft)
Formuliere Deine Wünsche an Dein Gegenüber. (Appell)

Gib Deinem Gesprächspartner anschließend genügend Zeit und die Gelegenheit, das Gesagte zu verarbeiten und sich zu äußern. Und höre bei dem Gesagten genau hin. Vielleicht machst Du Dir auch Notizen, damit Du hinterher alle wichtigen Informationen zusammen hast.

Kommunikation - Do´s and Don´ts

In diesem kurzen Kapitel findest Du noch ein paar Do´s und Don´ts in der Kommunikation, die mir immer wieder auffallen.

Du weißt nicht, was Du sagen willst

Du glaubst, manchmal sprechen zu müssen, nur weil Dich Dein Gegenüber erwartungsvoll anschaut oder weil in einem Meeting - wie üblich - jeder seinen Senf dazugeben muss, obwohl Du zu diesem Thema gar nichts beizutragen hast, oder tatsächlich zu wenig darüber weißt. Dann beginnst Du Deine Sätze häufig mit „Äh, ich glaube..." oder „Ich finde..." oder auch „was ich noch sagen wollte..."

Besser ist es, in solchen Situationen einfach mal nichts zu sagen, bevor Du irgendwann nicht mehr ernst genommen wirst. Bevor Du irgendwas sagst, kannst Du es auch mit Ehrlichkeit probieren: „Entschuldigung, da habe ich gerade noch keine Meinung zu" oder „Es wurde bereits alles gesagt" oder „Darüber möchte ich einen Augenblick nachdenken".

Du hörst nicht zu

sondern bereitest in Deinem Kopf schon Deine Antwort vor. Das ist eine Unart, die wir fast alle jeden Tag mehrmals an den Tag legen. Und dann wundern wir uns, wenn wir plötzlich prima aneinander vorbeireden, oder das Thema gar nicht mehr mitbekommen. Du kennst sicher die Gespräche auf den Familienfesten oder im Freundeskreis, bei denen einer anfängt mit „in meinem letzten Urlaub ..." oder

„ich war gestern beim Arzt…". Ich habe dieses Beispiel bereits erwähnt, doch es ist einfach der Klassiker. Nach gefühlten zwei Stunden hat jeder eine Geschichte zum Urlaub oder seinem letzten Arztbesuch beigetragen. Die Geschichte der Person, die das Gespräch begonnen hat, kennt allerdings keiner der Anwesenden. Weil alle schon das letzte Urlaubserlebnis oder den letzten Arztbesuch im Kopf haben, und davon berichten möchten.

Mir persönlich gefällt schon der Begriff ZU-hören nicht und deshalb ersetze ich ihn in meinen Trainings häufig mit dem Wort HIN-hören. Denn nur, wenn Du wirklich hinhörst und Dich ganz Deinem Gegenüber widmest, kannst Du mit allen Sinneskanälen aufnehmen und wahrnehmen, was Dein Gegenüber Dir mitteilen möchte.

Deshalb höre Deinem Gegenüber stets bis zum letzten Buchstaben zu. Das ist nicht nur ein Zeichen von Höflichkeit und Respekt, sondern ist auch Bedingung für ein gutes Gespräch.

Mache Pausen, während Du sprichst

Egal, was Du Deinem Gegenüber erzählen oder vermitteln möchtest, möglicherweise hört er das, was Du sagst, zum ersten Mal. Bitte gib ihm / ihr die Gelegenheit, das Gesagte zu hören, aufzunehmen und zu verarbeiten. Deshalb sprich bitte nicht ohne Punkt und Komma, sondern gib Deinem Gegenüber hin und wieder Zeit, über Gesagtes kurz nachzudenken oder Zwischenfragen stellen zu können.

Ich weiß, dass das herausfordernd sein kann. Vor allem in Telefonkonferenzen, wo Du die anderen nicht siehst, ist es eine echte Herausforderung, abzuwarten, bis der / die Andere ausgesprochen hat und dann auch noch Pausen zu machen.

“Man”, “wir” oder ICH

Du kennst solche Sätze und der Kontext ist dabei nahezu egal. „Man sollte ...”, „Man macht sowas nicht...”

Wenn ich solche Sätze höre, schmunzle ich mittlerweile innerlich und frage mich: „Wer ist denn dieser MAN?“

Den gibt es nahezu überall, und keiner hat ihn je gesehen. Wenn jemand einen Satz mit „man” zu Dir sagt, dann frage doch einfach „Wer ist „man”?” denn in der Regel gibt es zu „man” eine Spezifikation wie „Kannst Du ...” oder „Ich sollte ...” oder „Herr X sollte...”

Deine Nachfrage sorgt für Klarheit, wer genau angesprochen ist und führt anschließend nicht dazu, dass Dein Gegenüber erwartet hat, dass Du sein „man” warst.

“Musst Du ...” wirklich

Die Worte „müssen”, „sollen”, „dürfen”, „können” und „wollen” werden auch Modaloperatoren genannt. Leider wird das Wort „müssen” sehr häufig benutzt und ist dabei so negativ besetzt. Immer dann, wenn Dir ein „Müssen” entgegenkommt, stelle Dir die Frage „muss ich wirklich?”

Nimm einmal beispielhaft den häufig verwendeten Satz „Ich muss aufstehen" und ersetze das Wort „muss" durch die anderen Modaloperatoren. Achte darauf, was der Satz jeweils mit Dir macht:

- Ich muss aufstehen
- Ich soll aufstehen
- Ich darf aufstehen
- Ich kann aufstehen
- Ich will aufstehen

Merkst Du, wie sich Deine Motivation verändert?
Müssen, sollen und dürfen sind für mich von außen initiiert, können und wollen dagegen eher eine innere Motivation. Und wie wunderbar kann ein Tag starten, wenn Du „aufstehen willst"?

Du darfst lernen zu sagen, was Du willst und was Du nicht mehr willst und das auch mit sehr klaren Worten. Sätze wie „man könnte mal..." oder „ich würde gerne ..." sind wenig zielführend. Besser ist „Ich kann dieses und jenes jetzt nicht mehr" oder „Ich will... "

Klare Kommunikation ist in Deinem gesamten Veränderungsprozess und überhaupt in Deinem Leben wichtig, gleichwohl gebe ich zu, dass Du nicht immer zu 100 % klar sein kannst. Manchmal ist es Deine gute Kinderstube und die Nettigkeit dem anderen gegenüber, die Dich etwas unklarer kommunizieren lassen. Vielleicht blitzen auch gerade wieder alte Glaubenssätze durch, weil es Dir nicht gut geht und Du mental nicht auf der Höhe bist. Manchmal ist es auch hilfreich, einfach still zu sein und auf klare Kommunikation zu verzichten, weil es die Etikette gebietet.

Klarheit in der Kommunikation ist ein Training und begleitet Dich Dein ganzes Leben. Das braucht auch eine Menge Selbstreflexion und immer wieder die Fragen an Dich selbst:

- Was habe ich gesagt?
- Was habe ich gemeint?
- Was ist beim anderen passiert?
- Wie kann ich es verbessern?

Und Dir selber auch immer ein respektvolles Feedback zu geben:

- Was habe ich gut gemacht?
  Finde mindestens drei Aspekte, was Du gut gemacht hast.
- Was mache ich beim nächsten Mal besser?
  Finde mindestens einen Aspekt, den Du verbessern kannst.

Wenn Du Dir auf diese Weise Feedback gibst, kannst Du permanent weiterwachsen. Leider liegt es in uns, dass wir uns eher beschimpfen und herausfinden, was alles schlecht war. Das können vor allem Frauen und noch viel besser die deutschen Frauen besonders gut. Wir sind Weltmeister im Runterziehen und darüber, über Schlechtes nachzudenken, statt Wachstum durch Verbesserung zu fördern.

Wenn Du den ein oder anderen Tipp zu gelungener und authentischer Kommunikation umsetzt, wird Dein Umfeld Veränderungen an Dir feststellen. Du wirst zu Deiner Veränderung in jedem Fall eine Reaktion - eben ein Feedback - erhalten. Deine Kommunikation wird immer besser, wenn Du dieses Feedback umsetzt und weiter an gelungener Kommunikation trainierst.

Im Ergebnis sorgst Du dafür, dass es weniger Missverständnisse in Deinem privaten und beruflichen Umfeld gibt. Damit wirst Du klarer und besser verstanden.

Wenn Du mehr über gelungene Kommunikation erfahren möchtest, dann sprich mich gerne an. Schreib mir eine Mail an buch@kopfarbeit.jetzt

Danksagung

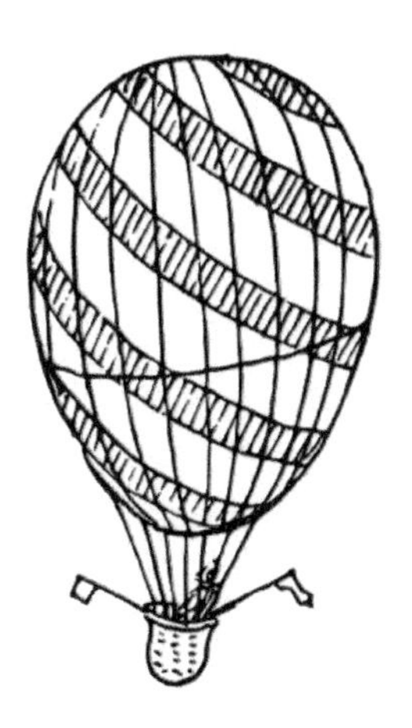

Ich kann sie hier gar nicht alle aufzählen, alle, denen ich danken darf und will. Dennoch gibt es eine Reihe Menschen, die dieses Buch erst möglich gemacht haben. Zuallererst danke ich meinem Vater, der mir die finanziellen Mittel hinterlassen hat, mir ein Buchcoaching und die nötige Zeit zu gönnen, damit dieses Buch entstehen konnte.

Wenn ich in der Reihenfolge der Buchentstehung bleiben wollte, sollte ich jetzt dem Universum danken, das mich im März 2020 dank der Corona-Krise mit einem Kreis von Coaches zusammen sein ließ, die unter der Leitung der wunderbaren Mirjam Saeger, ein Buchprojekt aus dem Boden stampften. Dieses Buch ließ mich ernsthaft Blut lecken, ein kleiner, weiterführender Workshop tat sein Übriges.

Dann danke ich meinem wundervollen Mann. Nicht nur dafür, dass er mich seit mehr als 20 Jahren begleitet und eine wundervolle Beziehung mit mir führt, sondern auch dafür, dass er mir zustimmte, als ich vom eigenen Buch sprach, anstatt mich für verrückt zu erklären.

Der wundervollen Buch-Coach Mirjam Saeger gebührt der Dank für eine exzellente Begleitung vom ersten Wort bis zum fertigen Buch und der entsprechenden Marketing-Strategie.

Auch möchte ich mich bei zahlreichen Mentees und Coachees bedanken, die ich bei ihrer Entwicklung begleiten durfte und die mit ihren Fortschritten mein Herz haben hüpfen lassen. Die ein oder andere Geschichte durfte ich im Buch verarbeiten.

Ich danke meinen zahlreichen Coaches und Trainern, allen voran Frank Knapstein und Isabel Kempinski, die mich ausgebildet haben und erst den Weg geebnet haben, dass ich heute dort bin, wo ich stehe.

Mein Dank gehört allen Menschen, die an mich geglaubt und mir vertraut haben. Ich danke auch mir, dass ich das Durchhaltevermögen und die Struktur bewiesen habe, dieses Buch auch wirklich zu Ende zu bringen.

Ob es eine Eintagsfliege ist, das dürfen andere beurteilen!

Was ich weiß ist, dass ich viel Freude daran hatte, dieses Buch zu schreiben. Ich hoffe, damit viele Menschen in die Lage zu versetzen, sich selbst ihrem Ziel näher zu bringen und es zu erreichen.

Wenn Dir das Buch gefallen hat, dann freue ich mich über eine positive Rezension, ein Feedback an buch@kopfarbeit.jetzt oder eine Bewertung bei Provenexpert https://www.provenexpert.com/anna-katharina-steiger/

Wenn Dir das Buch nicht gefallen hat, dann freue ich mich ebenfalls über ein Feedback - denn, ich höre nie auf, zu lernen.

In tiefer Dankbarkeit
Anna Katharina Steiger